#연산반복학습
#생활속계산
#문장읽고계산식세우기
#학원에서검증된문제집

수학리더
연산

Chunjae
Makes
Chunjae

기획총괄 박금옥
편집개발 지유경, 정소현, 조선영, 원희정,
최윤석, 김선주, 박선민, 정주희
디자인총괄 김희정
표지디자인 윤순미, 박민정
내지디자인 박희춘
제작 황성진, 조규영

발행일 2022년 4월 15일 초판 2022년 4월 15일 1쇄
발행인 (주)천재교육
주소 서울시 금천구 가산로9길 54
신고번호 제2001-000018호
고객센터 1577-0902
교재 구입 문의 1522-5566

※ 정답 분실 시에는 천재교육 홈페이지에서 내려받으세요.
※ KC 마크는 이 제품이 공통안전기준에 적합하였음을 의미합니다.
※ 주의
책 모서리에 다칠 수 있으니 주의하시기 바랍니다.
부주의로 인한 사고의 경우 책임지지 않습니다.
8세 미만의 어린이는 부모님의 관리가 필요합니다.

차례

이 책의 구성과 특징

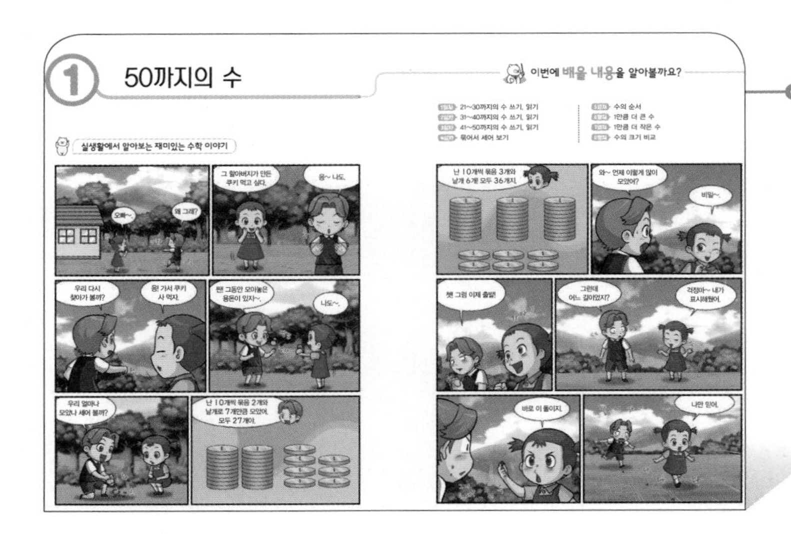

이번에 배울 내용을 알아볼까요?

공부할 내용을 만화로 재미있게 확인할 수 있습니다.

기초 계산 연습

계산 원리와 방법을 한눈에 익힐 수 있고 계산 반복 훈련으로 확실하게 익힐 수 있습니다.

1 일차 21~30까지의 수 쓰기, 읽기 | 기초 계산 연습 | 맞은 개수 / 10개 | ▸ 정답과 해설 1쪽

21 이십일, 스물하나
22 이십이, 스물둘
23 이십삼, 스물셋
24 이십사, 스물넷
25 이십오, 스물다섯
26 이십육, 스물여섯
27 이십칠, 스물일곱
28 이십팔, 스물여덟
29 이십구, 스물아홉
30 삼십, 서른

구슬의 수를 읽으면서 써 보세요.

① 21
② 22
③ 23
④ 24

달걀의 수를 읽으면서 써 보세요.

⑤ 25
⑥ 26
⑦ 27
⑧ 28
⑨ 29
⑩ 30

플러스 계산 연습

다양한 형태의 계산 문제를 반복하여 완벽하게 익힐 수 있습니다.

1 일차 21~30까지의 수 쓰기, 읽기 | 플러스 계산 연습 | 맞은 개수 / 20개 | ▸ 정답과 해설 1쪽

수를 두 가지로 읽어 보세요.

1 23
2 24
3 28
4 30

수로 나타내어 보세요.

5 이십육 →
6 이십오 →
7 이십일 →
8 스물아홉 →
9 스물일곱 →
10 스물다섯 →
11 스물셋 →
12 이십팔 →

생활 속

색연필의 수를 세어 수로 나타내어 보세요.

13 10 20 23 24
14
15
16

문장 문제

17 22를 두 가지로 읽어 보세요.
이십이, ______
18 25를 두 가지로 읽어 보세요.
이십오, ______
19 27을 두 가지로 읽어 보세요.
______, 스물일곱
20 29를 두 가지로 읽어 보세요.
______, 스물아홉

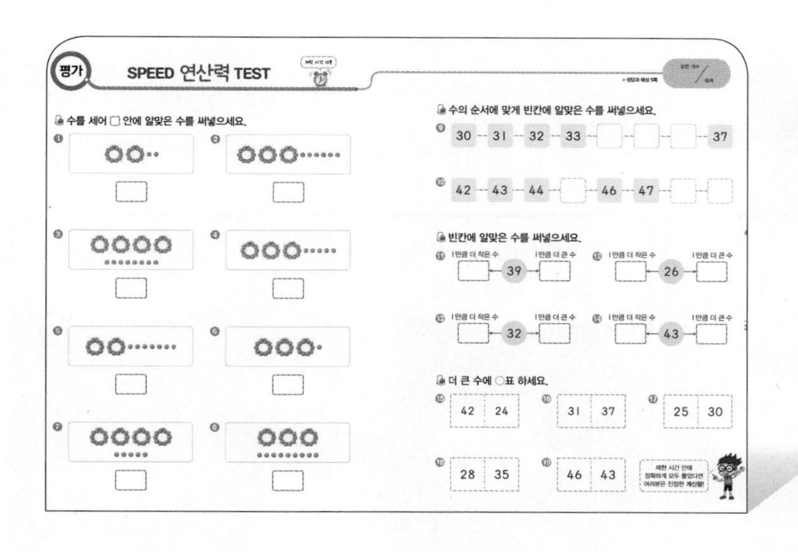
평가 SPEED 연산력 TEST

수를 세어 □ 안에 알맞은 수를 써넣으세요.

수의 순서에 맞게 빈칸에 알맞은 수를 써넣으세요.

30 31 32 33 □ □ □ 37

42 43 44 □ 46 47 □ □

빈칸에 알맞은 수를 써넣으세요.

1만큼 더 작은 수 □ 39 □ 1만큼 더 큰 수

1만큼 더 작은 수 □ 26 □ 1만큼 더 큰 수

1만큼 더 작은 수 □ 32 □ 1만큼 더 큰 수

1만큼 더 작은 수 □ 43 □ 1만큼 더 큰 수

더 큰 수에 ○표 하세요.

42 24 / 31 37 / 25 30 / 28 35 / 46 43

평가 SPEED 연산력 TEST

배운 내용을 테스트로 마무리 할 수 있습니다.

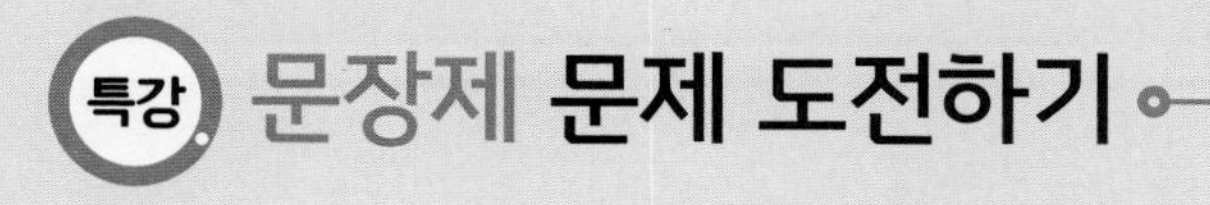

특강 문장제 문제 도전하기

단순 연산 문제와 함께
문장제 문제도 연습할 수
있습니다.

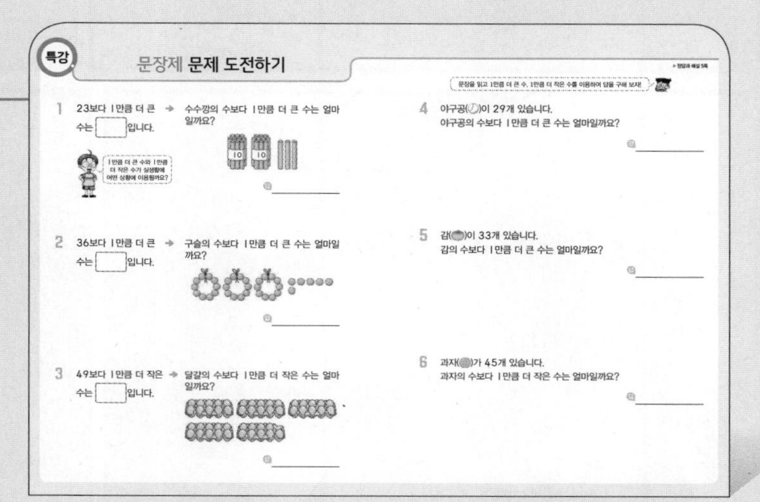
특강 문장제 문제 도전하기

1 23보다 1만큼 더 큰 수는 □입니다. → 수수깡의 수보다 1만큼 더 큰 수는 얼마일까요?

2 36보다 1만큼 더 큰 수는 □입니다. → 구슬의 수보다 1만큼 더 큰 수는 얼마일까요?

3 49보다 1만큼 더 작은 수는 □입니다. → 달걀의 수보다 1만큼 더 작은 수는 얼마일까요?

4 야구공이 29개 있습니다. 야구공의 수보다 1만큼 더 큰 수는 얼마일까요?

5 감이 33개 있습니다. 감의 수보다 1만큼 더 큰 수는 얼마일까요?

6 과자가 45개 있습니다. 과자의 수보다 1만큼 더 작은 수는 얼마일까요?

특강 창의·융합·코딩·도전하기

요즘 수학 문제인 창의·융합·코딩
문제를 수록하였습니다.

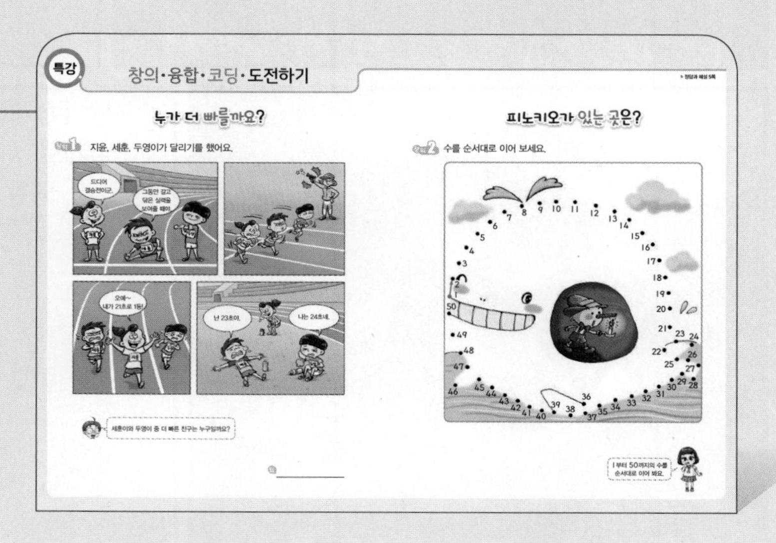
특강 창의·융합·코딩·도전하기

누가 더 빠를까요?

지윤, 세훈, 두영이가 달리기를 했어요.

피노키오가 있는 곳은?

수를 순서대로 이어 보세요.

50까지의 수

실생활에서 알아보는 재미있는 수학 이야기

그 할아버지가 만든 쿠키 먹고 싶다.
응~ 나도.
후

우리 다시 찾아가 볼까?
응! 가서 쿠키 사 먹자.
척

짠! 그동안 모아놓은 용돈이 있지~.
나도~.
짤랑
짤랑

우리 얼마나 모았나 세어 볼까?
촤르르

난 10개씩 묶음 2개와 낱개로 7개만큼 모았어. 모두 27개야.

이번에 배울 내용을 알아볼까요?

- 1일차 21~30까지의 수 쓰기, 읽기
- 2일차 31~40까지의 수 쓰기, 읽기
- 3일차 41~50까지의 수 쓰기, 읽기
- 4일차 묶어서 세어 보기
- 5일차 수의 순서
- 6일차 1만큼 더 큰 수
- 7일차 1만큼 더 작은 수
- 8일차 수의 크기 비교

1 일차

21~30까지의 수 쓰기, 읽기

이렇게 해결하자

21	22	23	24	25
이십일, 스물하나	이십이, 스물둘	이십삼, 스물셋	이십사, 스물넷	이십오, 스물다섯
26	27	28	29	30
이십육, 스물여섯	이십칠, 스물일곱	이십팔, 스물여덟	이십구, 스물아홉	삼십, 서른

구슬의 수를 읽으면서 따라 써 보세요.

❶ 21 | 21 | 21 | 21 | 21

❷ 22 | 22 | 22 | 22 | 22

❸ 23 | 23 | 23 | 23 | 23

❹ 24 | 24 | 24 | 24 | 24

달걀의 수를 읽으면서 따라 써 보세요.

5

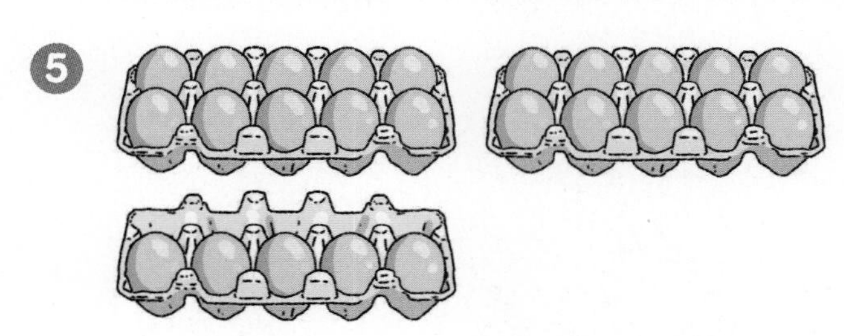

25	25	25

6

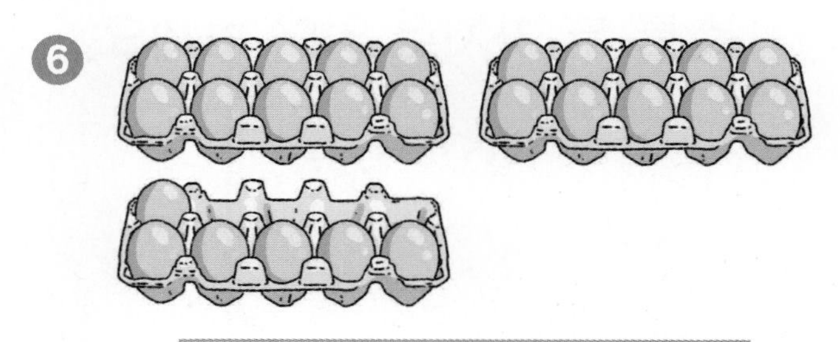

26	26	26

7

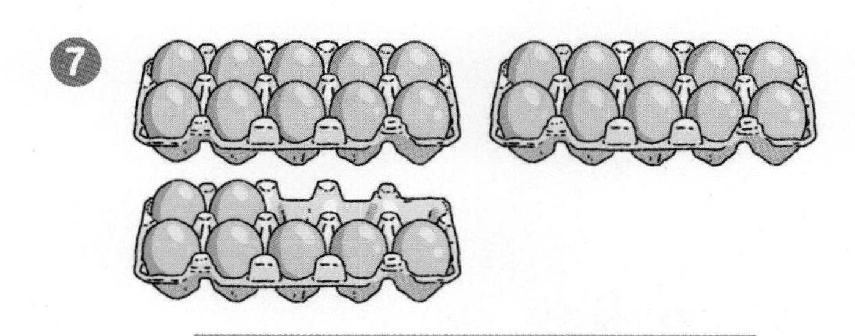

27	27	27

8

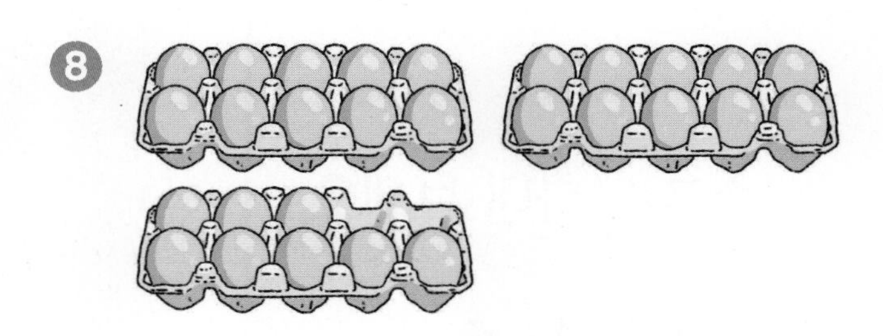

28	28	28

9

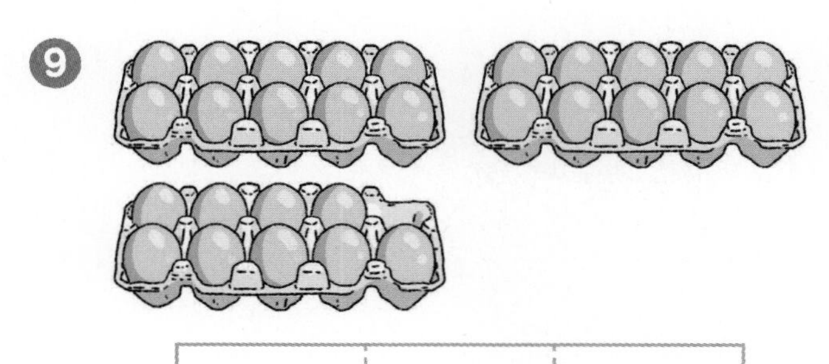

29	29	29

10

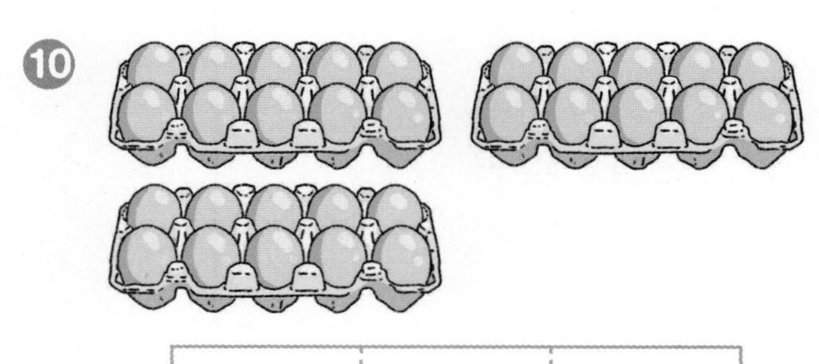

30	30	30

21~30까지의 수 쓰기, 읽기

수를 두 가지로 읽어 보세요.

1

23	이십삼
	스물셋

2

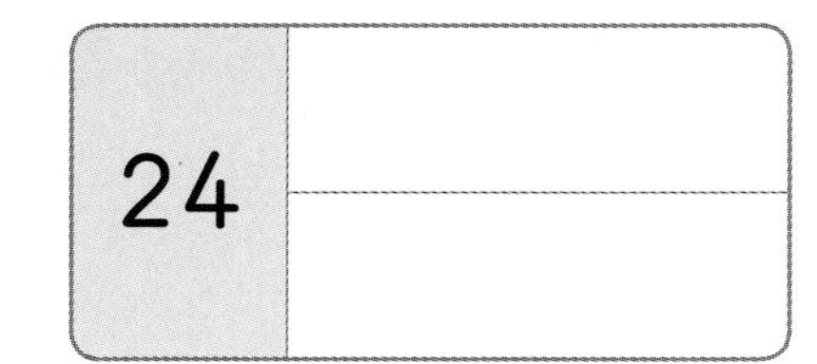

3

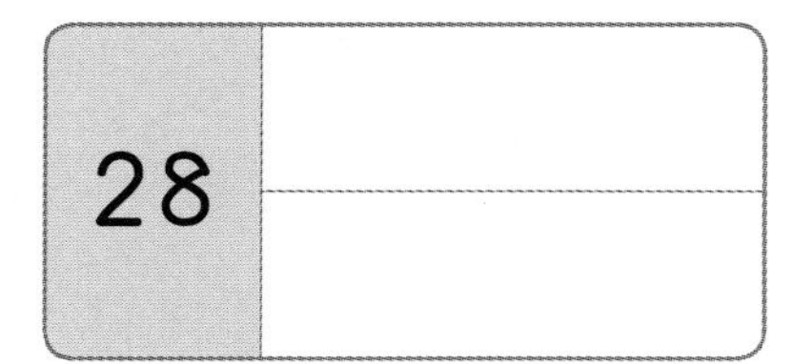

4

30

수로 나타내 보세요.

5 이십육 → ☐

6 이십오 → ☐

7 이십일 → ☐

8 스물아홉 → ☐

9 스물일곱 → ☐

10 스물다섯 → ☐

11 스물셋 → ☐

12 이십팔 → ☐

제한 시간 5분

플러스 계산 연습

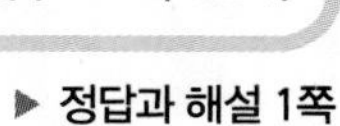

맞은 개수 / 20개

▶ 정답과 해설 1쪽

생활 속 문제

색연필의 수를 세어 수로 나타내 보세요.

13

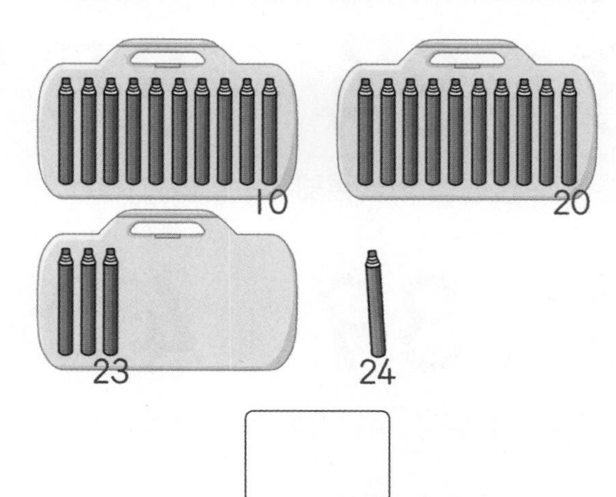

14

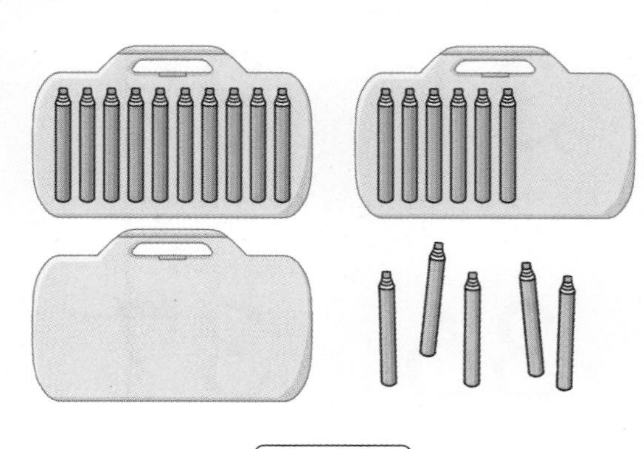

15

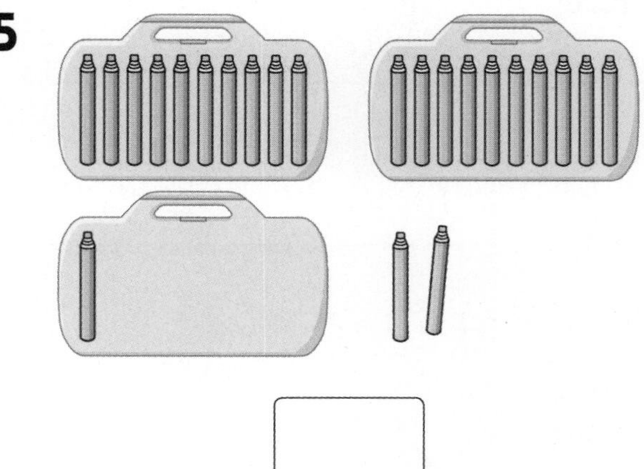

16

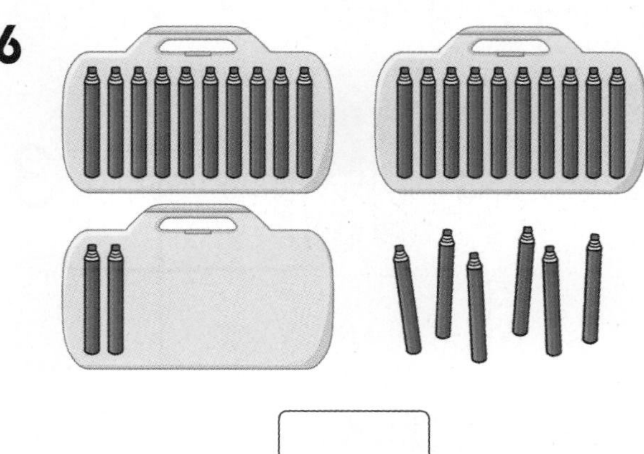

문장 읽고 문제 해결하기

17 22를 두 가지로 읽어 보세요.

읽기 이십이, ____________

18 25를 두 가지로 읽어 보세요.

읽기 이십오, ____________

19 27을 두 가지로 읽어 보세요.

읽기 ____________, 스물일곱

20 29를 두 가지로 읽어 보세요.

읽기 ____________, 스물아홉

2 일차

31~40까지의 수 쓰기, 읽기

이렇게 해결하자

31	32	33	34	35
삼십일, 서른하나	삼십이, 서른둘	삼십삼, 서른셋	삼십사, 서른넷	삼십오, 서른다섯
36	**37**	**38**	**39**	**40**
삼십육, 서른여섯	삼십칠, 서른일곱	삼십팔, 서른여덟	삼십구, 서른아홉	사십, 마흔

수수깡의 수를 읽으면서 따라 써 보세요.

❶

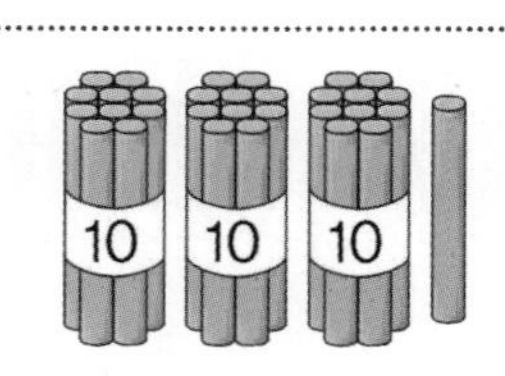

31	31	31	31	31

❷

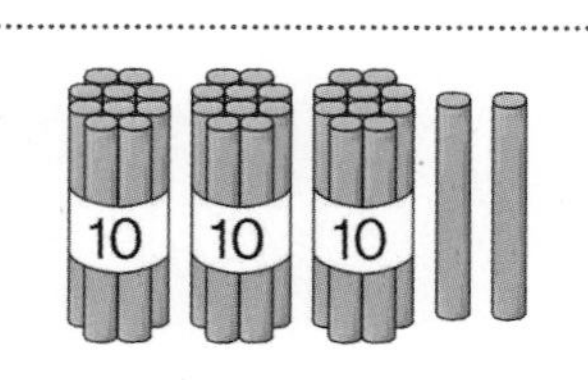

32	32	32	32	32

❸

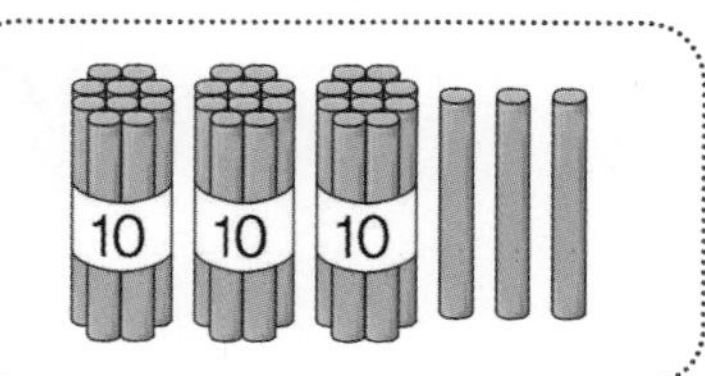

33	33	33	33	33

❹

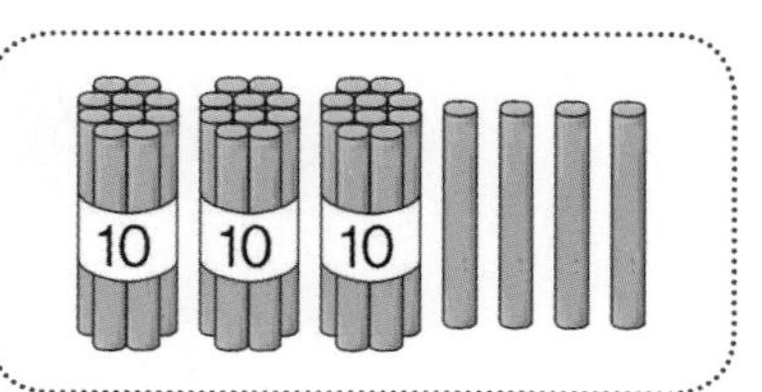

34	34	34	34	34

기초 계산 연습

맞은 개수 / 12개

▶ 정답과 해설 1쪽

구슬의 수를 읽으면서 따라 써 보세요.

❺

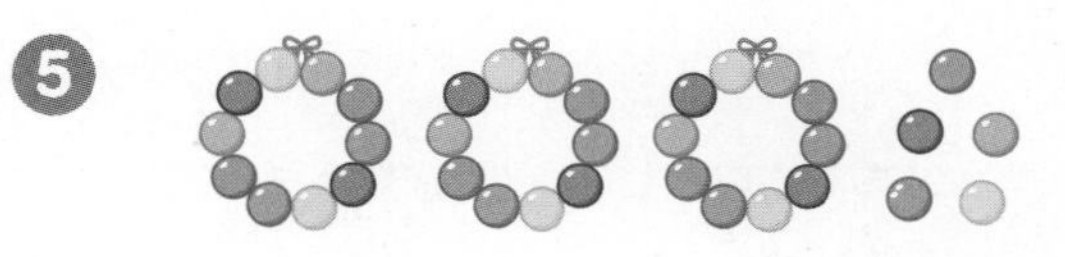

35	35	35

❻

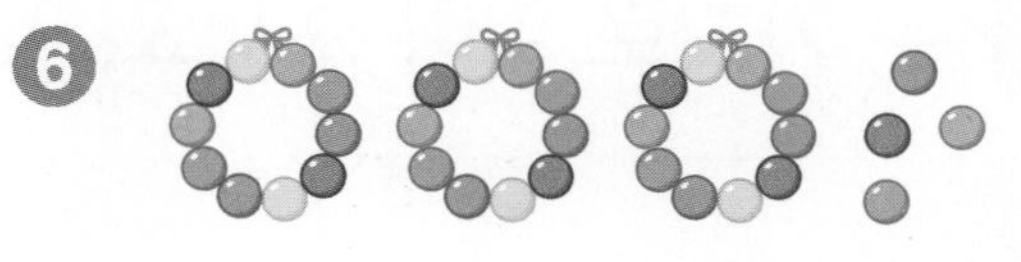

34	34	34

❼

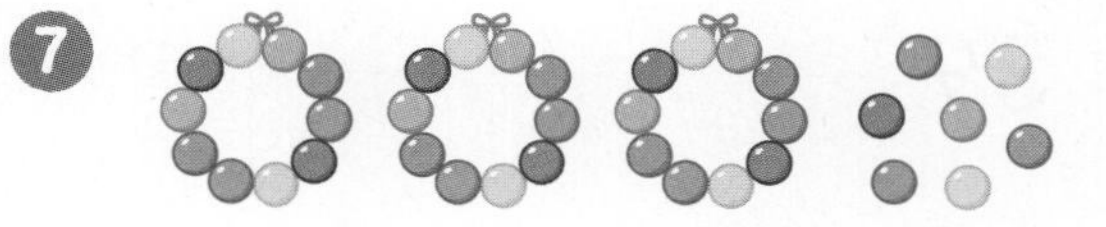

37	37	37

❽

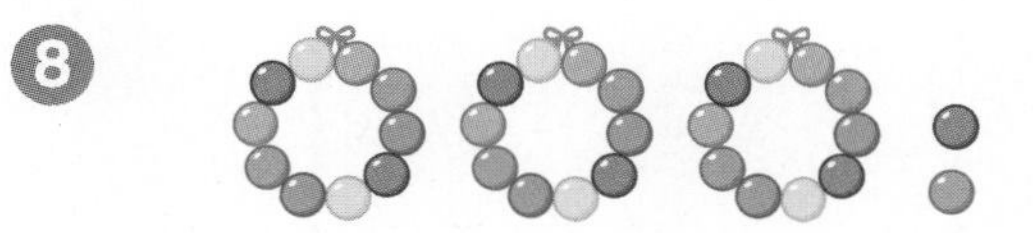

32	32	32

❾

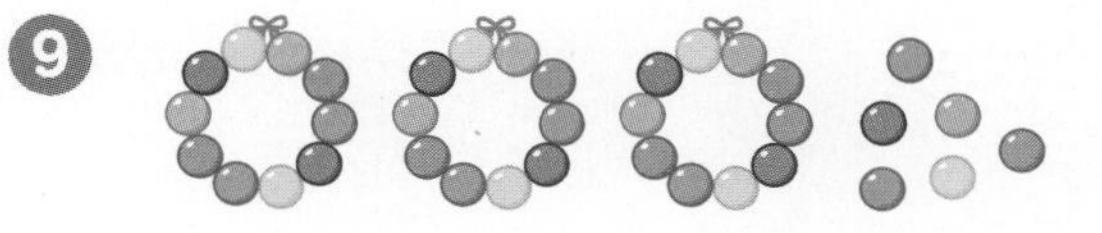

36	36	36

❿

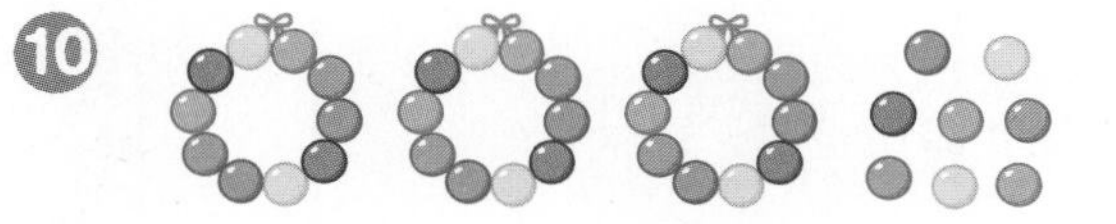

38	38	38

⓫

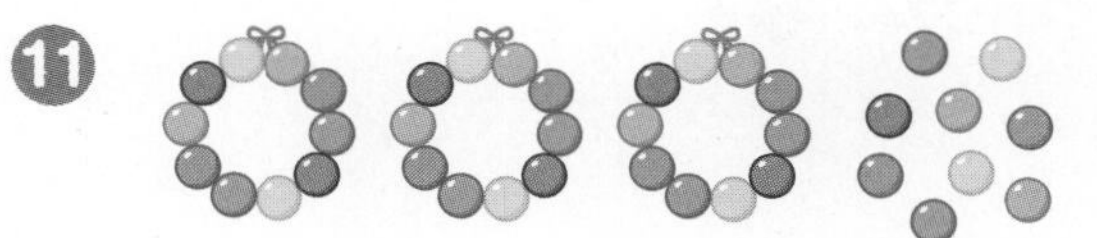

39	39	39

⓬

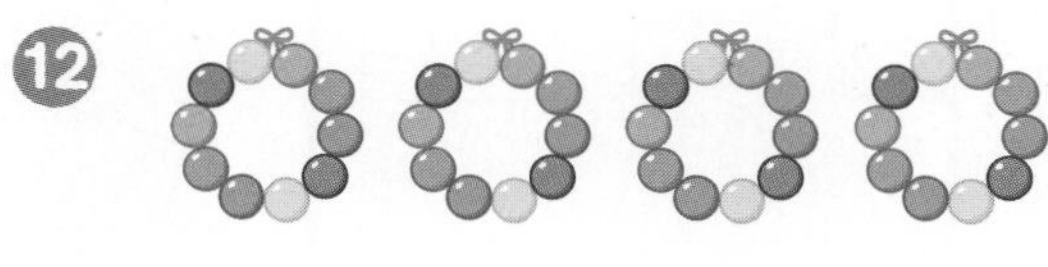

40	40	40

2 일차

31~40까지의 수 쓰기, 읽기

수를 두 가지로 읽어 보세요.

1

32	삼십이
	서른둘

2

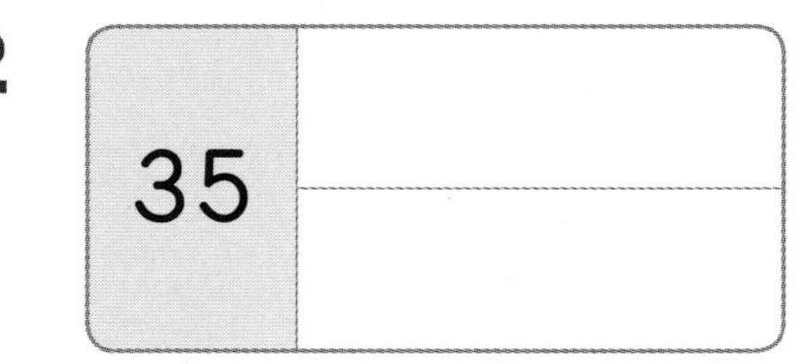

3

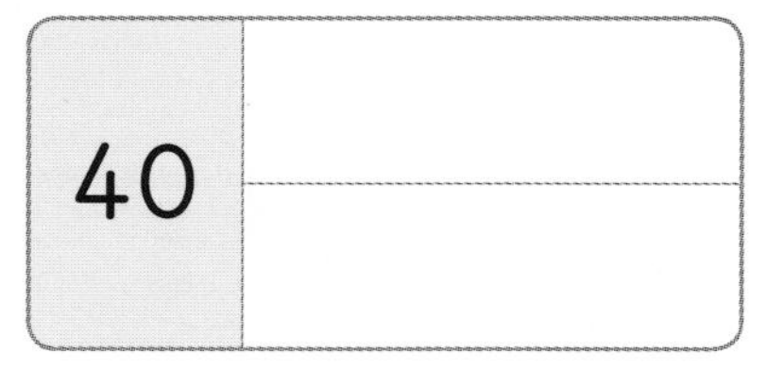

4

39	

수로 나타내 보세요.

5 삼십팔 ➔ ☐

6 삼십일 ➔ ☐

7 삼십칠 ➔ ☐

8 서른여섯 ➔ ☐

9 서른둘 ➔ ☐

10 마흔 ➔ ☐

11 삼십구 ➔ ☐

12 서른넷 ➔ ☐

제한 시간 5분

플러스 계산 연습

▶ 정답과 해설 1쪽

생활 속 문제

도토리의 수를 세어 수로 나타내 보세요.

13

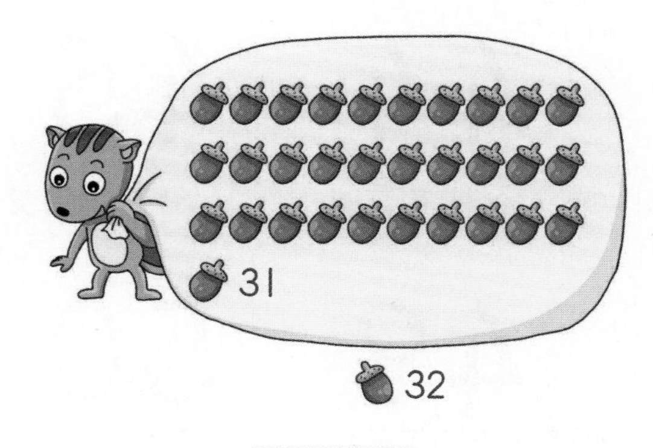

☐

14

☐

15

☐

16

☐

문장 읽고 문제 해결하기

17 31을 두 가지로 읽어 보세요.

읽기 삼십일, ______________

18 33을 두 가지로 읽어 보세요.

읽기 삼십삼, ______________

19 37을 두 가지로 읽어 보세요.

읽기 ______________, 서른일곱

20 38을 두 가지로 읽어 보세요.

읽기 ______________, 서른여덟

3 일차

41~50까지의 수 쓰기, 읽기

이렇게 해결하자

41	42	43	44	45
사십일, 마흔하나	사십이, 마흔둘	사십삼, 마흔셋	사십사, 마흔넷	사십오, 마흔다섯
46	47	48	49	50
사십육, 마흔여섯	사십칠, 마흔일곱	사십팔, 마흔여덟	사십구, 마흔아홉	오십, 쉰

구슬의 수를 읽으면서 따라 써 보세요.

❶

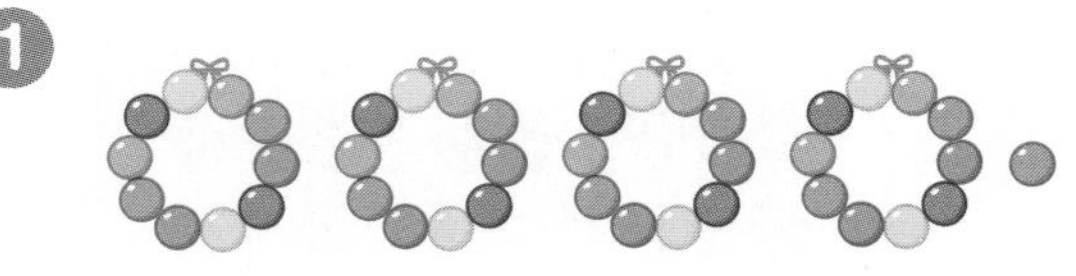

41	41	41	41

❷

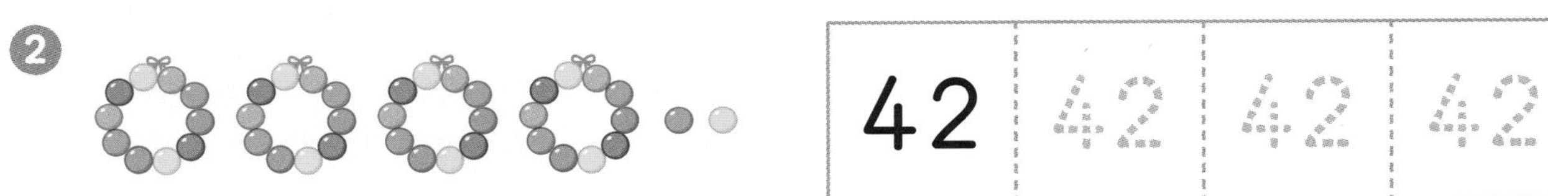

42	42	42	42

❸

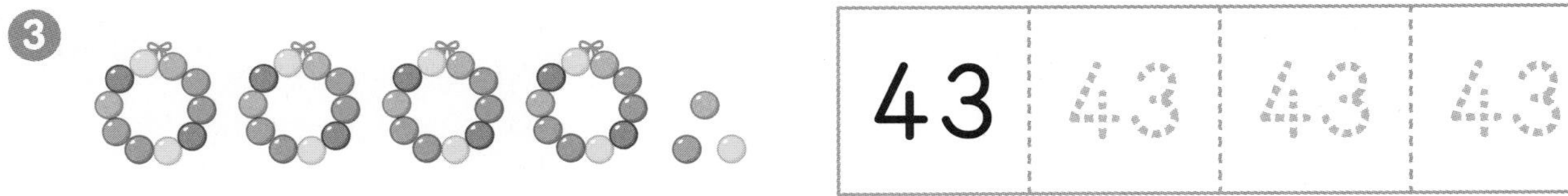

43	43	43	43

❹

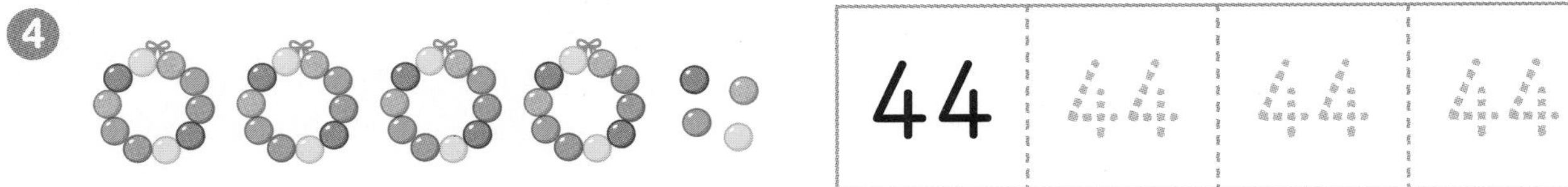

44	44	44	44

제한 시간 3분

기초 계산 연습

맞은 개수 / 10개

▶ 정답과 해설 2쪽

수수깡의 수를 읽으면서 따라 써 보세요.

5

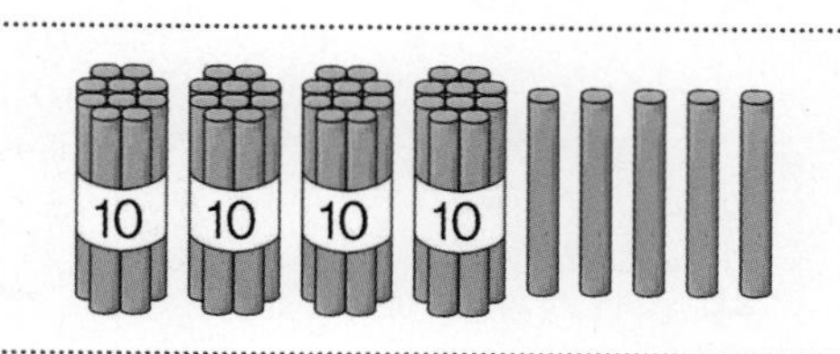

45	45	45

6

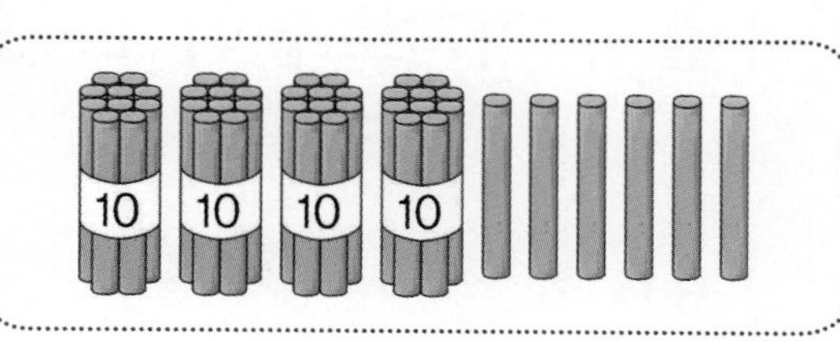

46	46	46

7

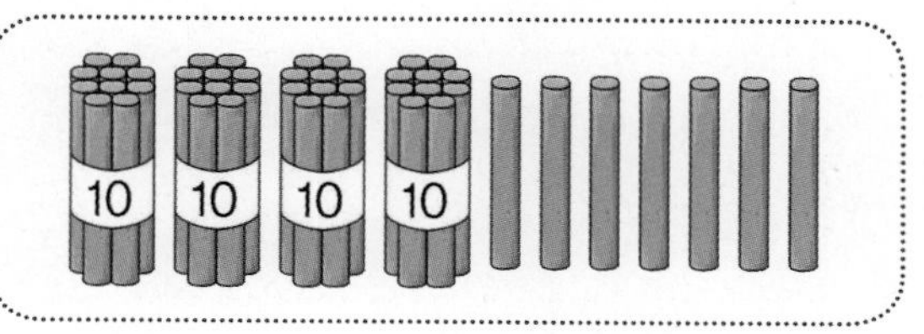

47	47	47

8

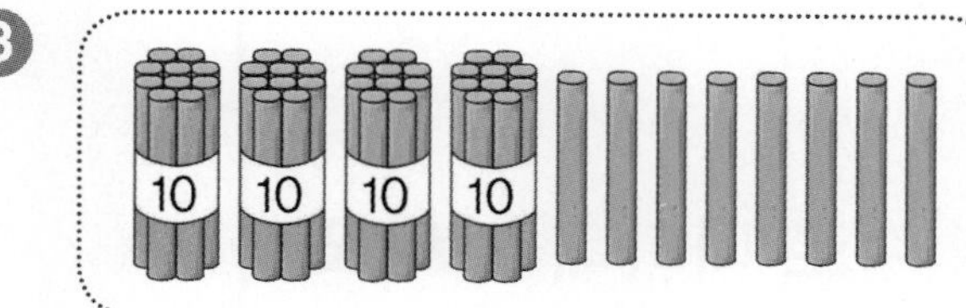

48	48	48

9

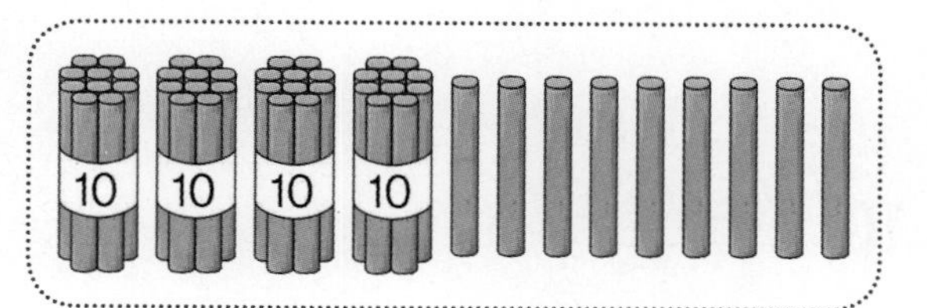

49	49	49

10

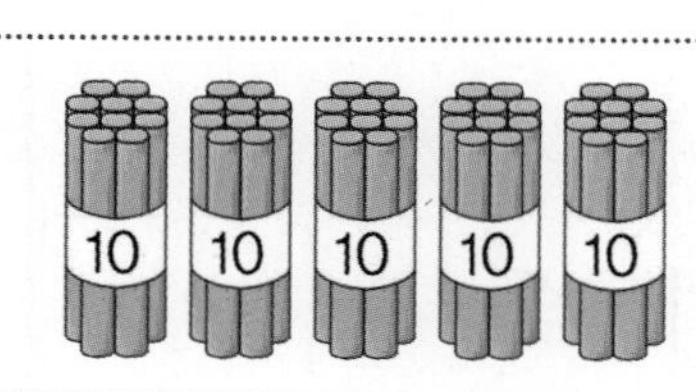

50	50	50

3 일차 41~50까지의 수 쓰기, 읽기

수를 두 가지로 읽어 보세요.

1

44	사십사
	마흔넷

2

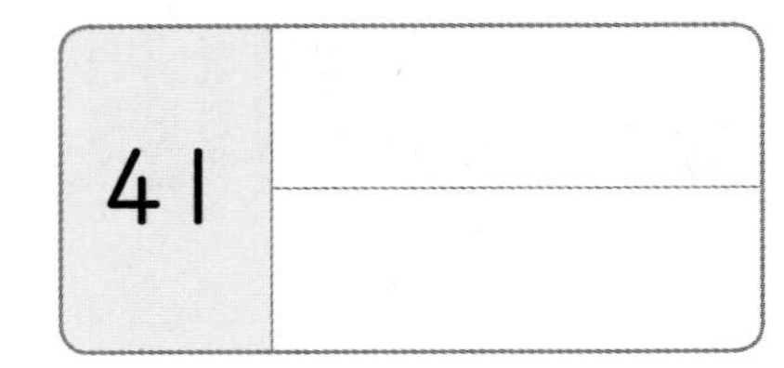

3

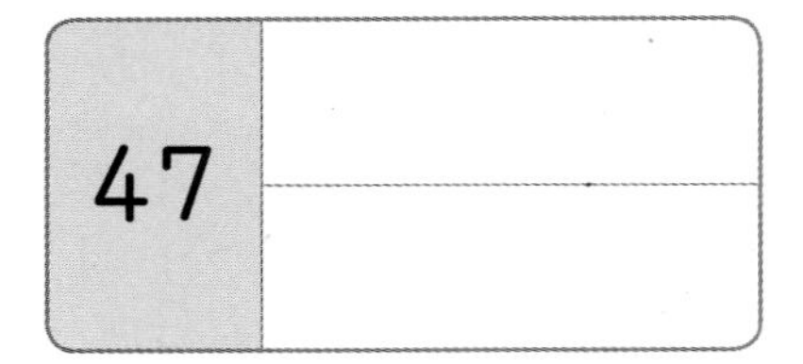

4

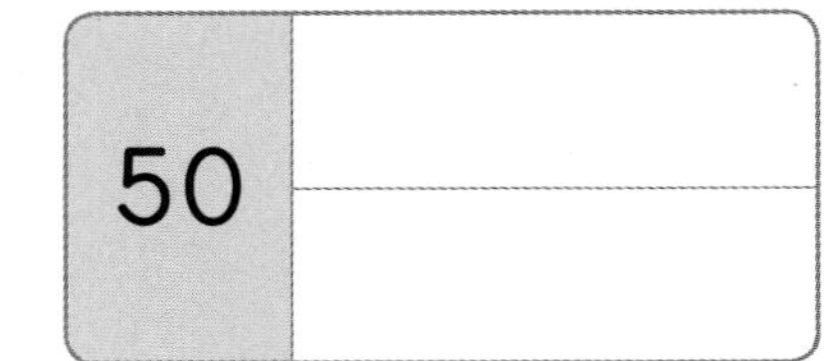

수로 나타내 보세요.

5 사십구 → ☐

6 오십 → ☐

7 사십이 → ☐

8 마흔여덟 → ☐

9 마흔둘 → ☐

10 마흔다섯 → ☐

11 마흔아홉 → ☐

12 사십칠 → ☐

제한 시간 5분

플러스 계산 연습

맞은 개수 / 20개

▶ 정답과 해설 2쪽

생활 속 문제

구슬의 수를 세어 수로 나타내 보세요.

13

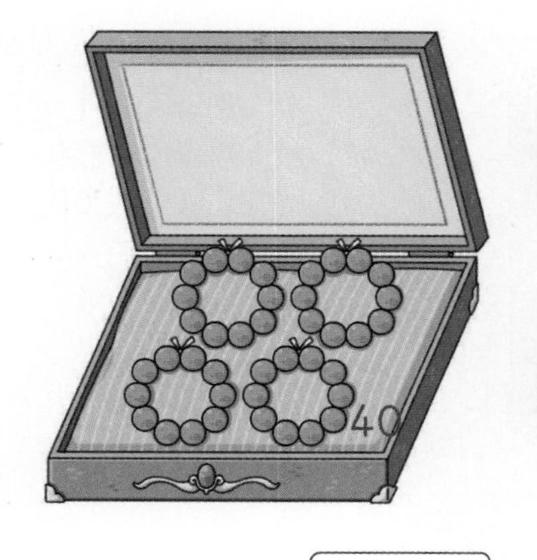

41 42

☐

14

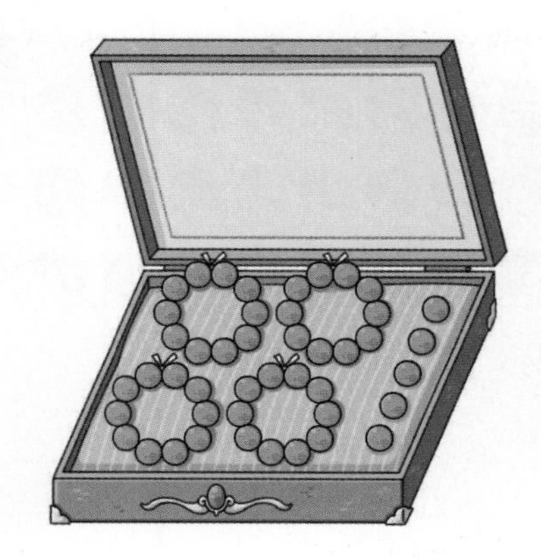

☐

15

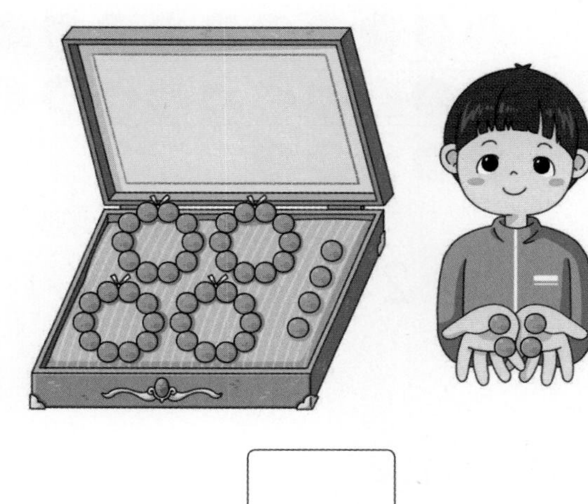

☐

16

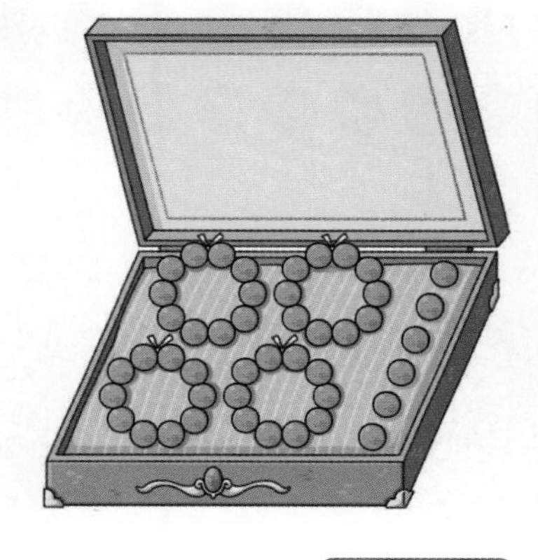

☐

문장 읽고 문제 해결하기

17 41을 두 가지로 읽어 보세요.

읽기 사십일, ____________

18 43을 두 가지로 읽어 보세요.

읽기 사십삼, ____________

19 44를 두 가지로 읽어 보세요.

읽기 ____________, 마흔넷

20 47을 두 가지로 읽어 보세요.

읽기 ____________, 마흔일곱

4 일차 묶어서 세어 보기

이렇게 해결하자

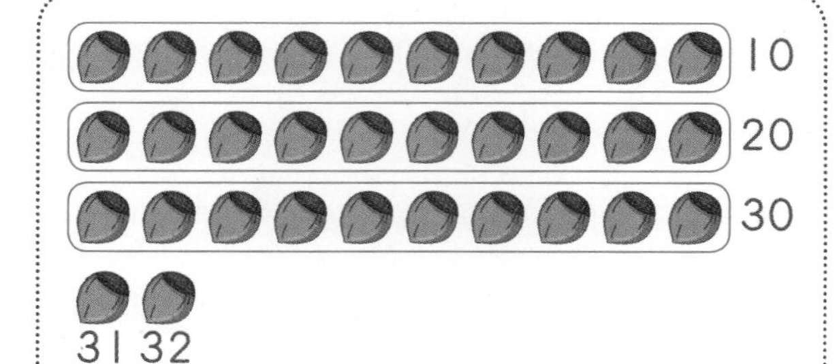

32

10개씩 묶음 3개와 낱개 2개이므로 32입니다.

10개씩 묶어서 세면 한 개씩 셀 때보다 빨리 셀 수 있어요.

세어 보고 알맞은 수에 ○표 하세요.

❶

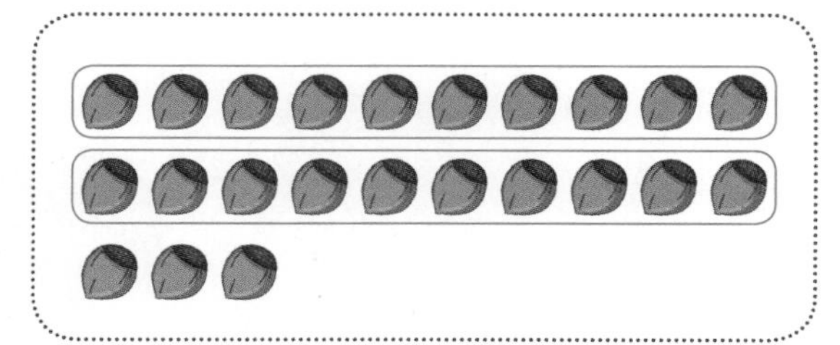

(21, 22, 23)

❷

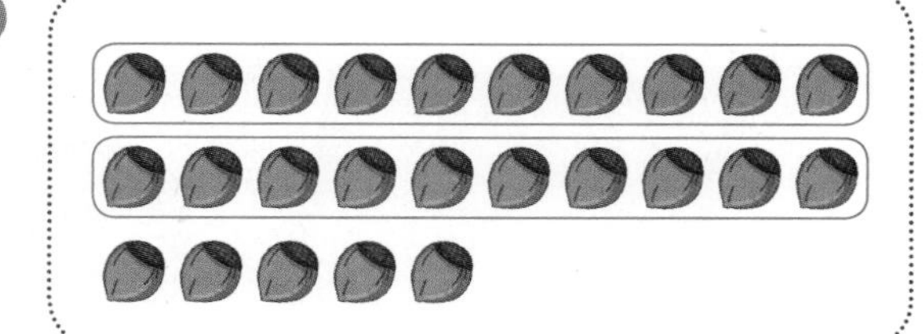

(23, 24, 25)

❸

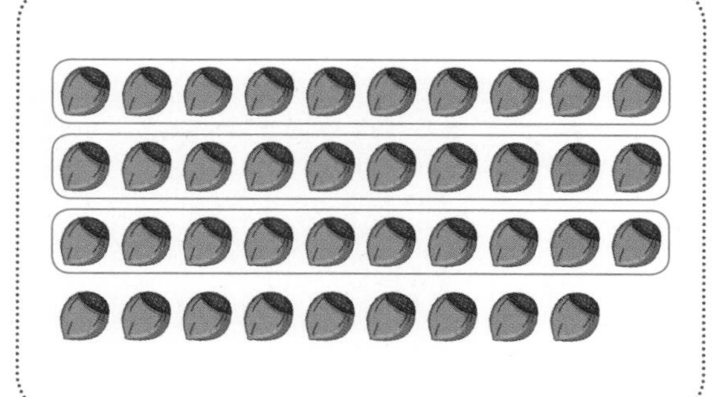

(35, 37, 39)

❹

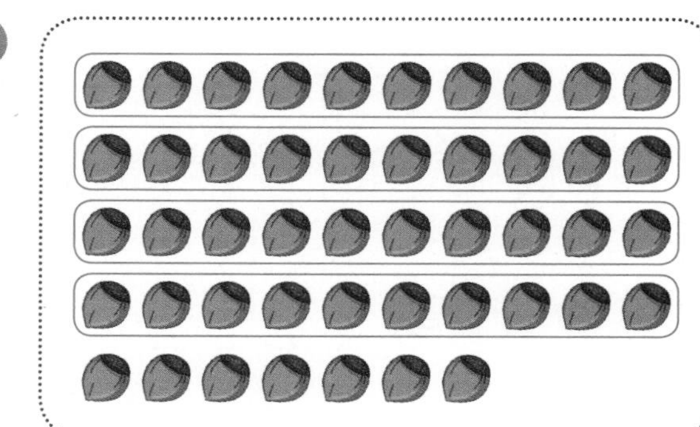

(45, 47, 49)

제한 시간 3분

기초 계산 연습

맞은 개수 / 10개

▶ 정답과 해설 2쪽

세어 보고 ☐ 안에 알맞은 수를 써넣으세요.

5
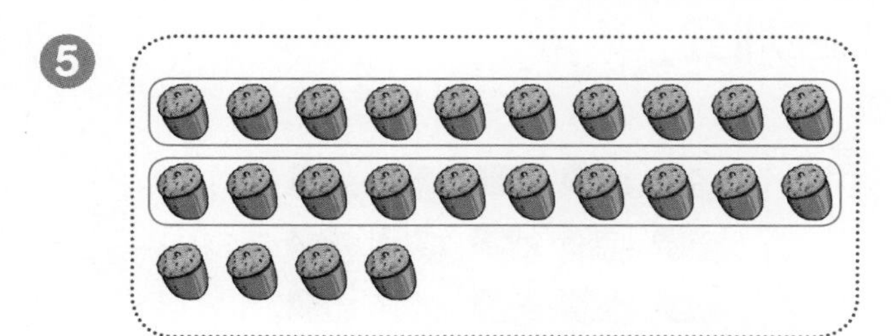

☐

6
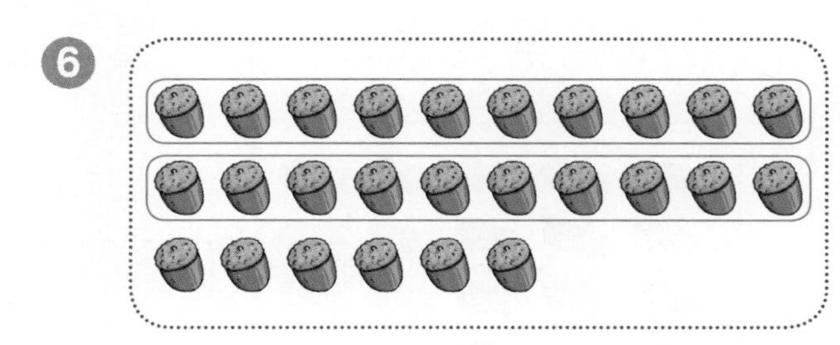

☐

7
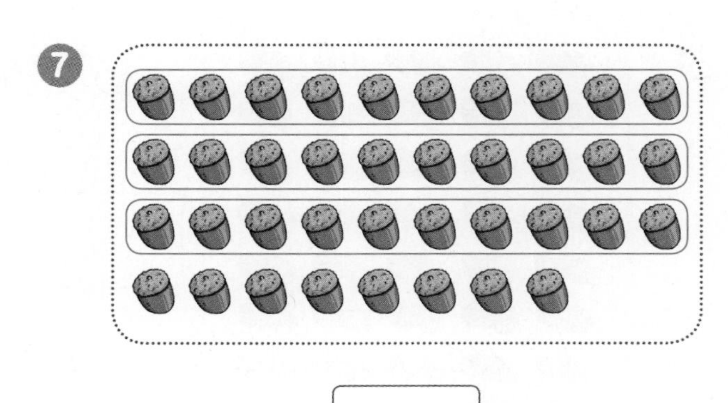

☐

8
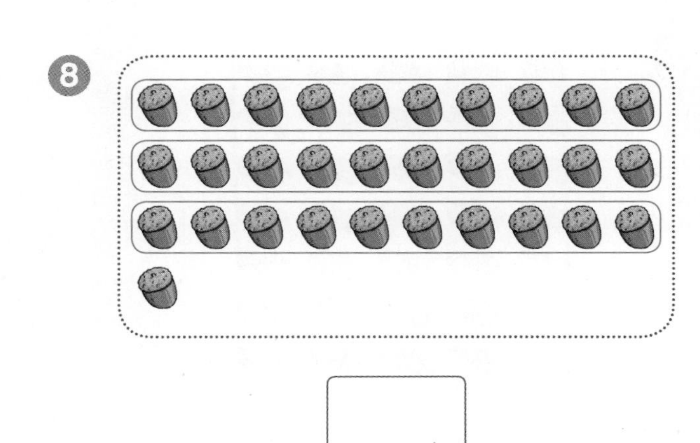

☐

9
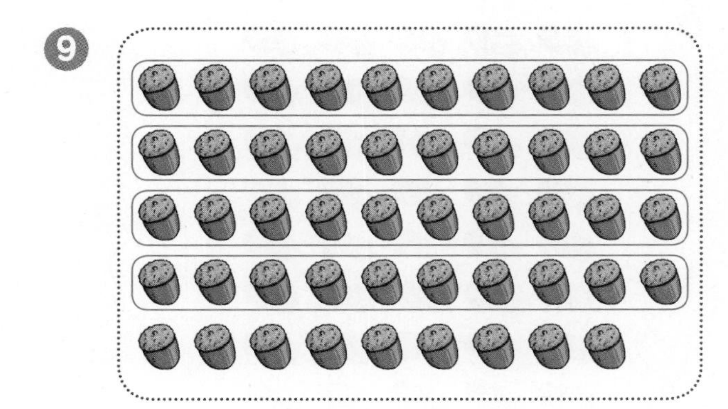

☐

10
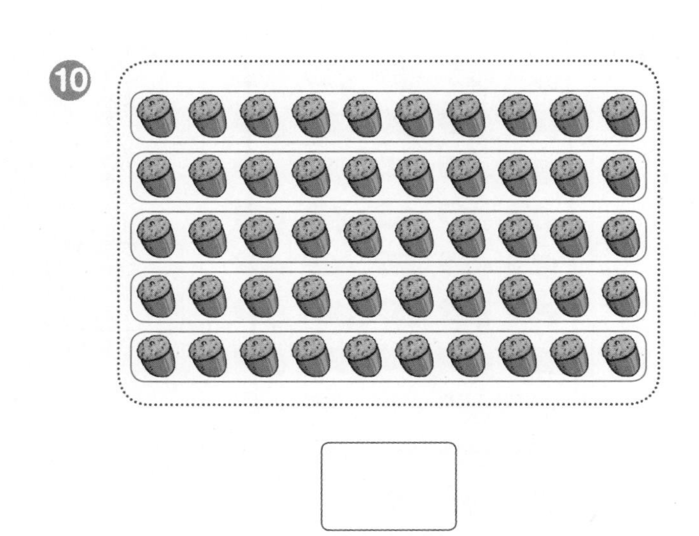

☐

4 일차 묶어서 세어 보기

10개씩 묶어 보고, 모두 몇 개인지 쓰세요.

1

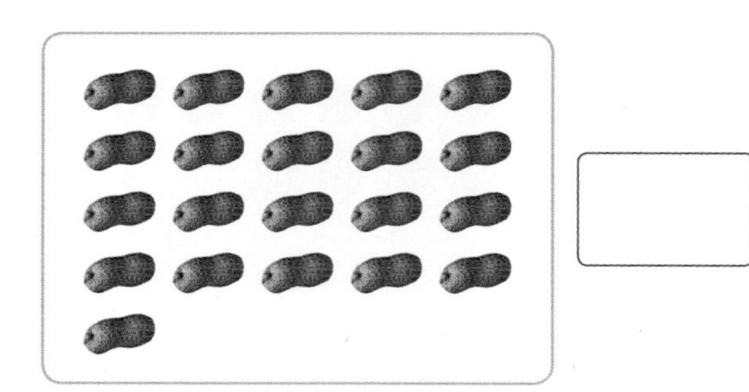

2

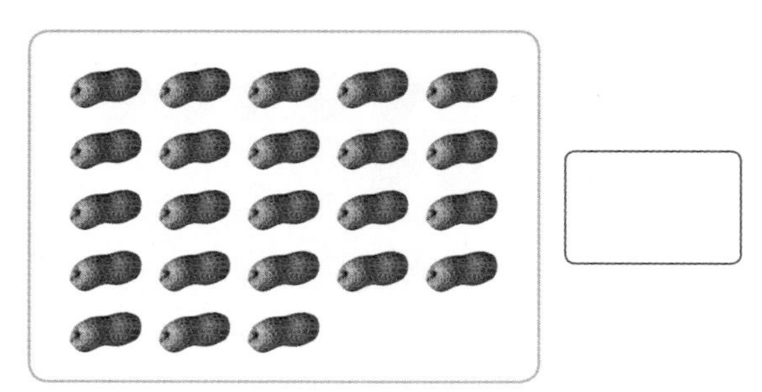

3

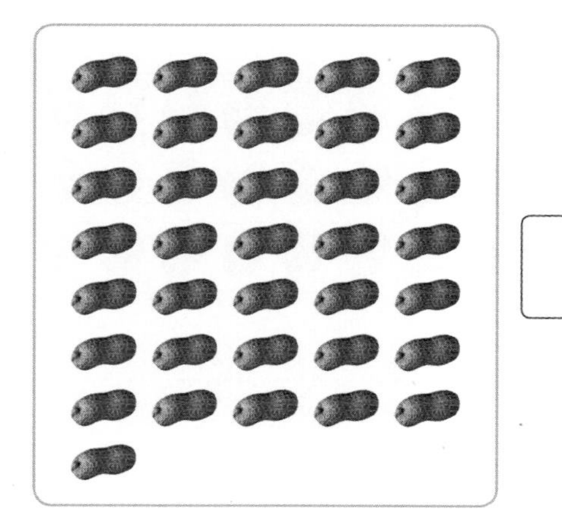

4

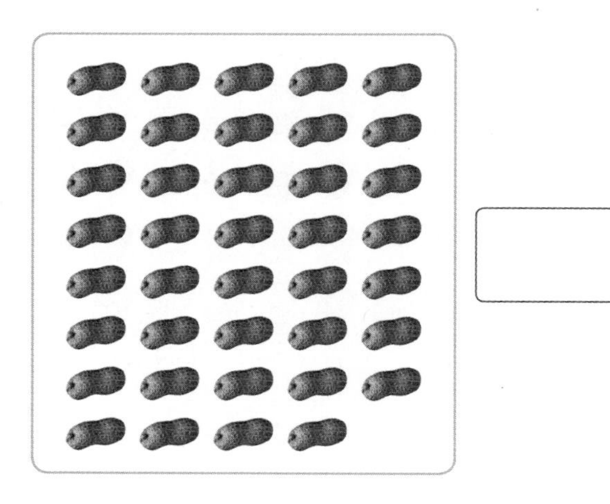

5

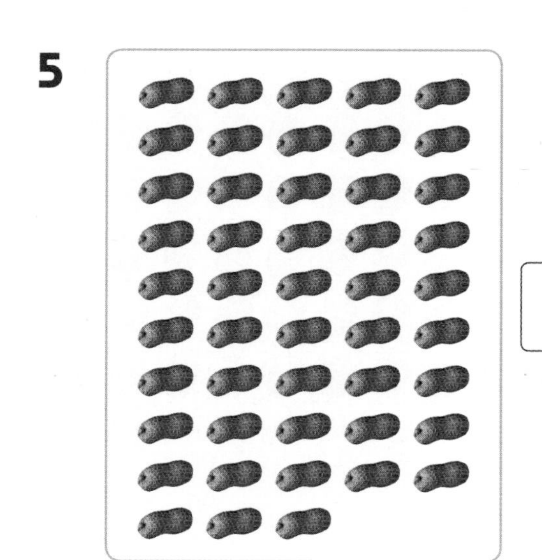

6

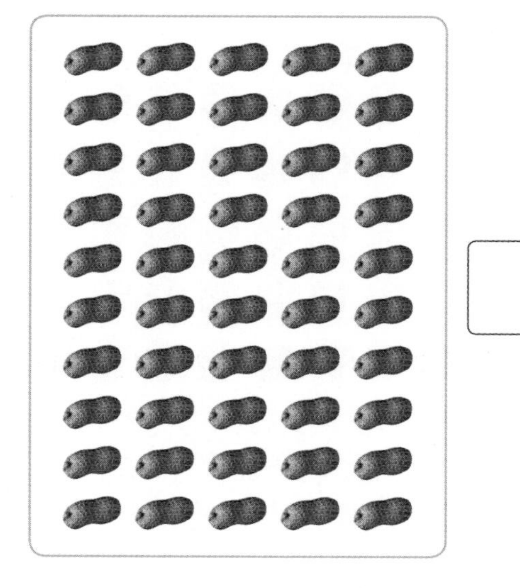

제한 시간 5분

플러스 계산 연습

맞은 개수 / 14개

▶ 정답과 해설 2쪽

생활 속 문제

모두 얼마인지 ☐ 안에 써넣으세요.

7

☐원

8

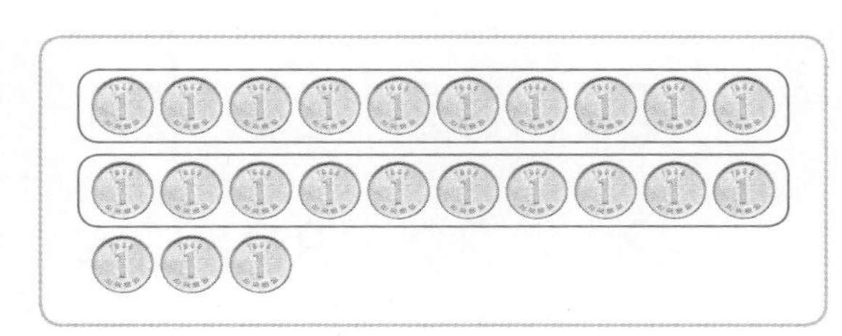

☐원

9

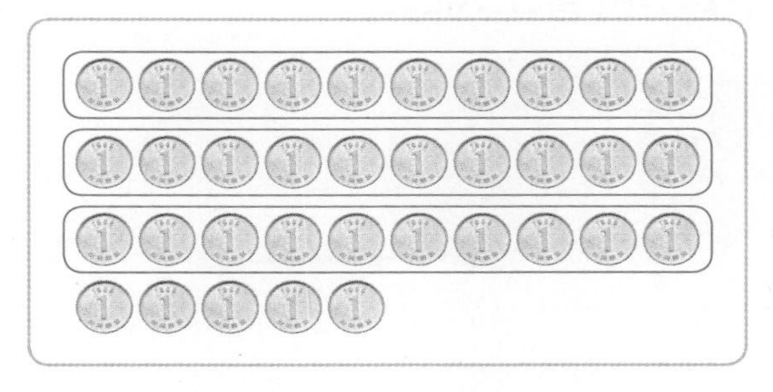

☐원

10

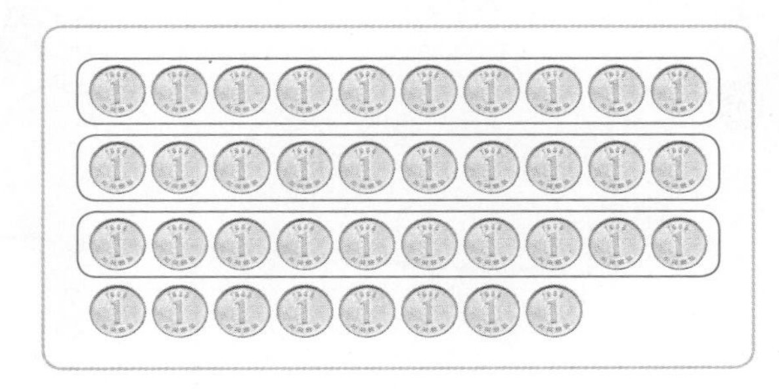

☐원

문장 읽고 문제 해결하기

11

10개씩 묶음 3개와 낱개 9개는 얼마일까요?

답 ________________

12

10개씩 묶음 4개와 낱개 3개는 얼마일까요?

답 ________________

13

10개씩 묶음 4개와 낱개 2개는 얼마일까요?

답 ________________

14

10개씩 묶음 2개와 낱개 7개는 얼마일까요?

답 ________________

5 일차

수의 순서

이렇게 해결하자

21	22	23	24	25	26	27	28	29	30
31	32	33	34	35	36	37	38	39	40
41	42	43	44	45	46	47	48	49	50

수의 순서에 맞게 빈 곳에 알맞은 수를 써넣으세요.

❶

❷

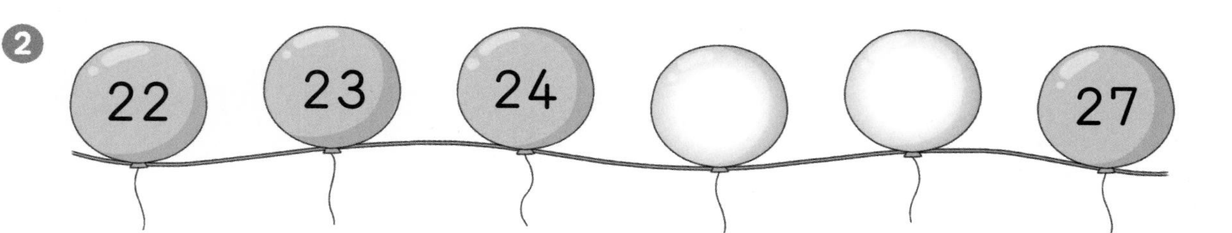

❸

❹

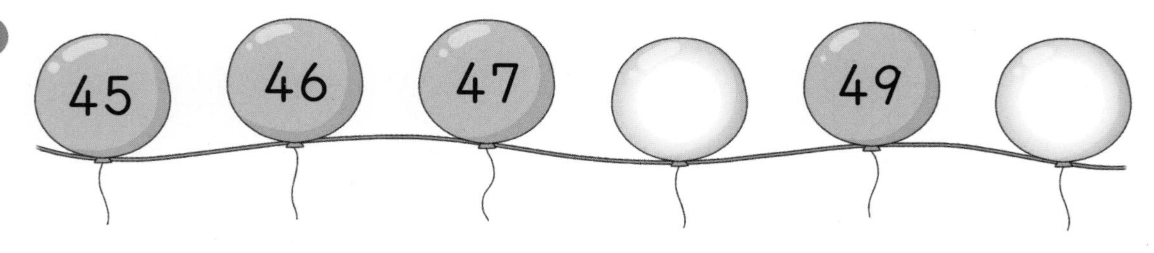

기초 계산 연습

맞은 개수 / 13개

▶ 정답과 해설 3쪽

❺

❻

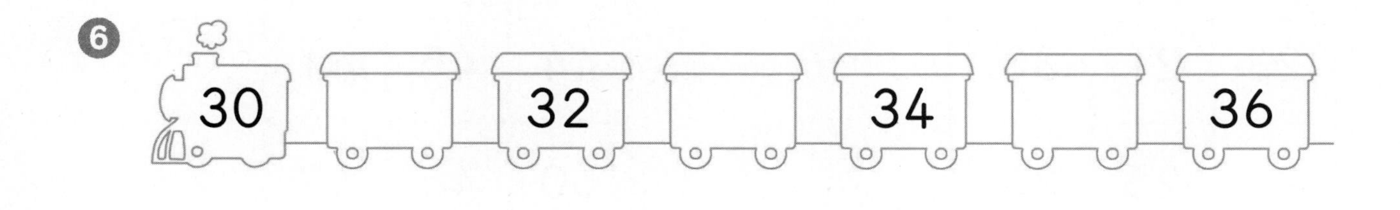

❼

❽

27	28	

❾

31		33

❿

46	47	

⓫

	40	41

⓬

21		23

⓭

48	49	

5 일차 수의 순서

수의 순서대로 선을 그어 보세요.

1

출발 ↓

22	28	27
23	21	30
24	25	26

↓ 도착

2

출발 ↓

43	42	48
44	45	41
50	46	47

↓ 도착

순서를 거꾸로 하여 빈 곳에 알맞은 수를 써넣으세요.

3

4

5

제한 시간 5분

플러스 계산 연습

맞은 개수 / 11개

▶ 정답과 해설 3쪽

생활 속 문제

수의 순서대로 길을 따라가 보세요.

6

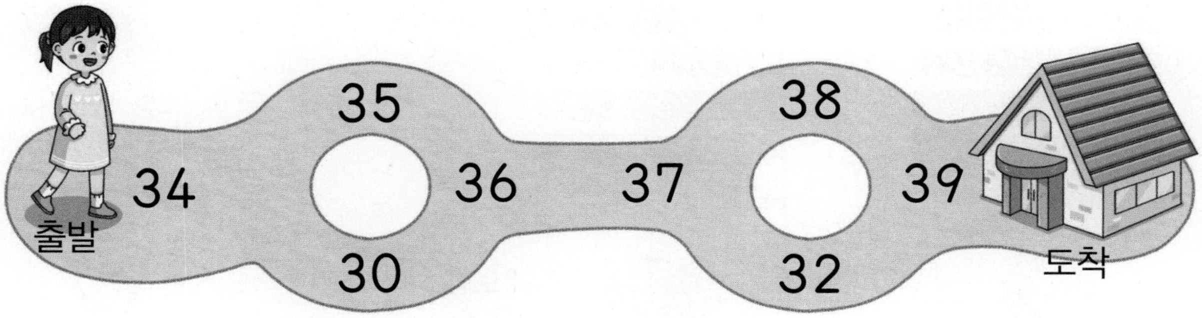

출발 34 35 30 36 37 38 32 39 도착

7

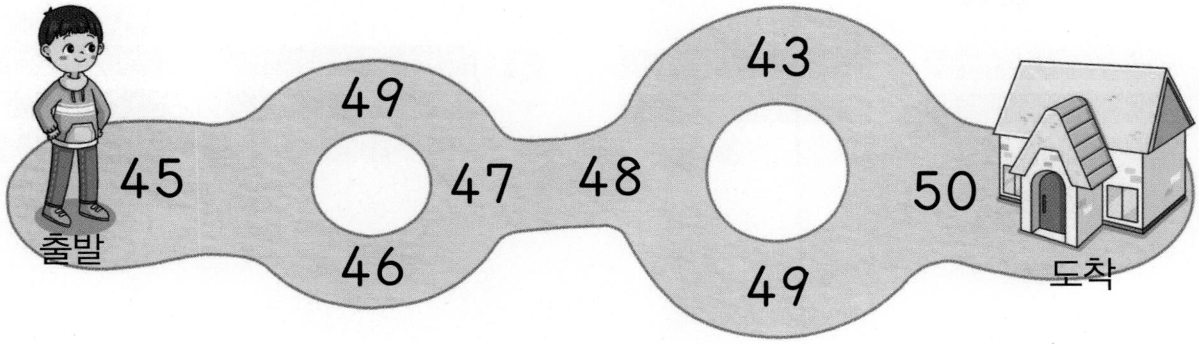

출발 45 49 46 47 48 43 49 50 도착

문장 읽고 문제 해결하기

8 23 다음의 수는 얼마일까요?

답 ____________

9 32 다음의 수는 얼마일까요?

답 ____________

10 39 바로 앞의 수는 얼마일까요?

답 ____________

11 44 바로 앞의 수는 얼마일까요?

답 ____________

6 일차

1만큼 더 큰 수

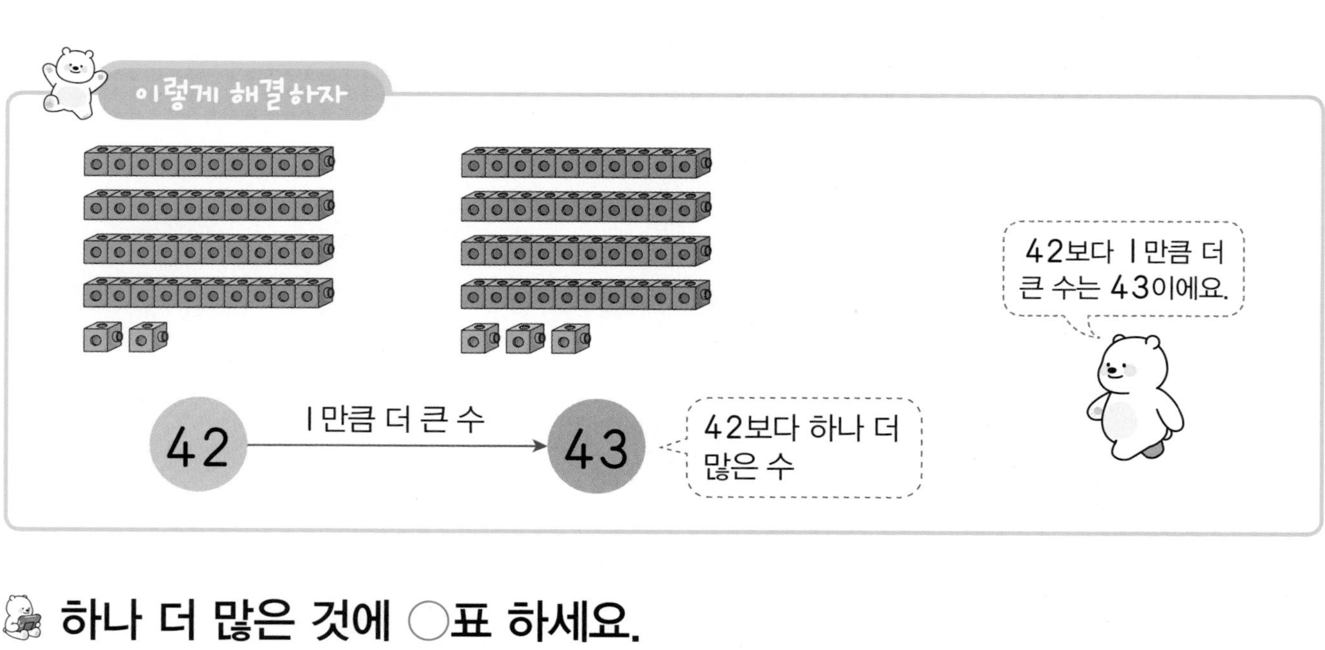

하나 더 많은 것에 ○표 하세요.

❶

( ) ( )

❷

( ) ( )

❸

( ) ( )

❹

( ) ( )

❺

( ) ( )

❻

( ) ( )

▶ 정답과 해설 3쪽

구슬의 수보다 1만큼 더 큰 수를 쓰세요.

7
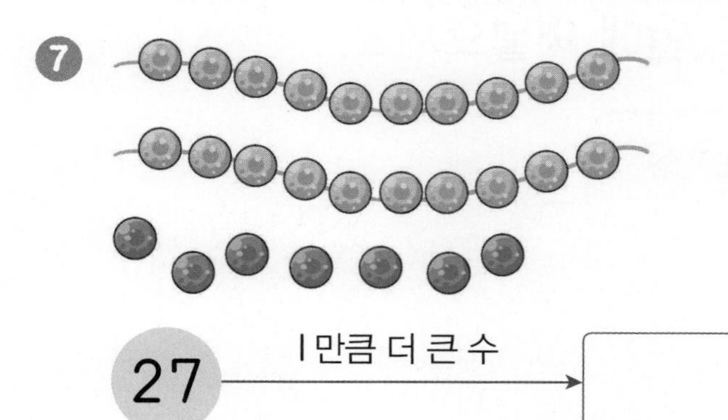

27 —1만큼 더 큰 수→ ☐

8
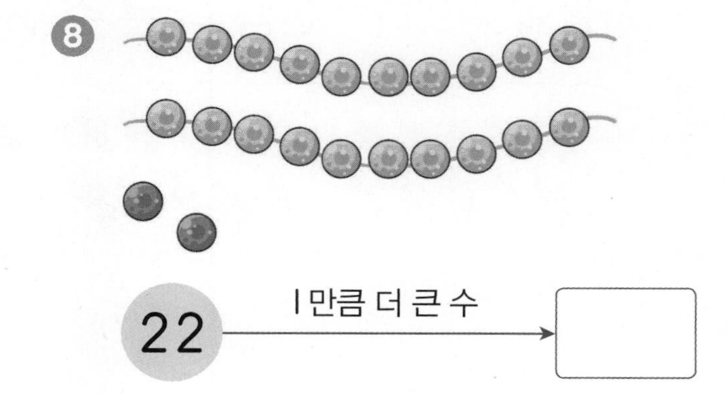

22 —1만큼 더 큰 수→ ☐

9
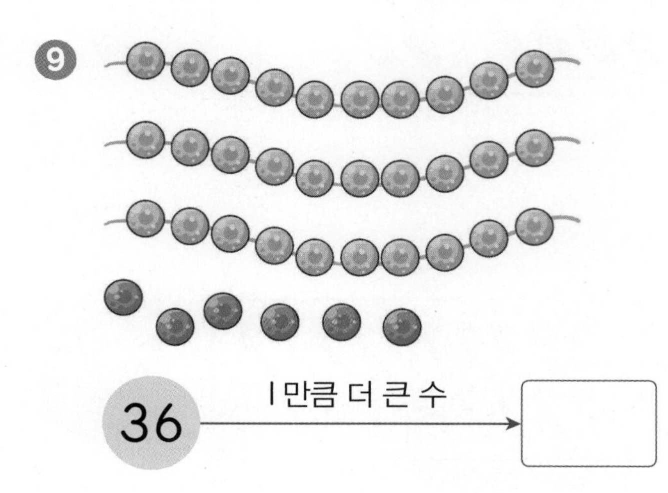

36 —1만큼 더 큰 수→ ☐

10
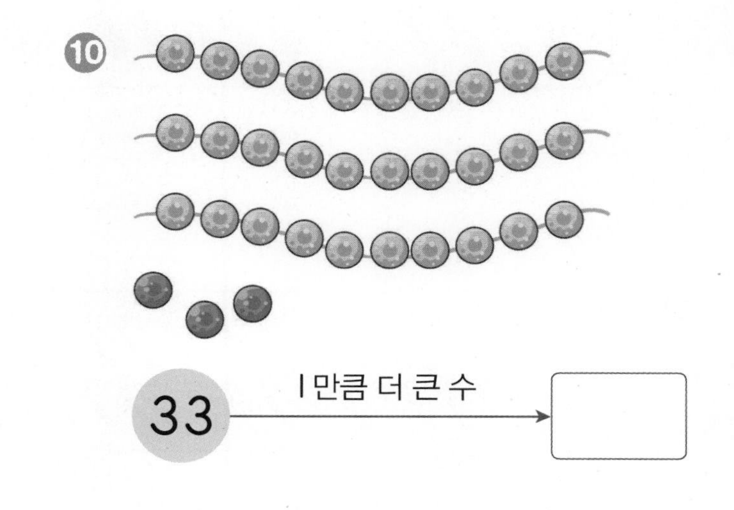

33 —1만큼 더 큰 수→ ☐

11

41 —1만큼 더 큰 수→ ☐

12
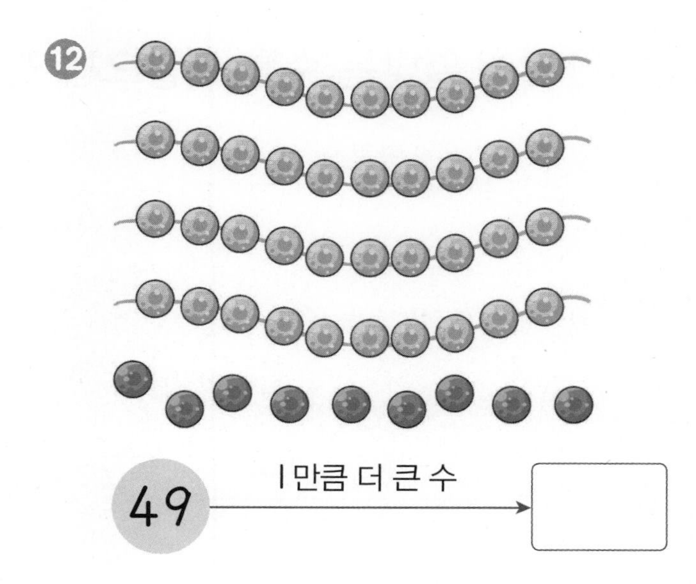

49 —1만큼 더 큰 수→ ☐

6 일차 1만큼 더 큰 수

사탕의 수보다 1만큼 더 큰 수를 ● 안에 써넣으세요.

1

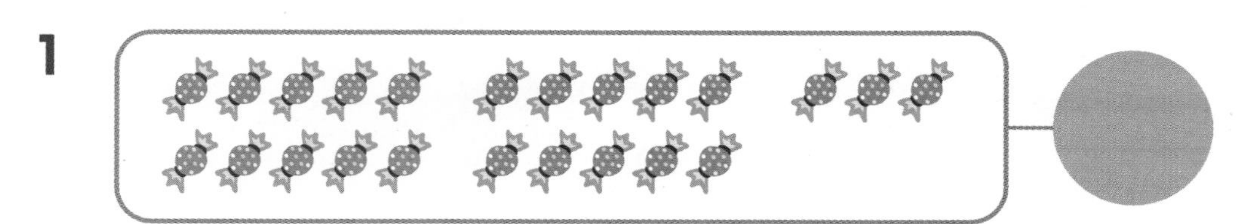

2

3

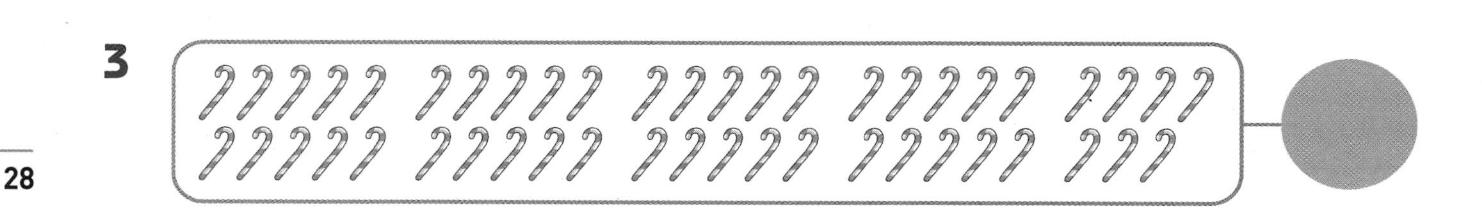

□ 안에 알맞은 수를 써넣으세요.

4, 5

6, 7

플러스 계산 연습

맞은 개수 / 15개

▶ 정답과 해설 3쪽

생활 속 문제

모두 얼마인지 ◯ 안에 쓰고, 1만큼 더 큰 수를 ▢ 안에 써넣으세요.

8 (10)(10)(1)(1)(1)(1)(1)(1)

(26) —1만큼 더 큰 수→ ▢

9 (10)(10)(1)(1)(1)(1)(1)(1)(1)(1)(1)

◯ —1만큼 더 큰 수→ ▢

10 (10)(10)(10)(1)(1)(1)(1)(1)(1)(1)(1)

◯ —1만큼 더 큰 수→ ▢

11 (10)(10)(10)(1)(1)(1)(1)(1)

◯ —1만큼 더 큰 수→ ▢

문장 읽고 문제 해결하기

12 21보다 1만큼 더 큰 수는 얼마일까요?

답 ____________

13 32보다 1만큼 더 큰 수는 얼마일까요?

답 ____________

14 43보다 1만큼 더 큰 수는 얼마일까요?

답 ____________

15 47보다 1만큼 더 큰 수는 얼마일까요?

답 ____________

7 일차

1만큼 더 작은 수

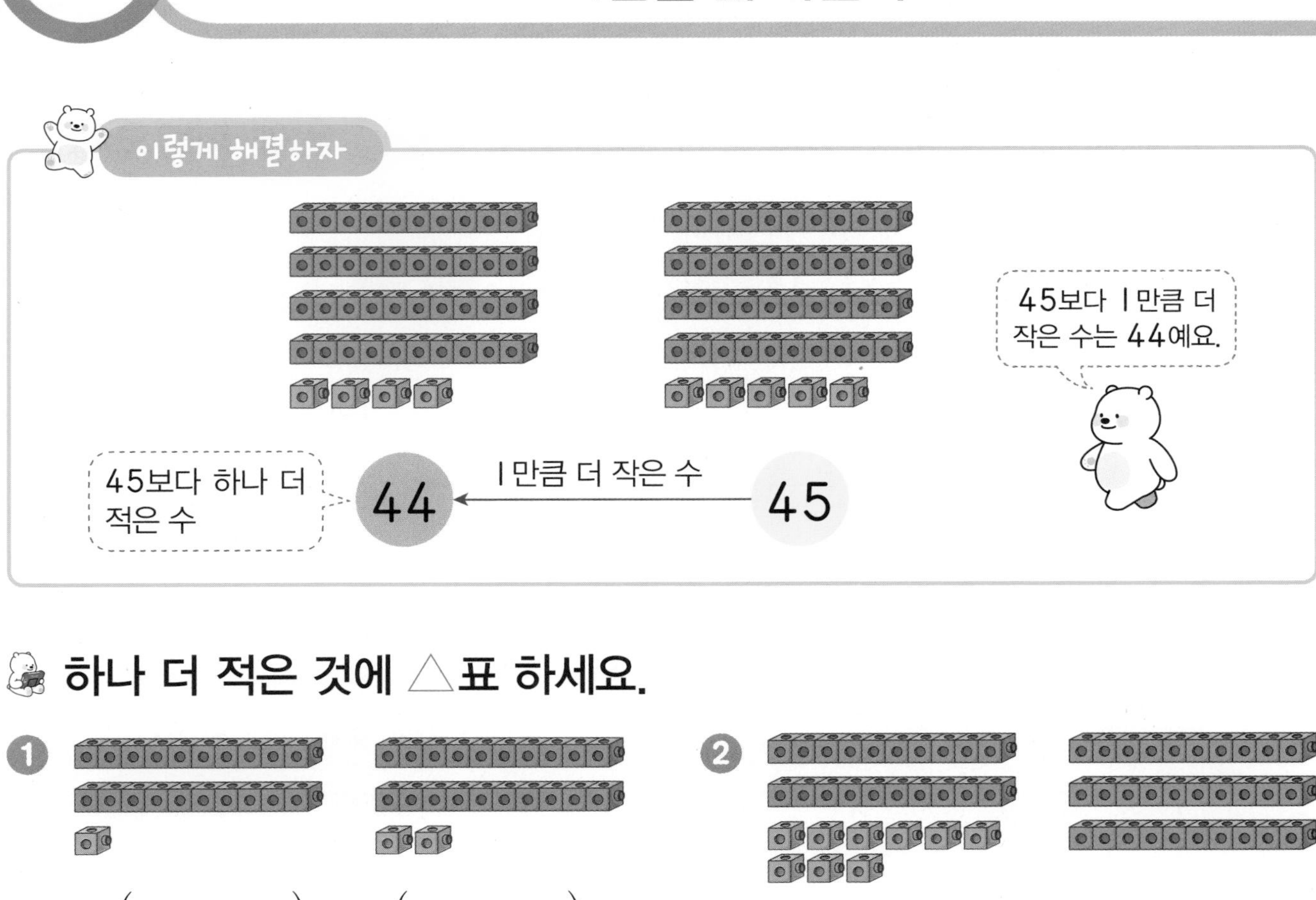

하나 더 적은 것에 △표 하세요.

1 ( ) ( )

2 ( ) ( )

3 ( ) ( )

4 ( ) ( )

5 ( ) ( )

6 ( ) ( )

▶ 정답과 해설 4쪽

구슬의 수보다 1만큼 더 작은 수를 쓰세요.

7
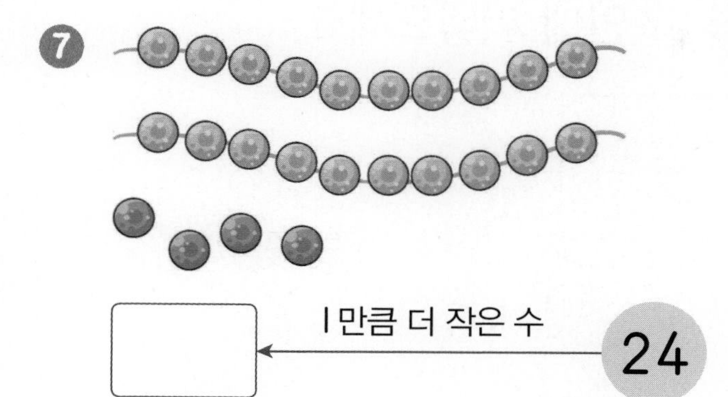

8
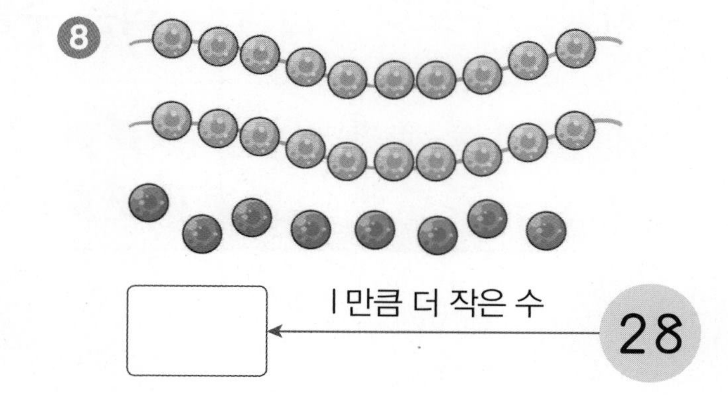

9
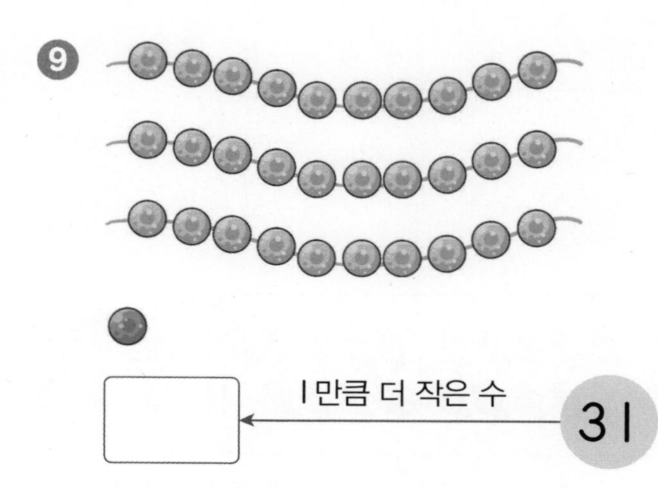

10
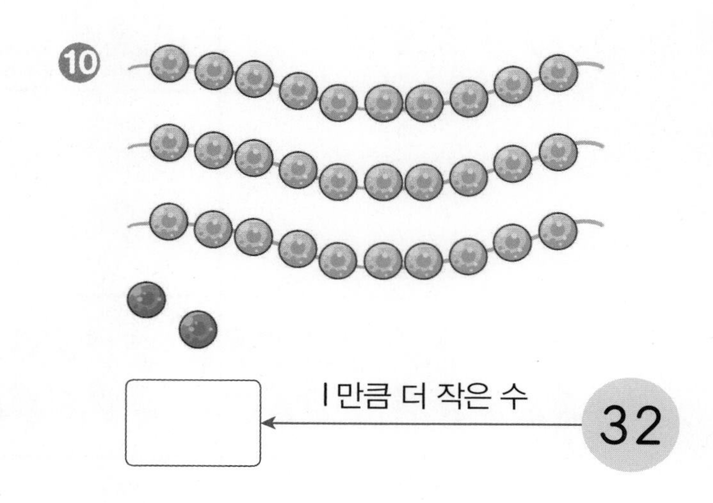

11
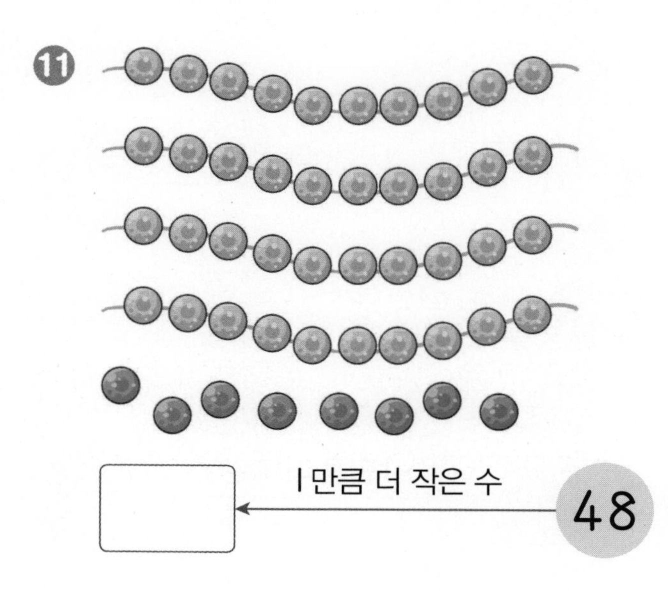

12
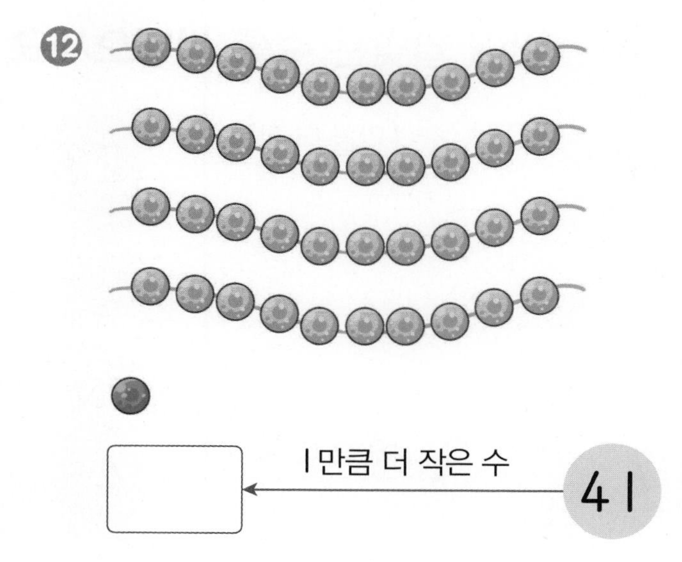

7 일차

1만큼 더 작은 수

사탕의 수보다 1만큼 더 작은 수를 ● 안에 써넣으세요.

1

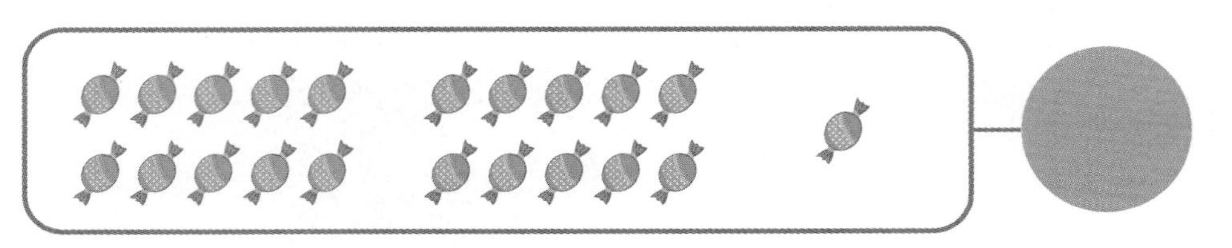

2

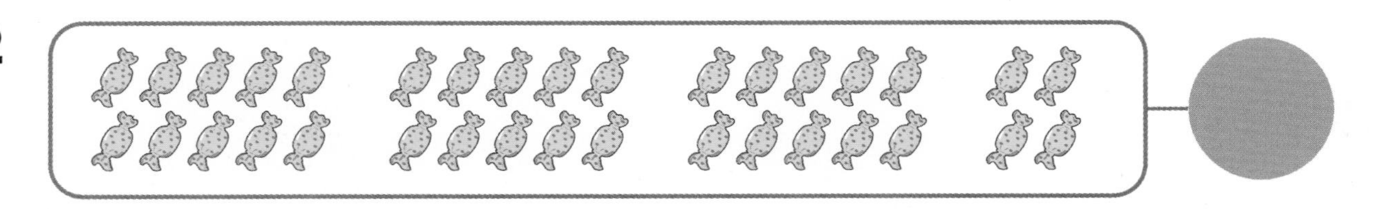

3

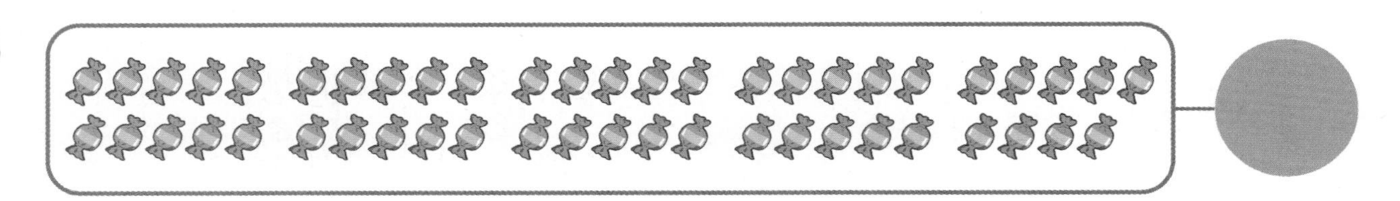

□ 안에 알맞은 수를 써넣으세요.

6 □ ← 1만큼 더 작은 수 ― 46

7

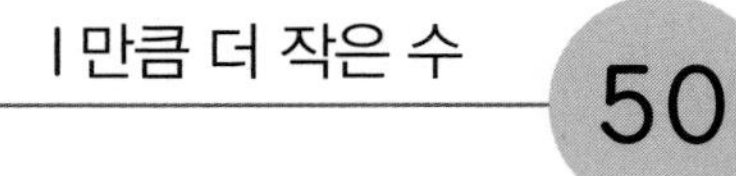

플러스 계산 연습

맞은 개수 / 15개

▶ 정답과 해설 4쪽

생활 속 문제

모두 얼마인지 ○ 안에 쓰고, 1만큼 더 작은 수를 □ 안에 써넣으세요.

8

1만큼 더 작은 수 ← 24

9

1만큼 더 작은 수

10

1만큼 더 작은 수

11

1만큼 더 작은 수

문장 읽고 문제 해결하기

12 25보다 1만큼 더 작은 수는 얼마일까요?

답 ______

13 27보다 1만큼 더 작은 수는 얼마일까요?

답 ______

14 38보다 1만큼 더 작은 수는 얼마일까요?

답 ______

15 47보다 1만큼 더 작은 수는 얼마일까요?

답 ______

8 일차

수의 크기 비교

이렇게 해결하자

35는 32보다 큽니다.

32는 35보다 작습니다.

그림을 보고 알맞은 말에 ○표 하세요.

❶

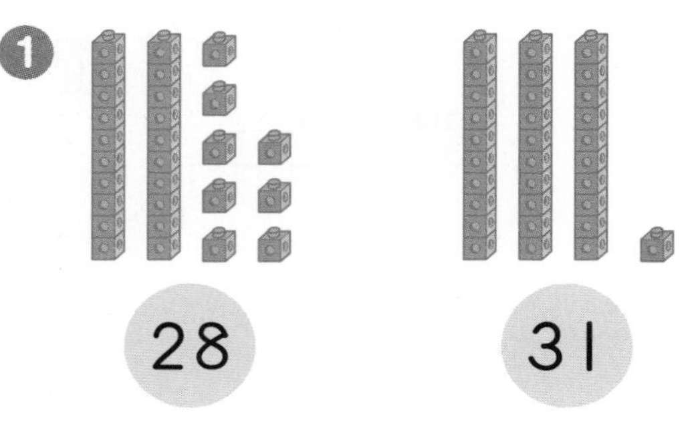

➔ 28은 31보다 (큽니다 , 작습니다).

❷

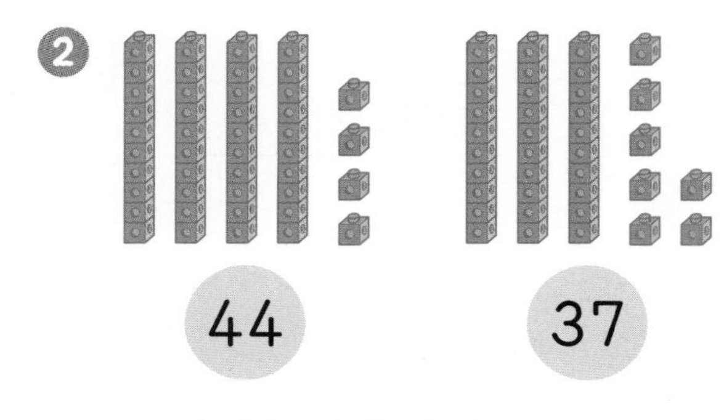

➔ 44는 37보다 (큽니다 , 작습니다).

❸

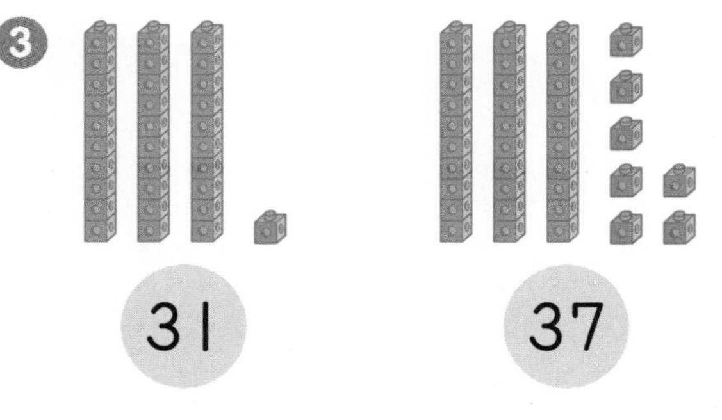

➔ 31은 37보다 (큽니다 , 작습니다).

❹

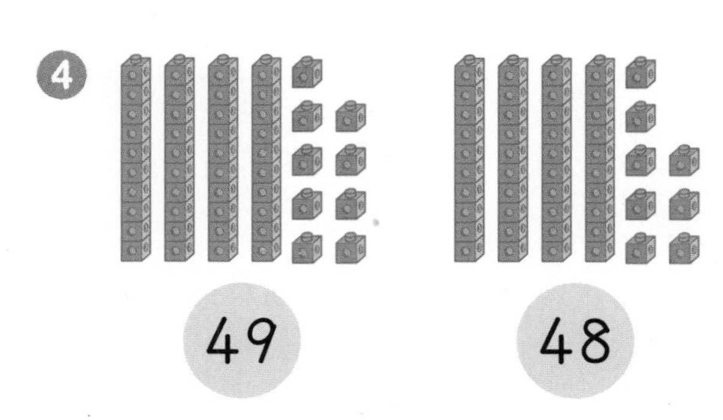

➔ 49는 48보다 (큽니다 , 작습니다).

제한 시간 3분

기초 계산 연습

맞은 개수 / 12개

▶ 정답과 해설 4쪽

더 큰 수에 ○표 하세요.

5

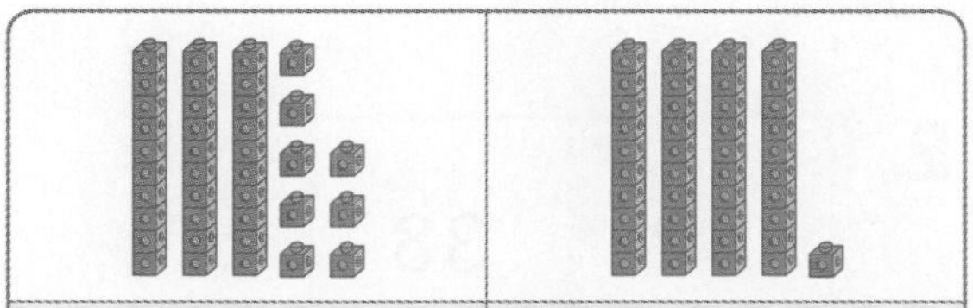

38	41

6

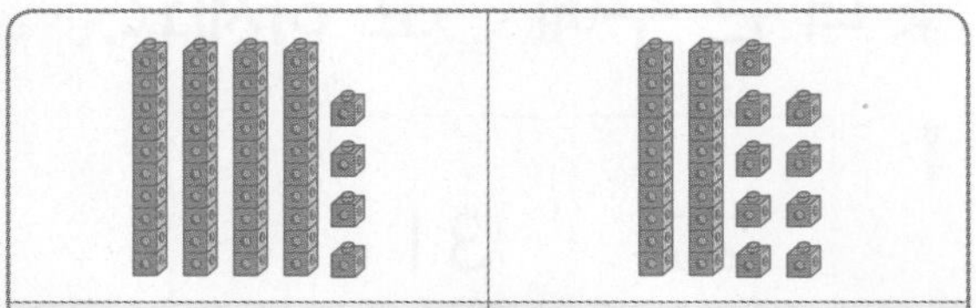

44	29

7

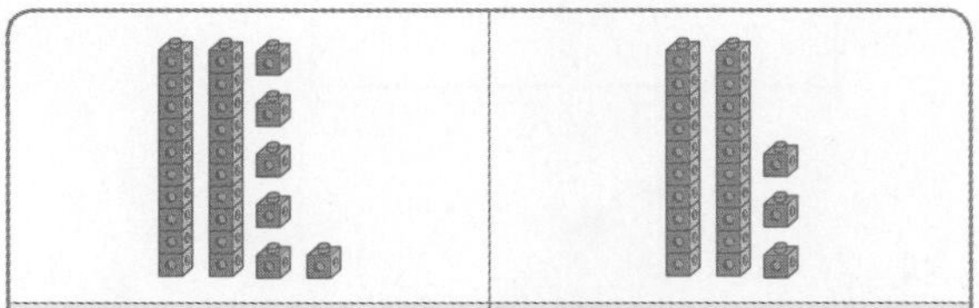

26	23

8

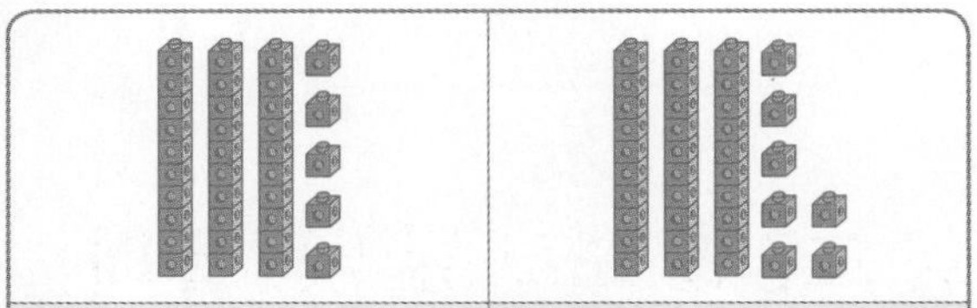

35	37

더 작은 수에 △표 하세요.

9

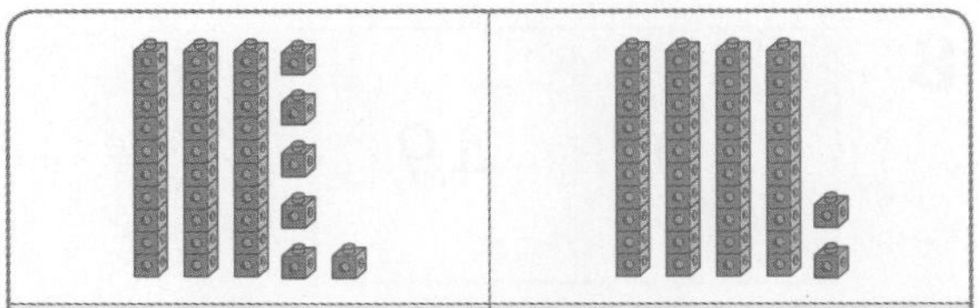

36	42

10

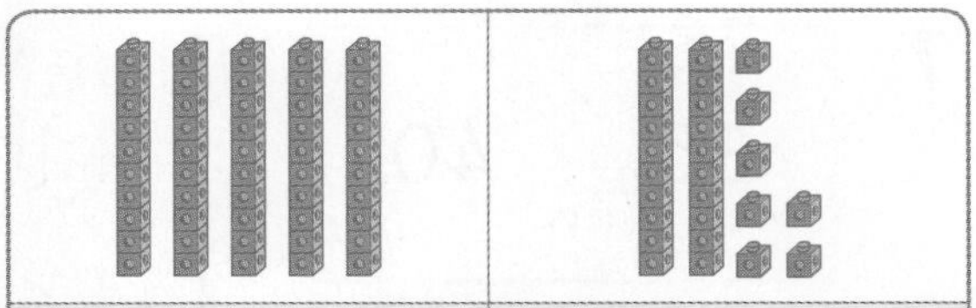

50	27

11

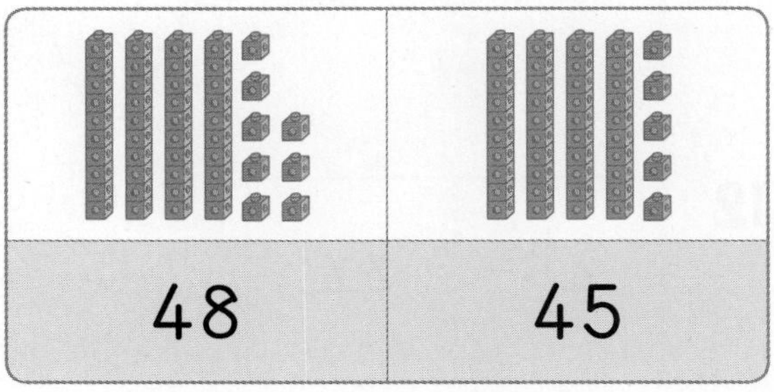

48	45

12

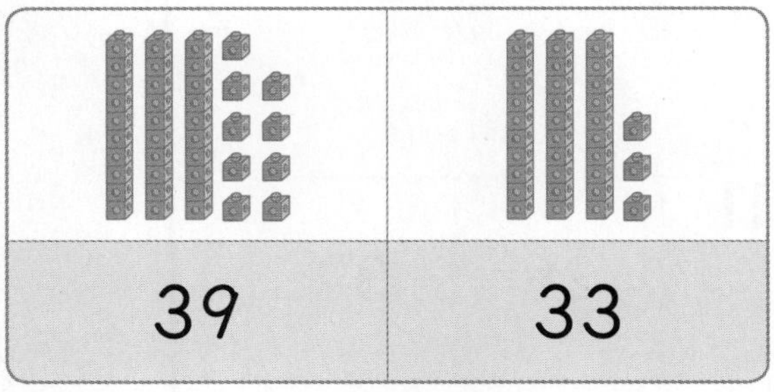

39	33

8 일차 수의 크기 비교

더 큰 수에 ○표 하세요.

1

27	31

2

42	38

3

36	29

4

25	22

5

33	32

6

46	48

더 작은 수에 △표 하세요.

7

35	40

8

50	49

9

28	34

10

21	23

11

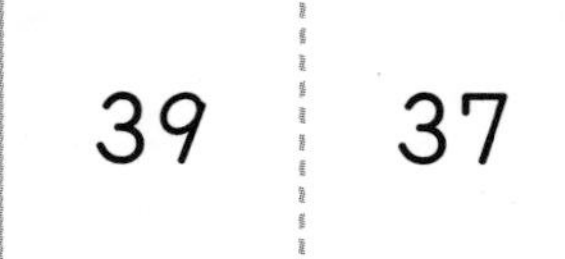

39	37

12

45	44

플러스 계산 연습

맞은 개수 / 20개

▶ 정답과 해설 5쪽

생활 속 문제

더 큰 수를 들고 있는 어린이에 ○표 하세요.

13

( )

( )

14

( )

( )

15

( )

( )

16

( )

( )

문장 읽고 문제 해결하기

17 38과 40 중 더 큰 수를 쓰세요.

답 ____________

18 26과 25 중 더 큰 수를 쓰세요.

답 ____________

19 45와 29 중 더 작은 수를 쓰세요.

답 ____________

20 34와 37 중 더 작은 수를 쓰세요.

답 ____________

SPEED 연산력 TEST

수를 세어 □ 안에 알맞은 수를 써넣으세요.

❶
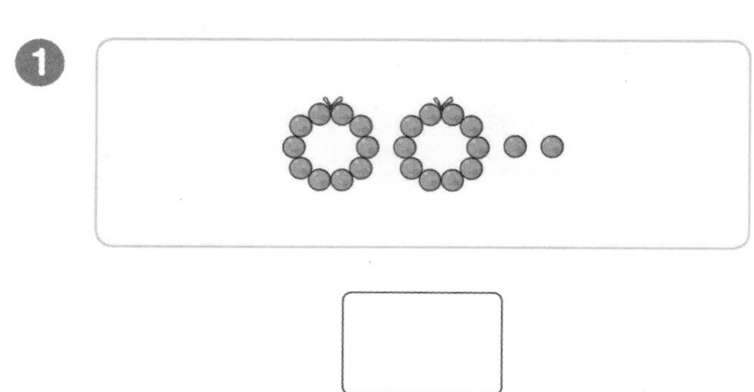

❷
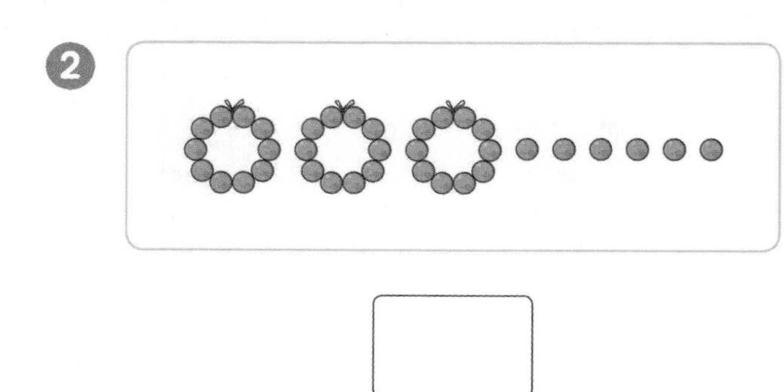

❸
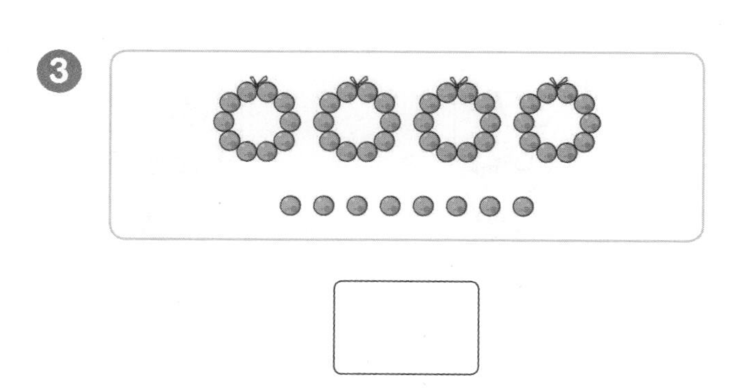

❹
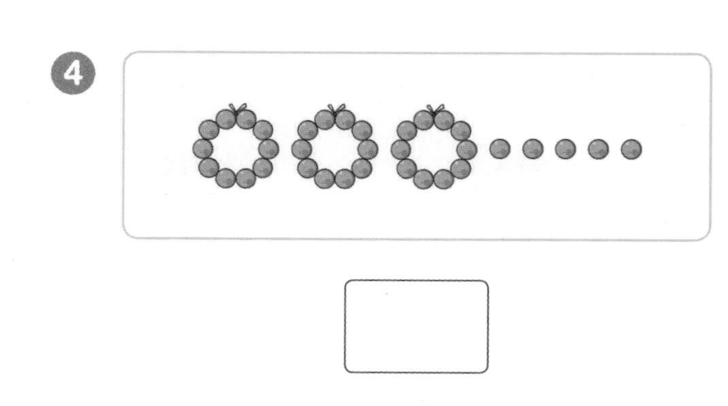

❺
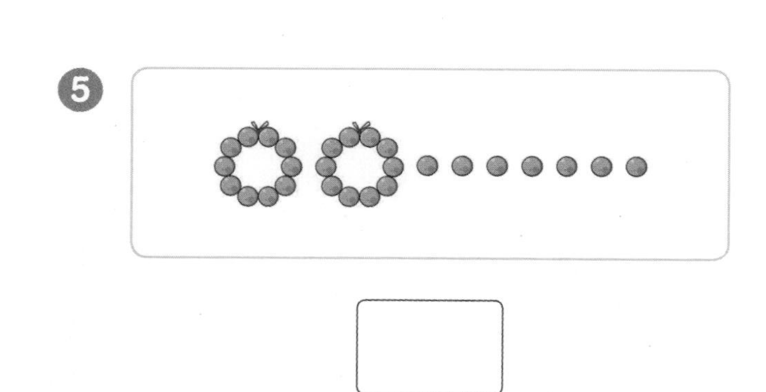

❻
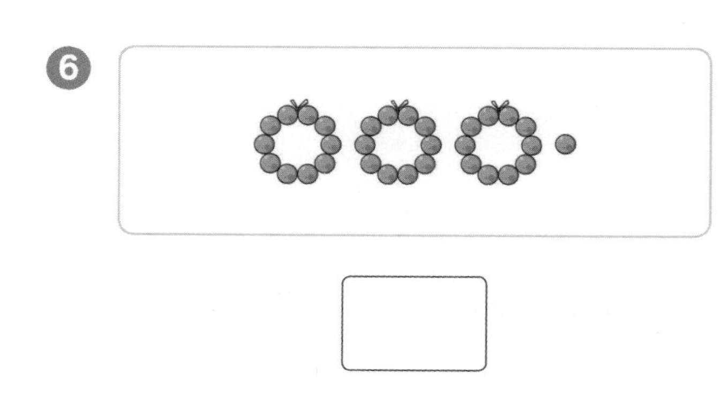

❼
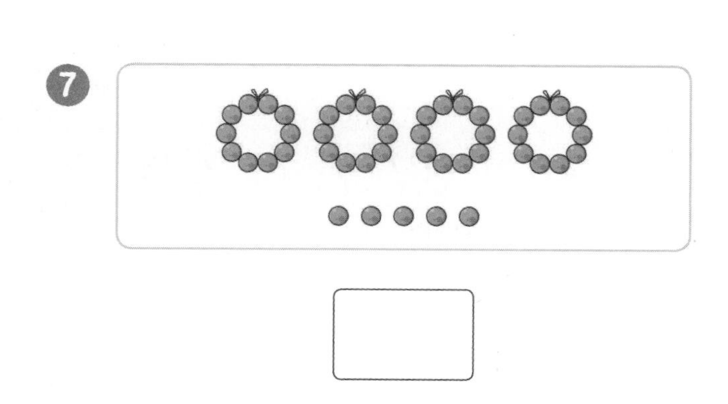

❽
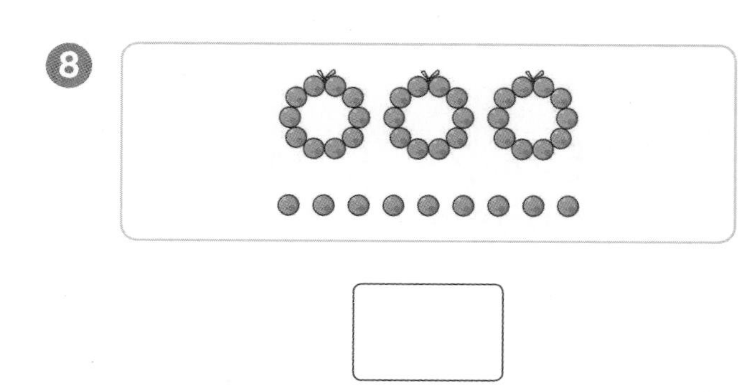

수의 순서에 맞게 빈칸에 알맞은 수를 써넣으세요.

빈칸에 알맞은 수를 써넣으세요.

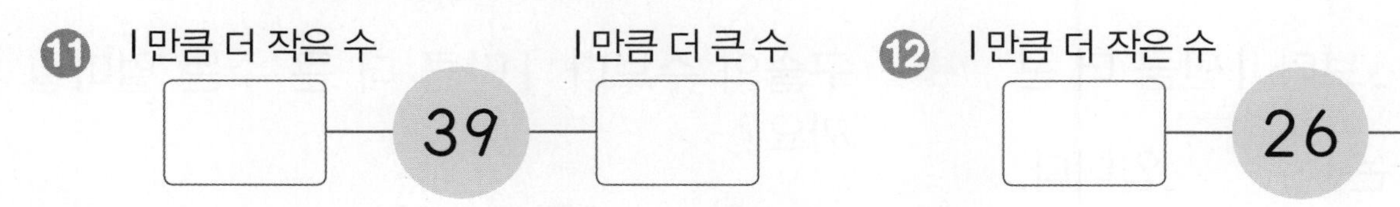

더 큰 수에 ○표 하세요.

제한 시간 안에
정확하게 모두 풀었다면
여러분은 진정한 계산왕!

특강 문장제 문제 도전하기

1 23보다 1만큼 더 큰 수는 ☐ 입니다.

→ 수수깡의 수보다 1만큼 더 큰 수는 얼마일까요?

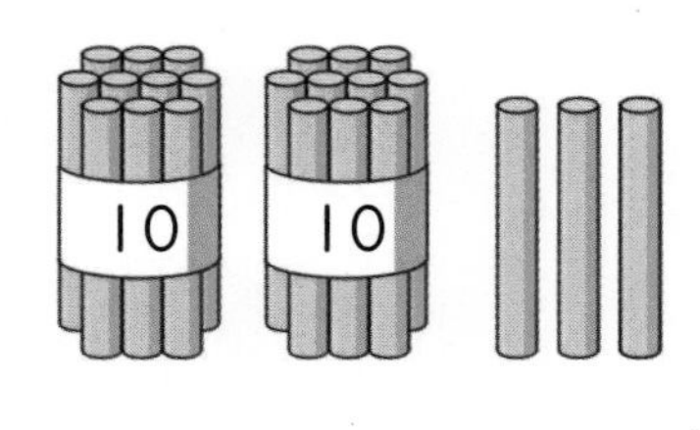

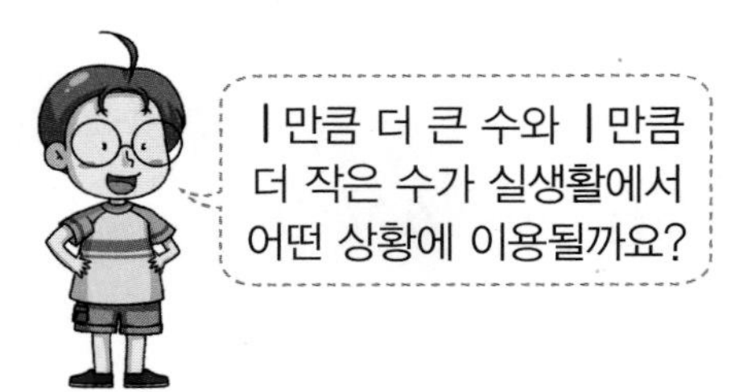

1만큼 더 큰 수와 1만큼 더 작은 수가 실생활에서 어떤 상황에 이용될까요?

답 ______________

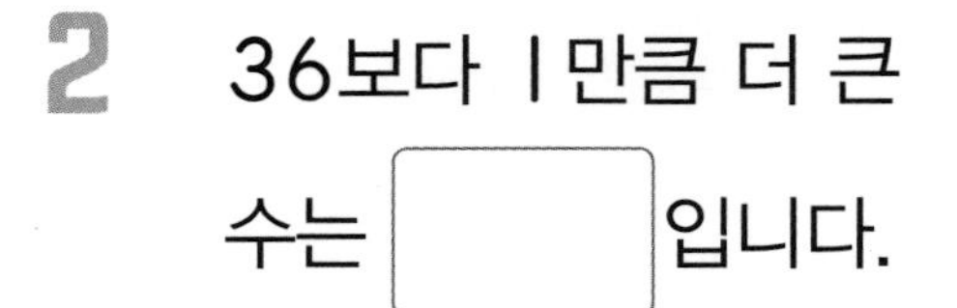

2 36보다 1만큼 더 큰 수는 ☐ 입니다.

→ 구슬의 수보다 1만큼 더 큰 수는 얼마일까요?

답 ______________

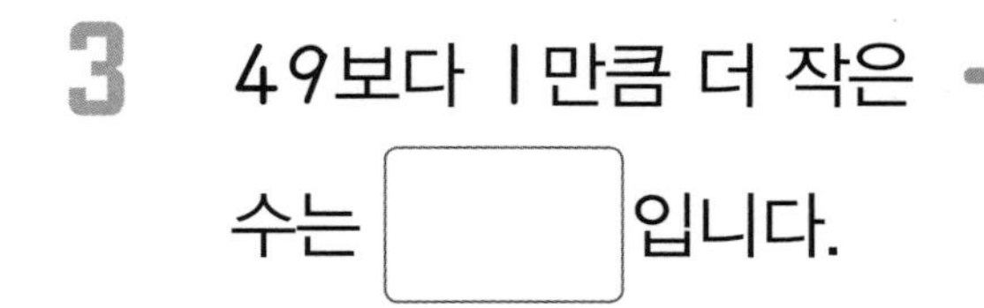

3 49보다 1만큼 더 작은 수는 ☐ 입니다.

→ 달걀의 수보다 1만큼 더 작은 수는 얼마일까요?

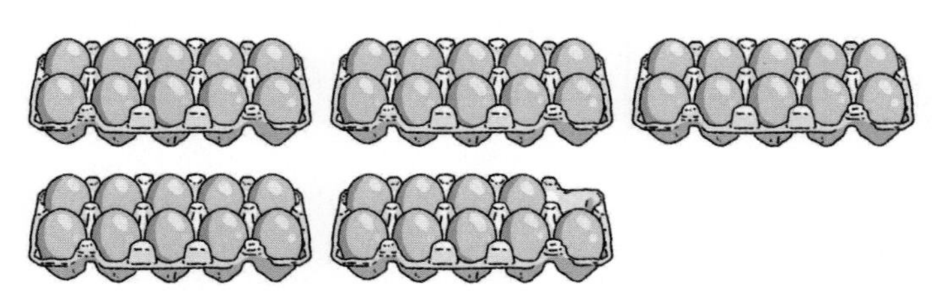

답 ______________

▶정답과 해설 5쪽

문장을 읽고 1만큼 더 큰 수, 1만큼 더 작은 수를 이용하여 답을 구해 보자!

4 야구공(⚾)이 29개 있습니다.
야구공의 수보다 1만큼 더 큰 수는 얼마일까요?

답

5 감(🟠)이 33개 있습니다.
감의 수보다 1만큼 더 큰 수는 얼마일까요?

답

6 과자(🍪)가 45개 있습니다.
과자의 수보다 1만큼 더 작은 수는 얼마일까요?

답

창의·융합·코딩·도전하기

누가 더 빠를까요?

창의 1 지윤, 세훈, 두영이가 달리기를 했어요.

세훈이와 두영이 중 더 빠른 친구는 누구일까요?

 답 ____________

피노키오가 있는 곳은?

창의 2 수의 순서대로 선을 이어 보세요.

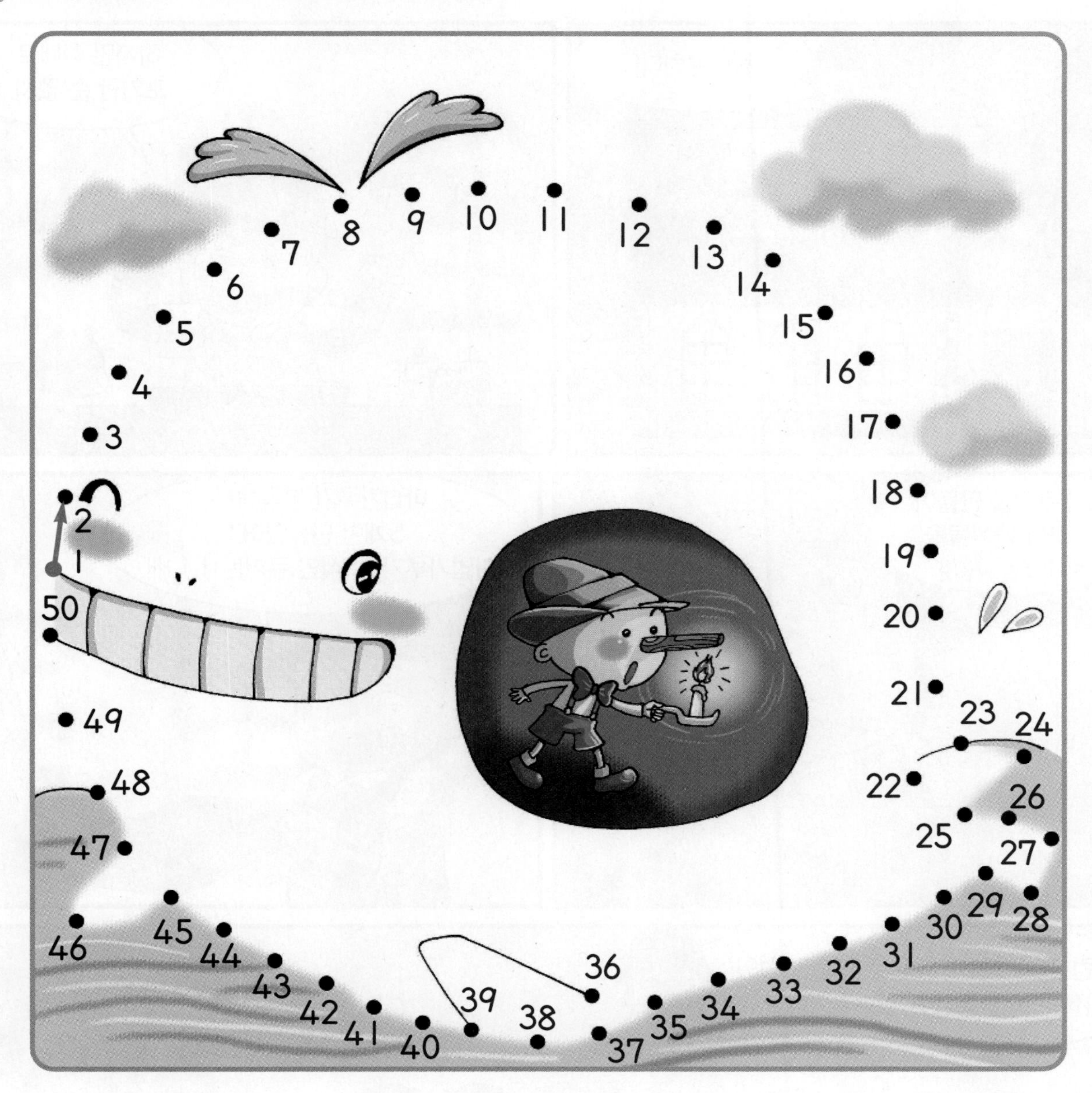

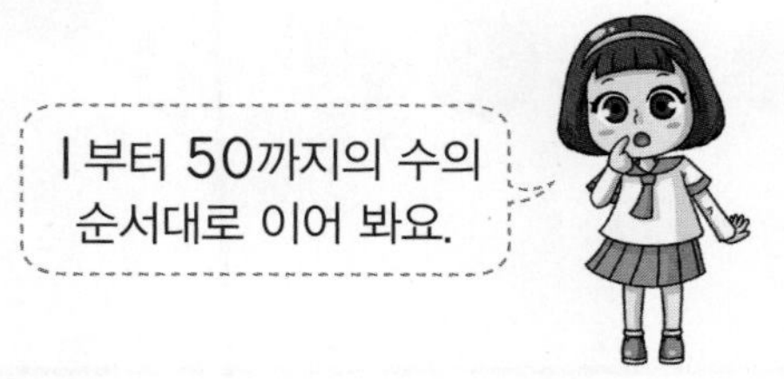

1부터 50까지의 수의
순서대로 이어 봐요.

50까지 수의 덧셈

실생활에서 알아보는 재미있는 수학 이야기

이번에 배울 내용을 알아볼까요?

1일차 모두 몇 개인지 세어 보기
2일차 ~ 3일차 그림 보고 덧셈하기
4일차 ~ 5일차 색칠하고 덧셈하기
6일차 이어 세어 덧셈하기
7일차 비슷한 덧셈하기
8일차 세로셈 알아보기
9일차 가로셈, 세로셈 쓰기

1 일차

모두 몇 개인지 세어 보기

이렇게 해결하자

• 연결큐브는 몇 개인지 세어 보기

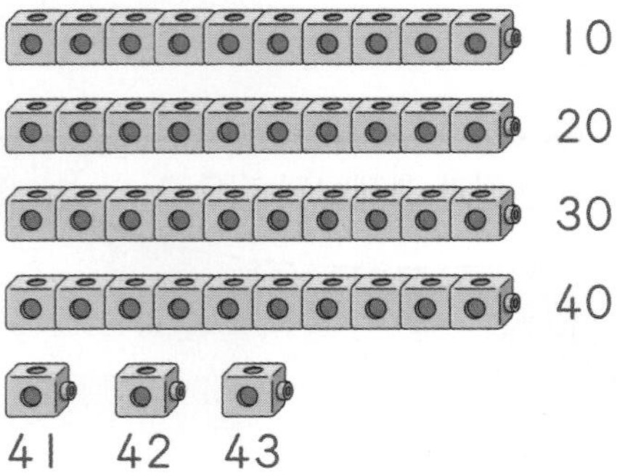

10
20
30
40
41 42 43

➔ 43

연결큐브의 수를 세어 보고 알맞은 수에 ○표 하세요.

❶ (23, 24, 25)

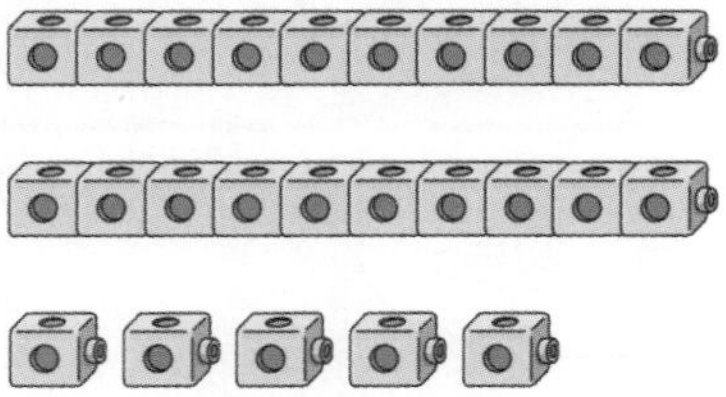

❷ (31, 32, 33)

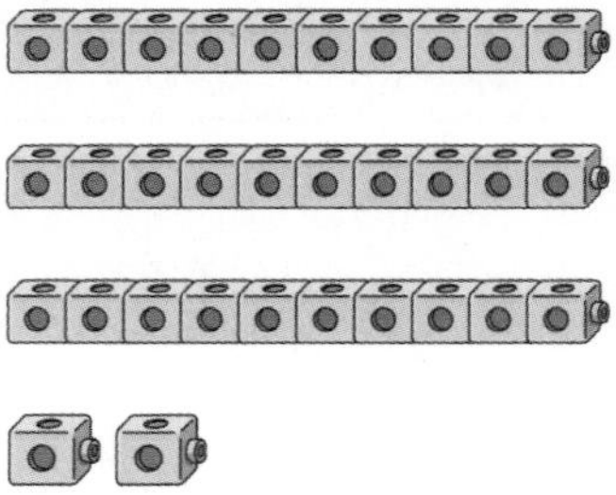

❸ (47, 48, 49)

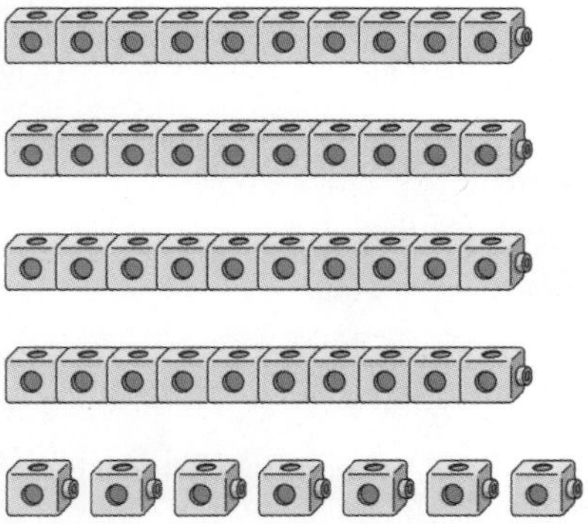

❹ (41, 42, 43)

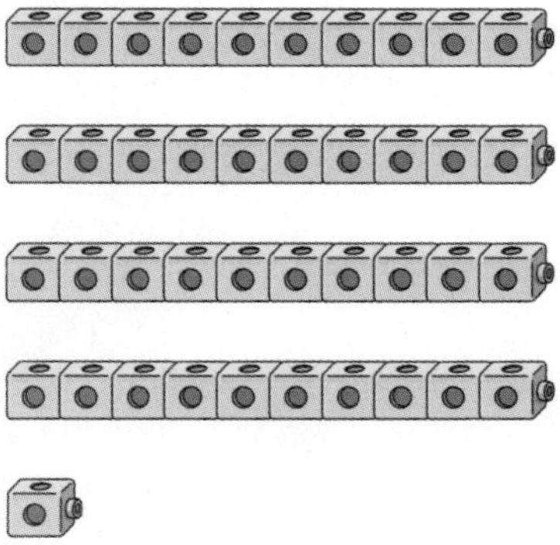

제한 시간 3분

기초 계산 연습

맞은 개수 / 10개

▶ 정답과 해설 6쪽

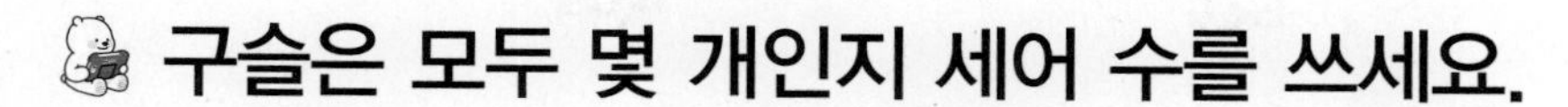

구슬은 모두 몇 개인지 세어 수를 쓰세요.

5 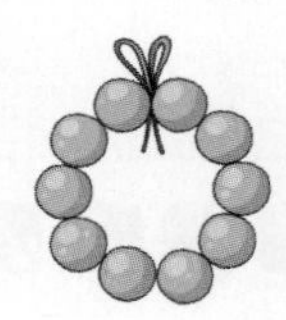   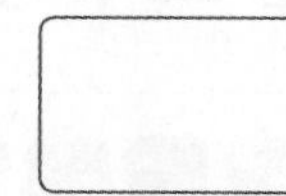

6 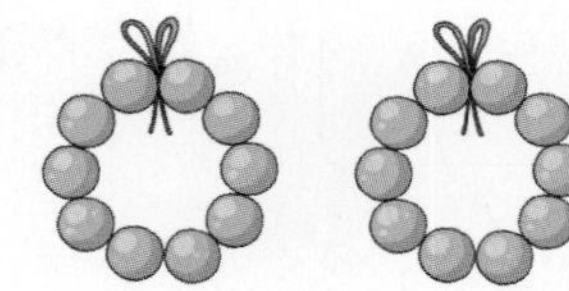 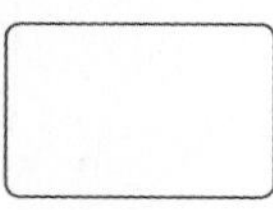

7 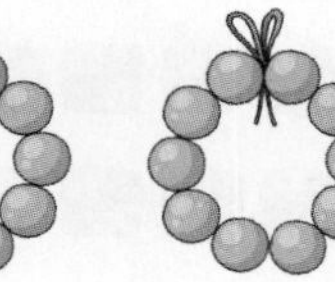 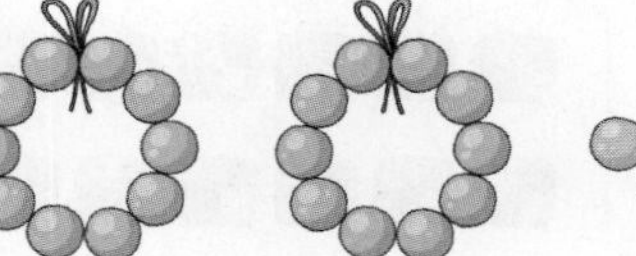 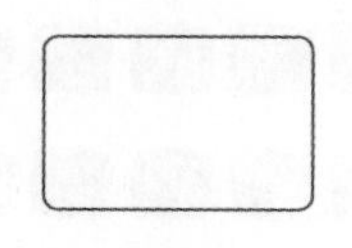

8  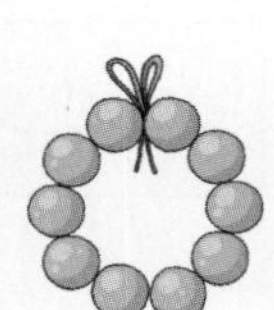  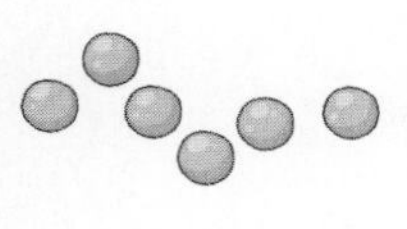 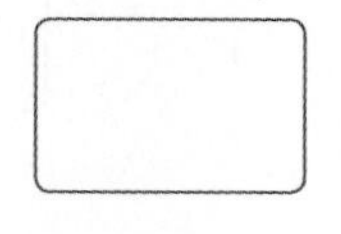

9  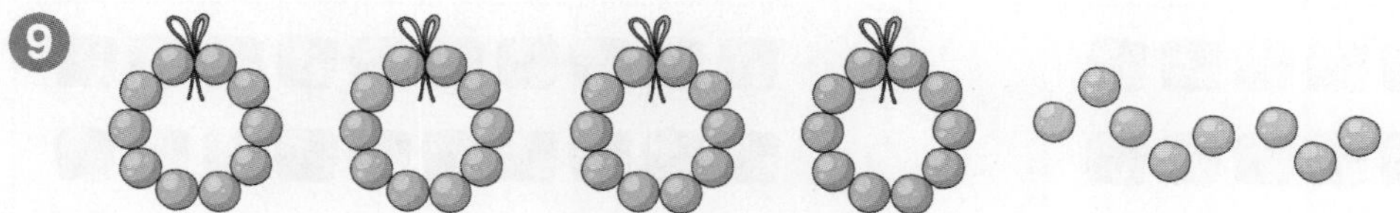 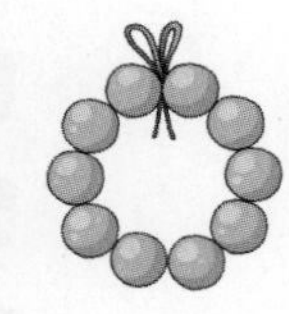 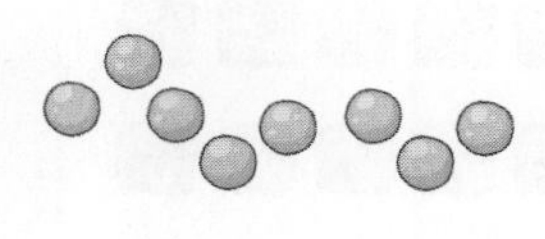 

10  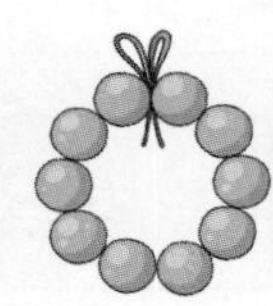 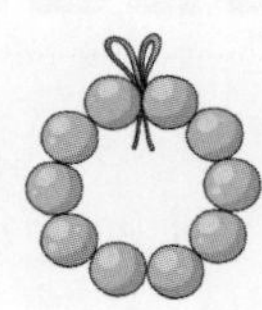 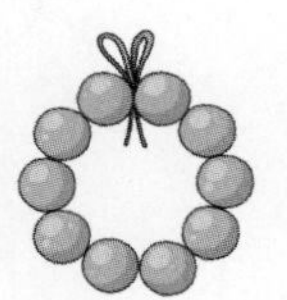 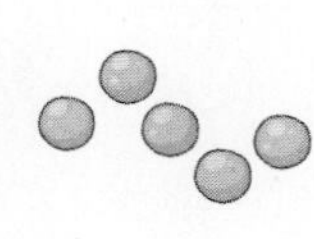 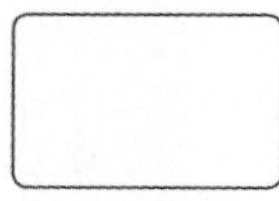

모두 몇 개인지 세어 보기

과자는 모두 몇 개인지 세어 수를 쓰세요.

1

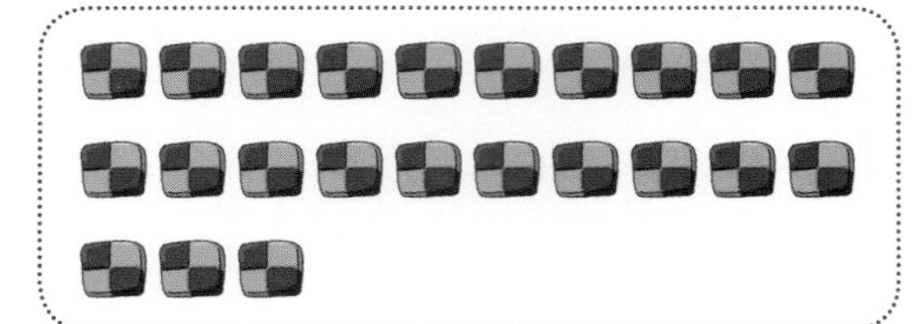

2

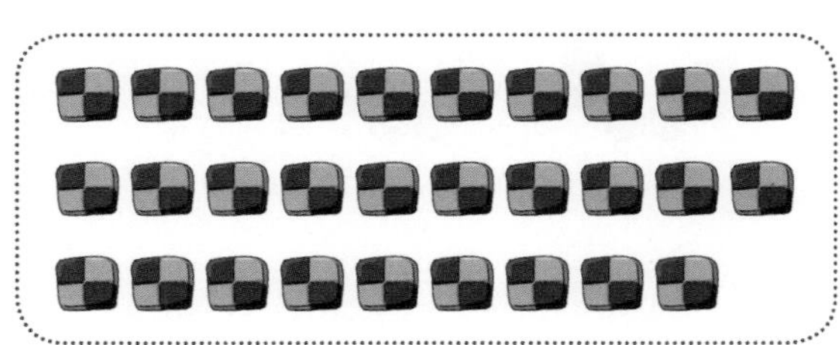

3

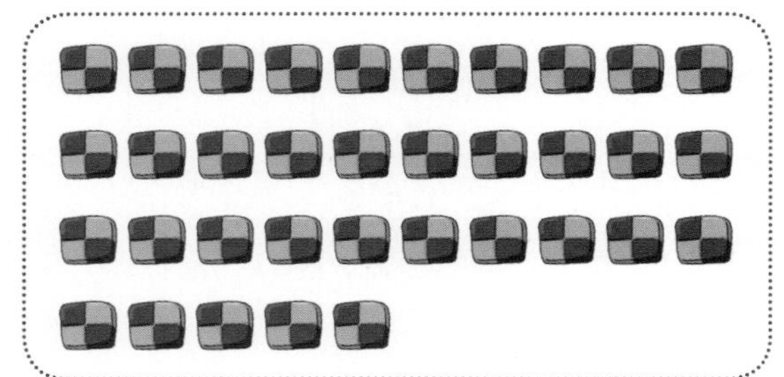

4

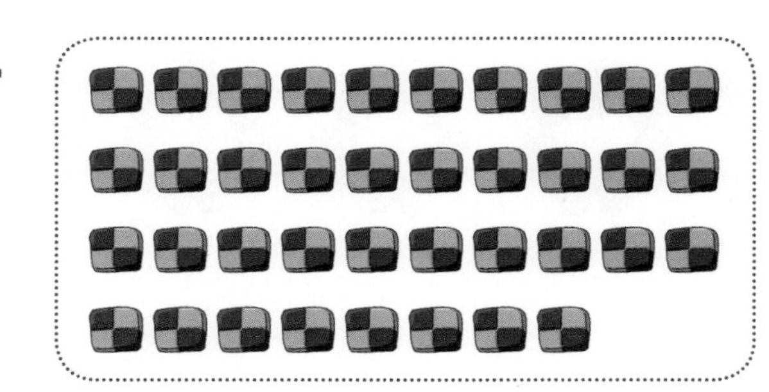

5

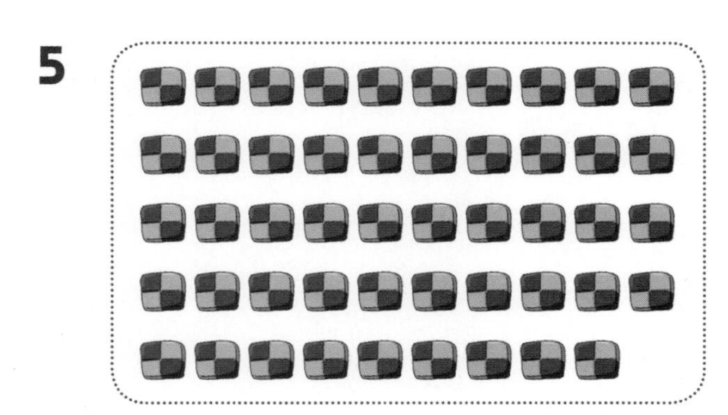

6

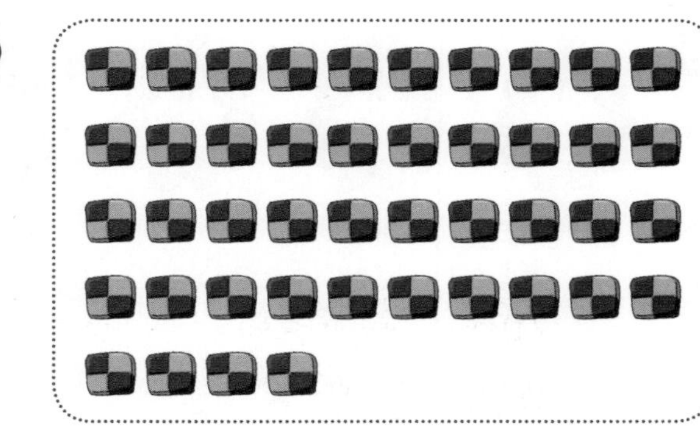

▶ 정답과 해설 6쪽

생활 속 문제

쿠키는 모두 몇 개인지 세어 ◯ 안에 수를 쓰세요.

7

 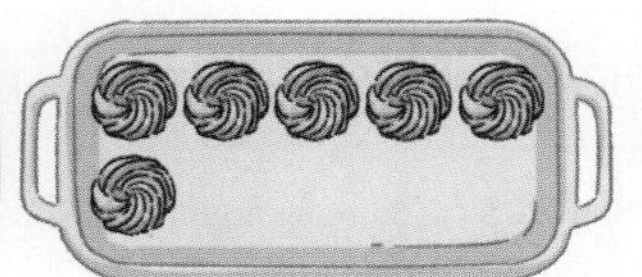 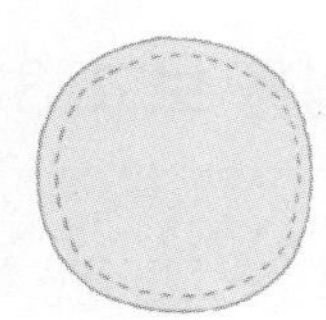

8

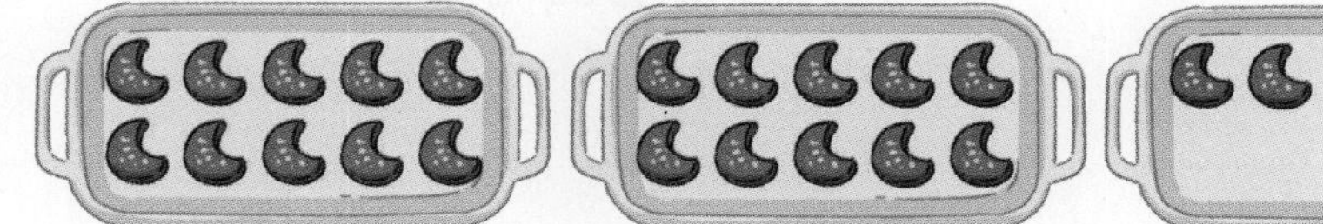  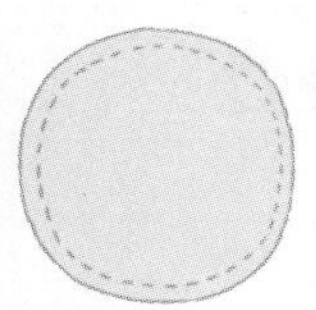

9

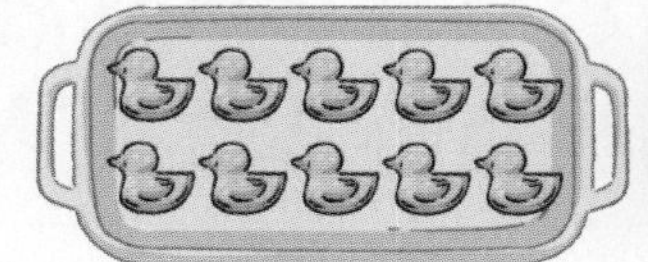 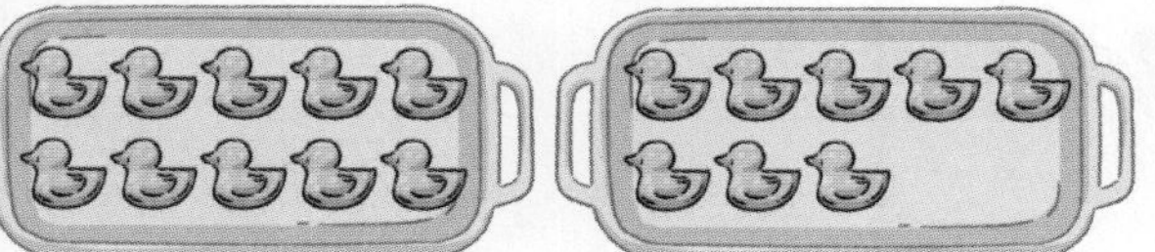 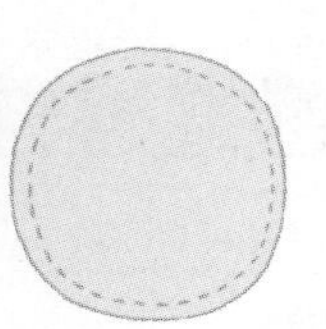

문장 읽고 문제 해결하기

10 과자는 모두 몇 개인지 세어 수를 쓰세요.

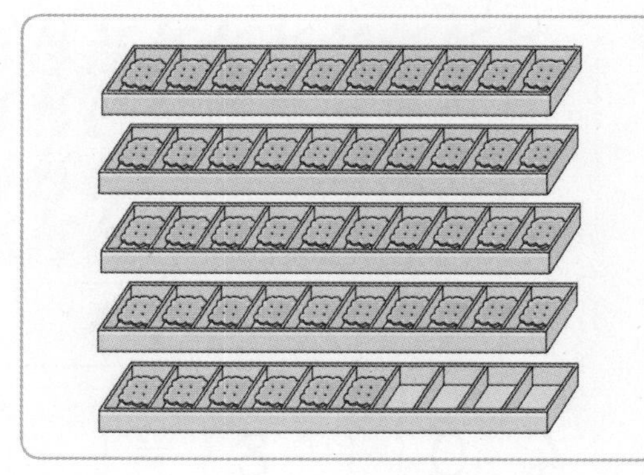

11 사탕은 모두 몇 개인지 세어 수를 쓰세요.

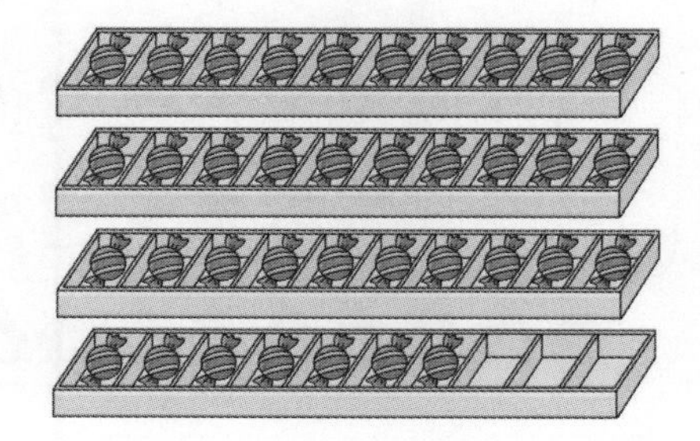

그림 보고 덧셈하기 ①

이렇게 해결하자

• 그림을 보고 30+2 계산하기

3	0	+	2	=	3	2

0+2=2

30 더하기 2는 32와 같습니다.

그림을 보고 덧셈을 하세요.

❶

1	0	+	1	=		

❷

2	0	+	3	=		

❸

3	0	+	9	=		

❹

4	0	+	8	=		

기초 계산 연습

맞은 개수 / 9개

▶ 정답과 해설 6쪽

그림을 보고 덧셈을 하세요.

5 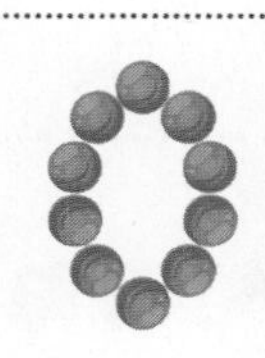

$10+5=\square$

6 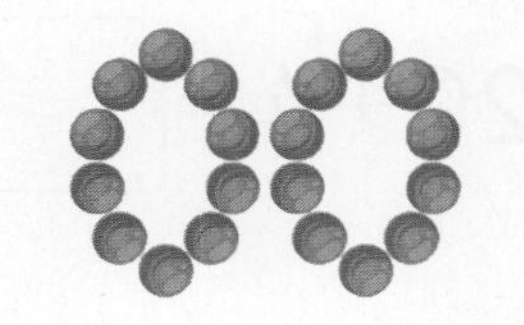 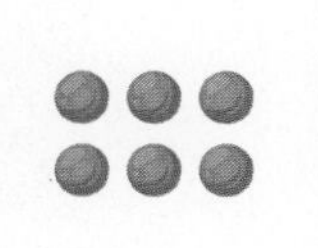

$20+6=\square$

7 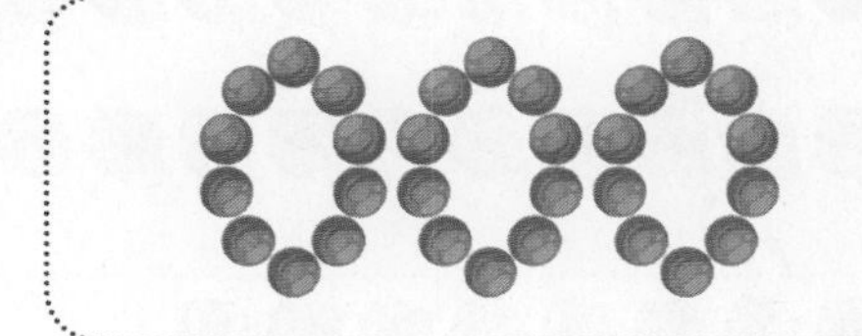 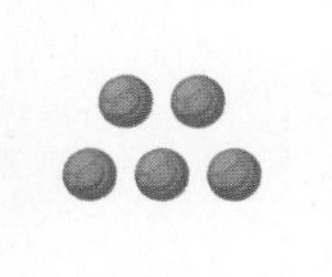

$30+5=\square$

8 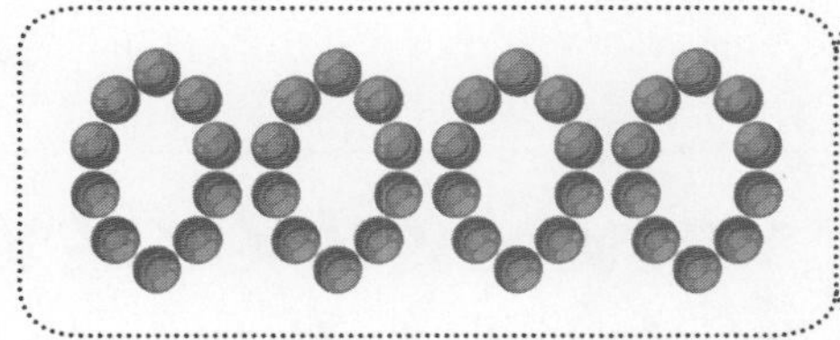 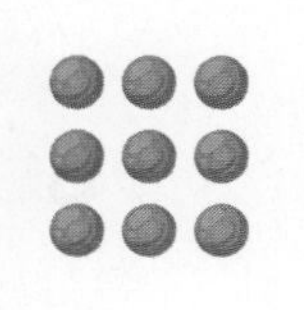

$40+9=\square$

9 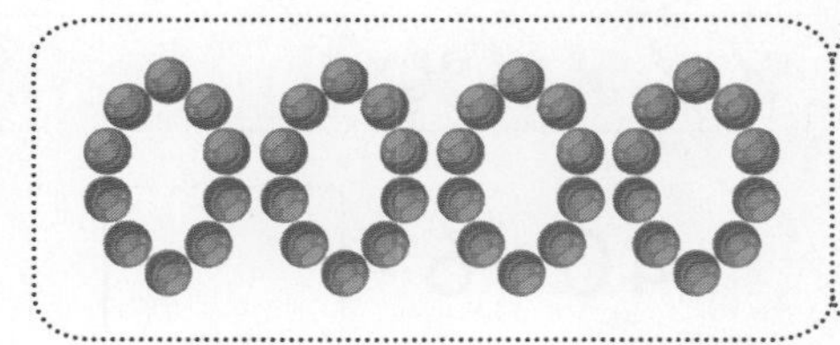

$40+2=\square$

그림 보고 덧셈하기 ①

그림을 보고 덧셈을 하세요.

1

$10+7=$ □

2

$20+4=$ □

3

$30+1=$ □

4

$30+8=$ □

5

$40+8=$ □

6

$40+6=$ □

플러스 계산 연습

맞은 개수 / 12개

▶ 정답과 해설 6쪽

생활 속 계산

빵집에 있는 빵의 개수입니다. 두 빵의 개수를 더하세요.

종류						
빵의 수(개)	30	40	3	10	5	6

7

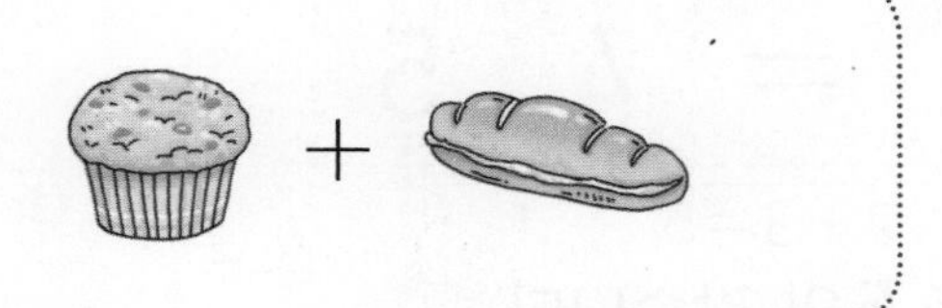

30+□=□(개)

8

10+□=□(개)

9

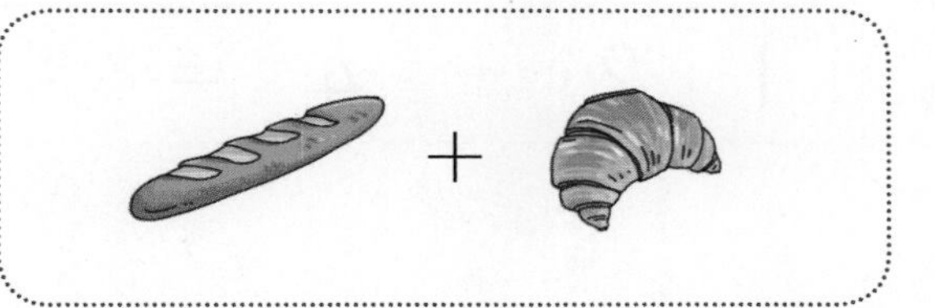

□+□=□(개)

10

□+□=□(개)

문장 읽고 계산식 세우기

11 축구공은 모두 몇 개일까요?

식 20+8=□(개)

12 농구공은 모두 몇 개일까요?

식 30+□=□(개)

그림 보고 덧셈하기 ②

이렇게 해결하자

• 그림을 보고 42+3 계산하기

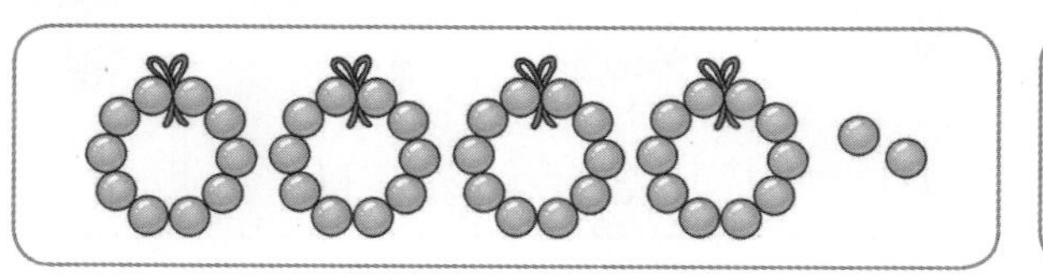

4	2	+	3	=	4	5

2+3=5

42 더하기 3은 45와 같습니다.

그림을 보고 덧셈을 하세요.

❶

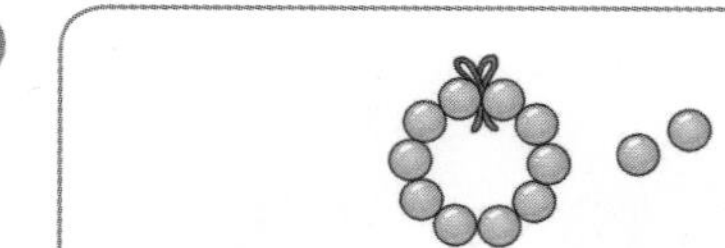

1	2	+	4	=		

❷

2	5	+	2	=		

❸

3	3	+	3	=		

❹

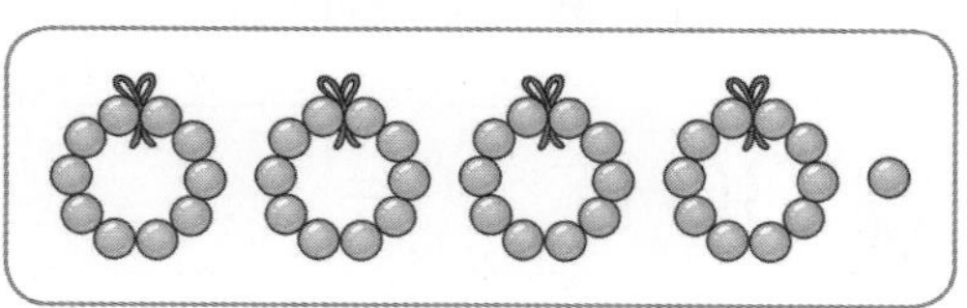

4	1	+	8	=		

기초 계산 연습

맞은 개수 / 10개

▶ 정답과 해설 6쪽

5

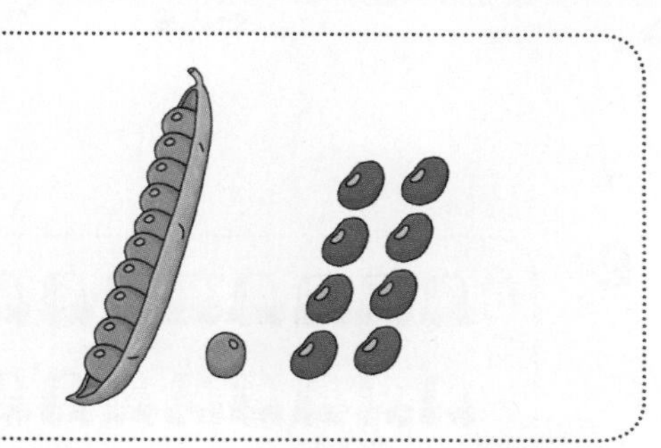

1	1	+	8	=		

6

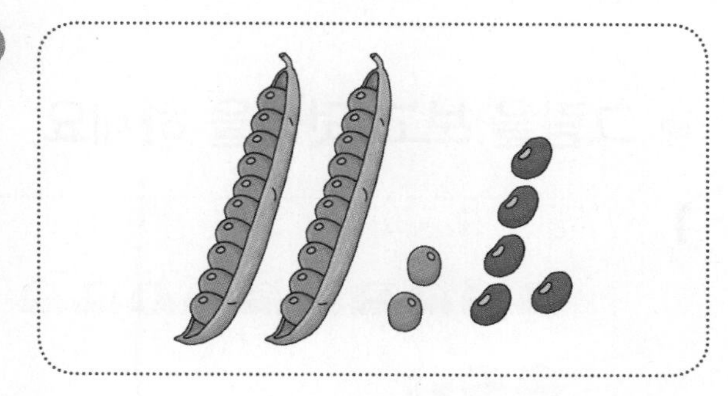

2	2	+	5	=		

7

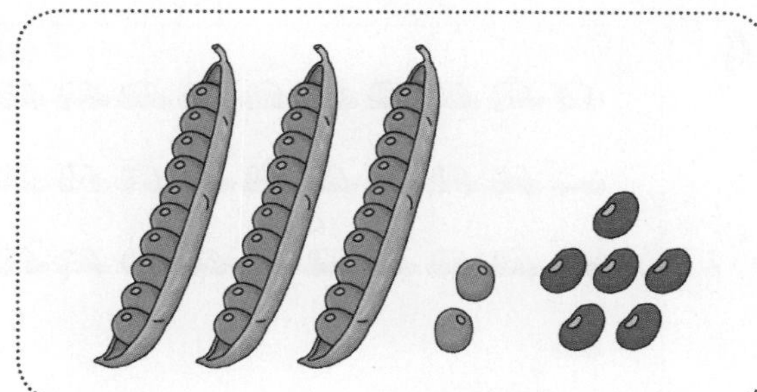

3	2	+	6	=		

8

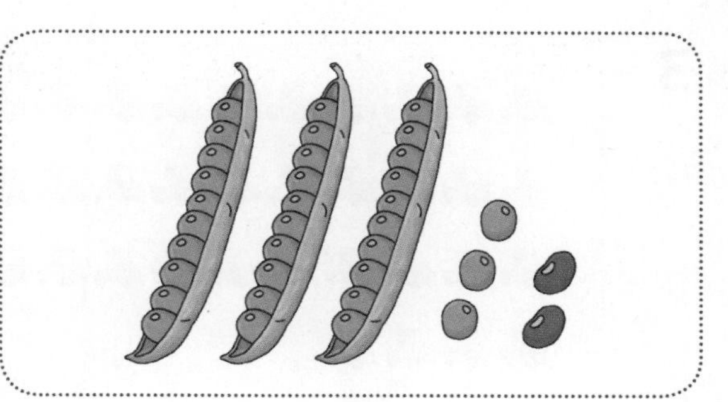

3	3	+	2	=		

9

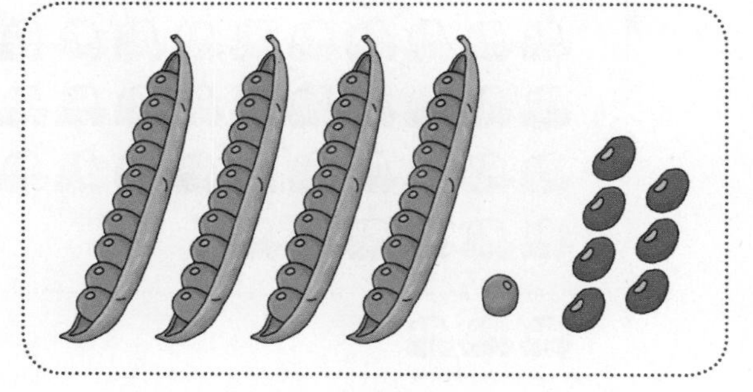

4	1	+	7	=		

10

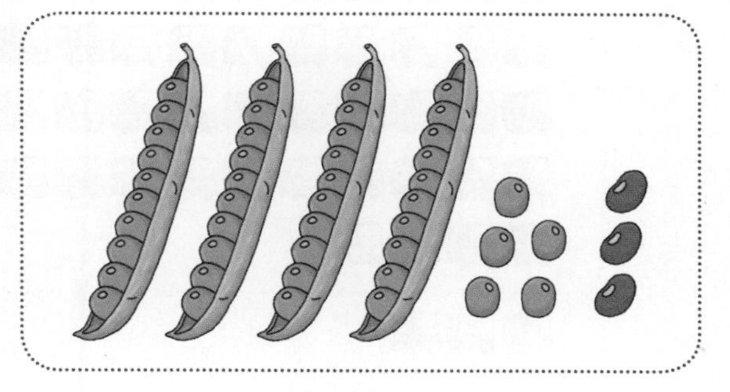

4	5	+	3	=		

그림 보고 덧셈하기 ②

그림을 보고 덧셈을 하세요.

1

$13+4=\square$

2

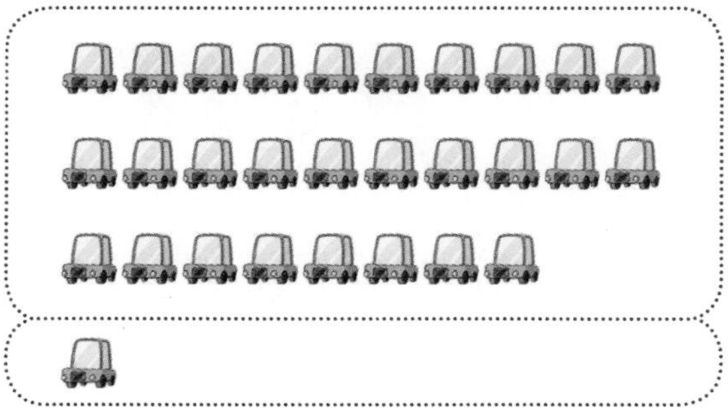

$28+1=\square$

3

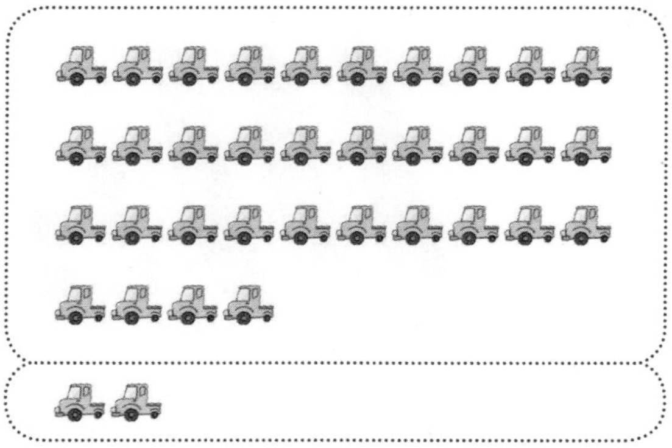

$34+2=\square$

4

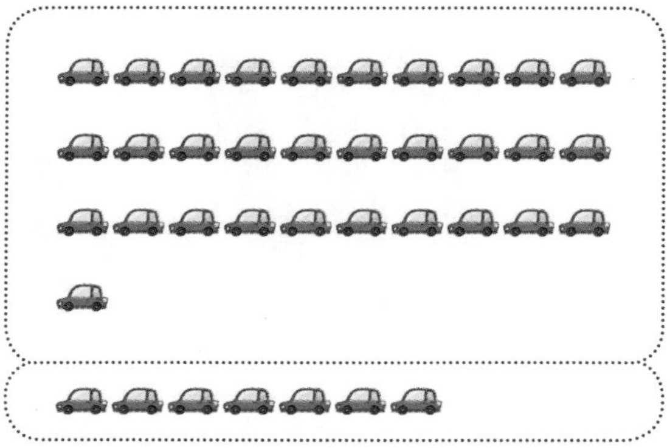

$31+7=\square$

5

$44+3=\square$

6

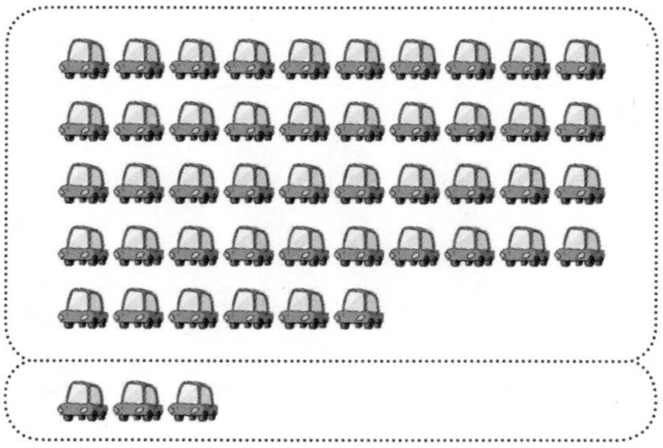

$46+3=\square$

제한 시간 5분

플러스 계산 연습

맞은 개수 / 12개

▶ 정답과 해설 7쪽

생활 속 계산

과일은 모두 몇 개인지 구하세요.

7

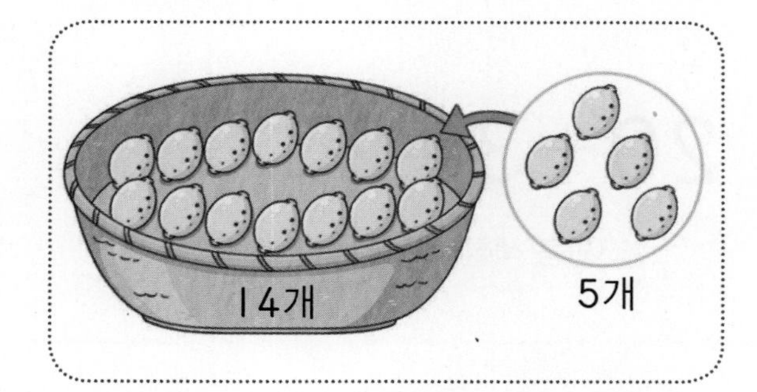

$14+5=\square$(개)

8

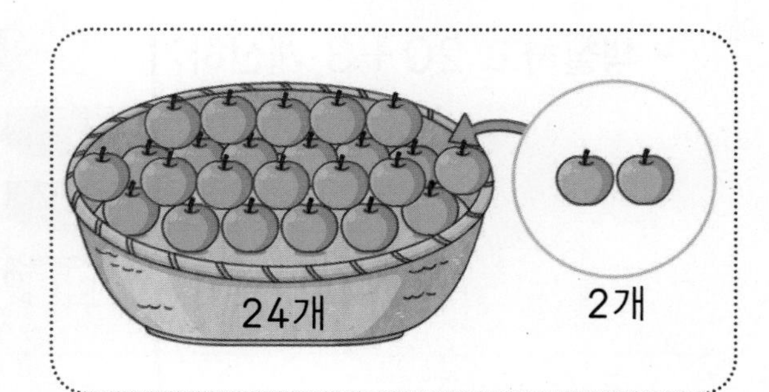

$24+2=\square$(개)

9

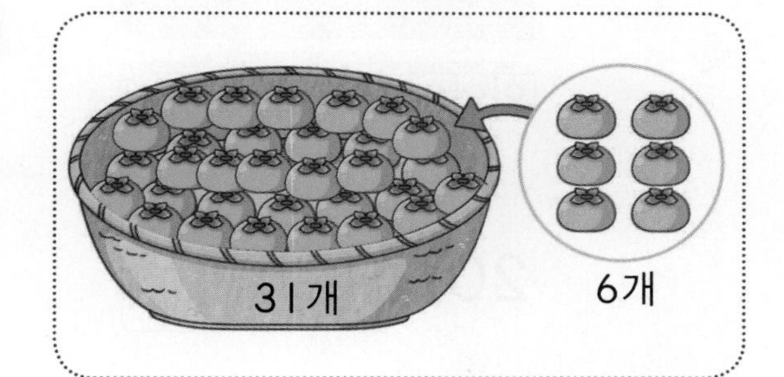

$31+6=\square$(개)

10

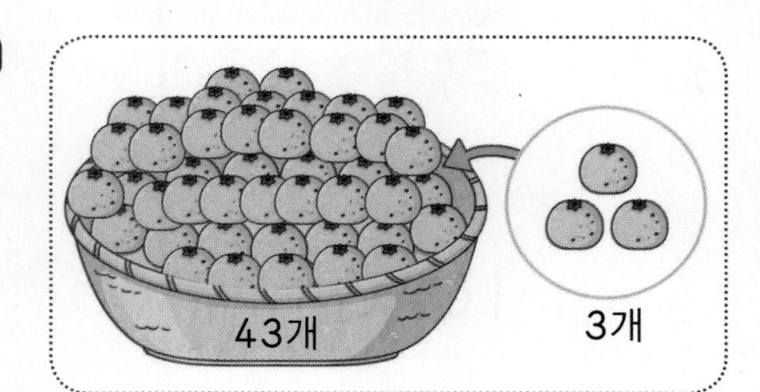

$43+3=\square$(개)

문장 읽고 계산식 세우기

11 클립은 모두 몇 개일까요?

식 $25+1=\square$(개)

12 가위는 모두 몇 개일까요?

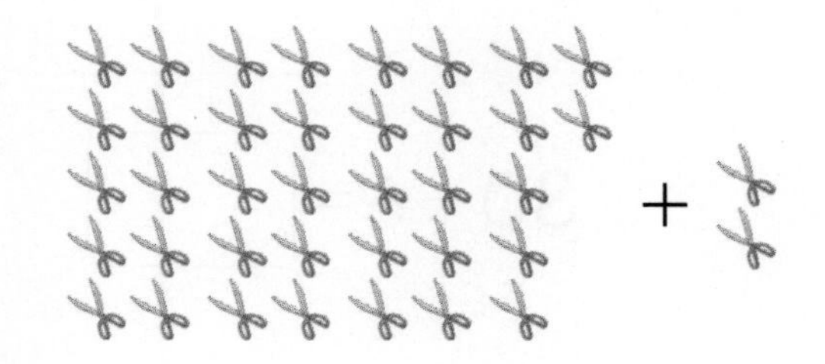

식 $37+\square=\square$(개)

4 일차

색칠하고 덧셈하기 ①

이렇게 해결하자

• 색칠하고 20＋3 계산하기

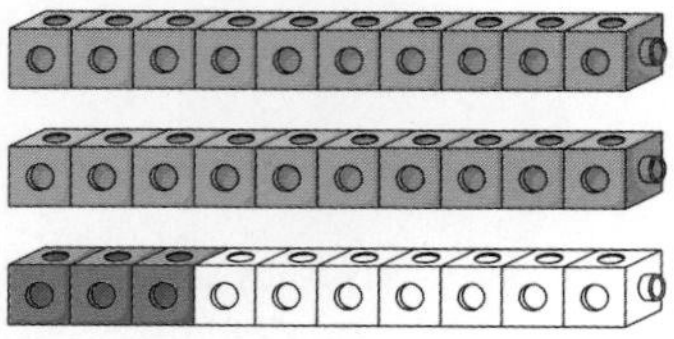

20＋3＝23

3만큼 색칠해요.

파란색 수만큼 색칠하고 덧셈을 하세요.

❶ 10＋5＝☐

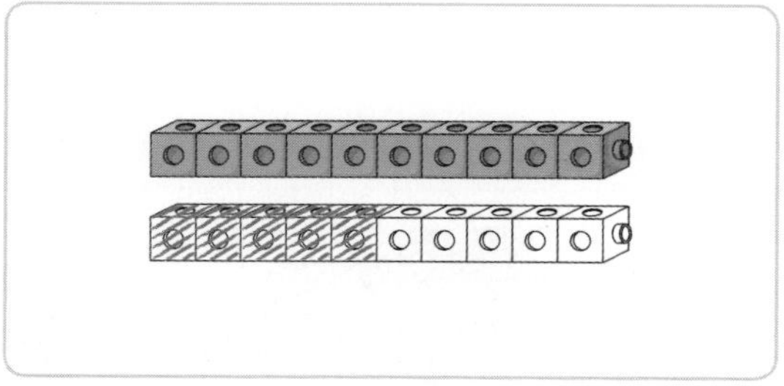

❷ 20＋7＝☐

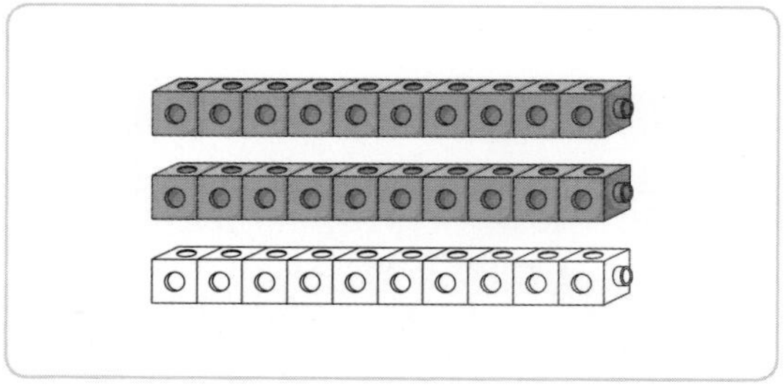

❸ 30＋6＝☐

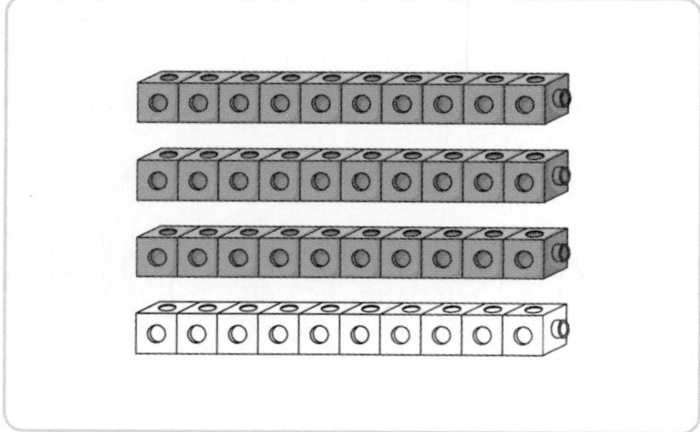

❹ 40＋8＝☐

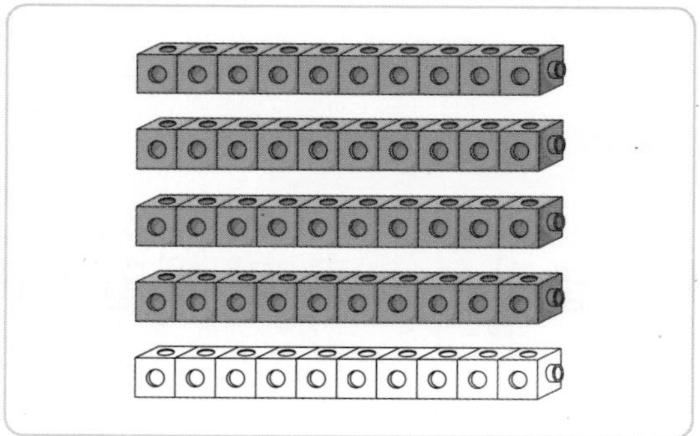

기초 계산 연습

맞은 개수 / 10개

▶ 정답과 해설 7쪽

초록색 수만큼 색칠하고 덧셈을 하세요.

❺

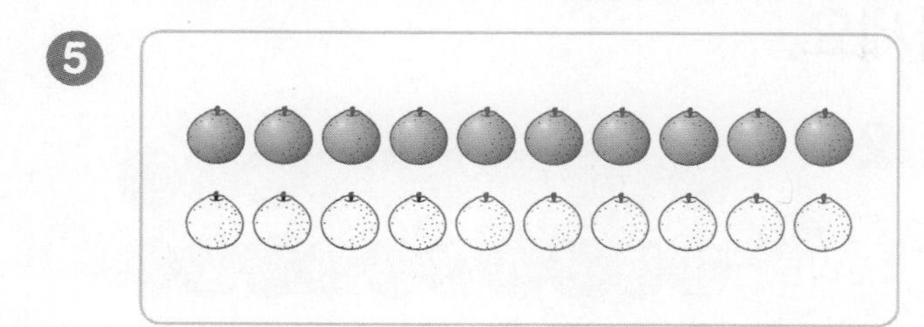

$10+4=$ □

❻

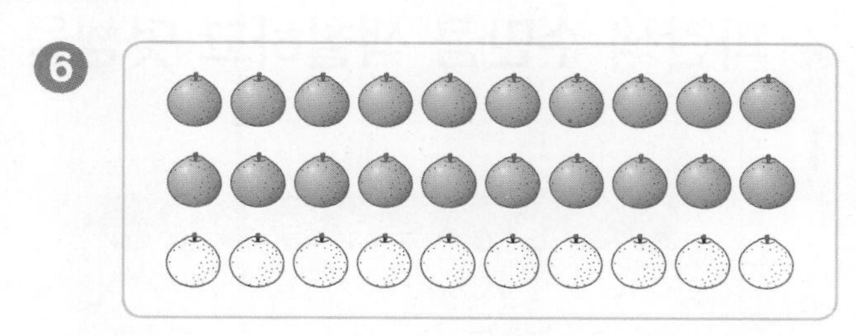

$20+9=$ □

❼

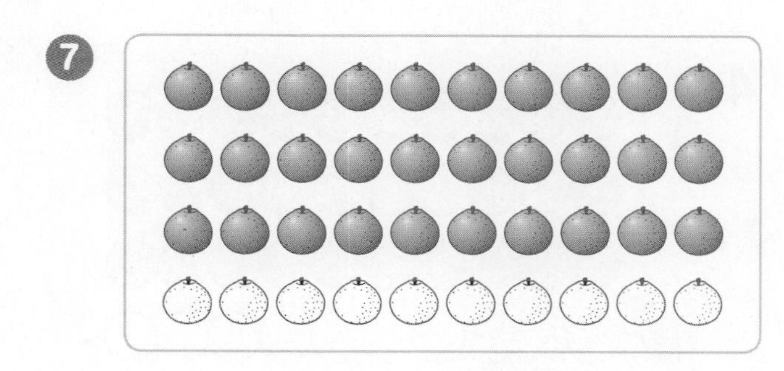

$30+8=$ □

❽

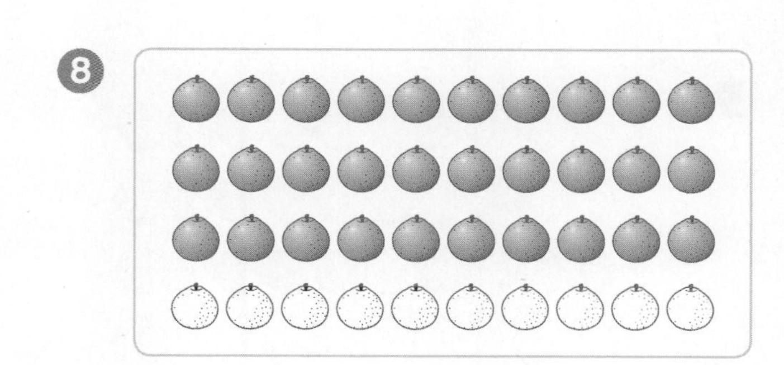

$30+5=$ □

❾

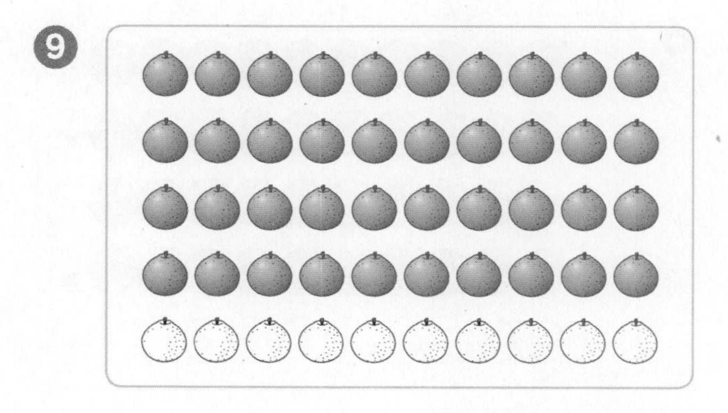

$40+7=$ □

❿

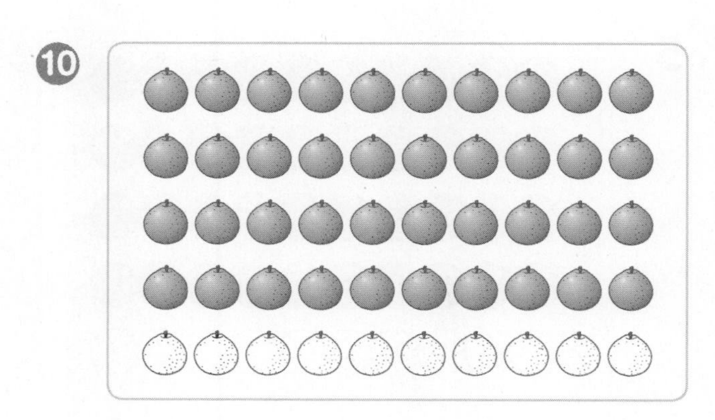

$40+2=$ □

색칠하고 덧셈하기 ①

파란색 수만큼 색칠하고 덧셈을 하세요.

1

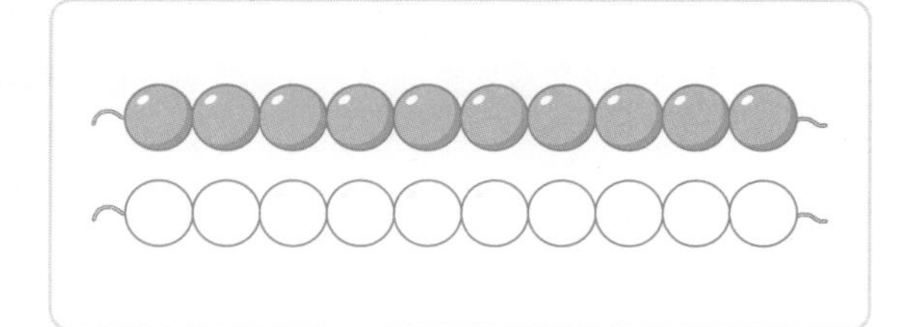

$10+2=$ □

2

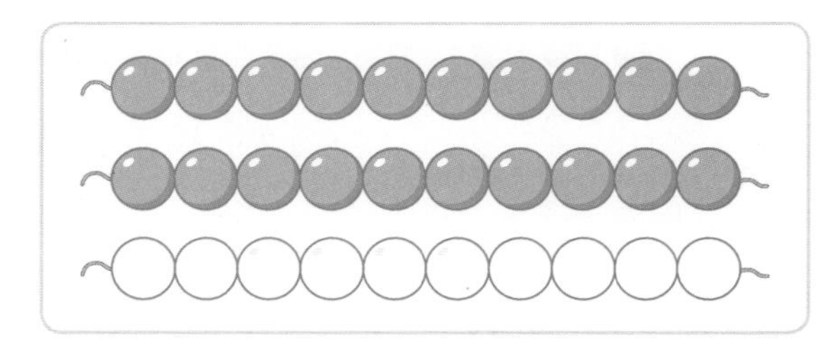

$20+9=$ □

3

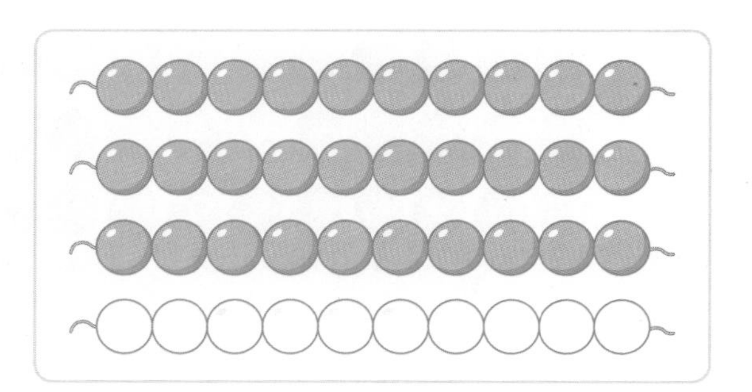

$30+3=$ □

4

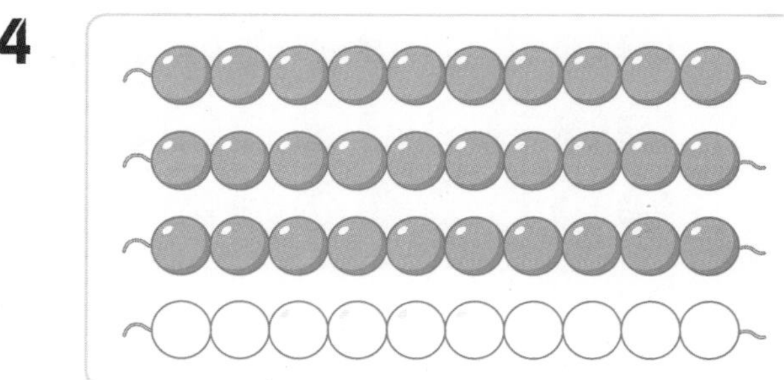

$30+5=$ □

5

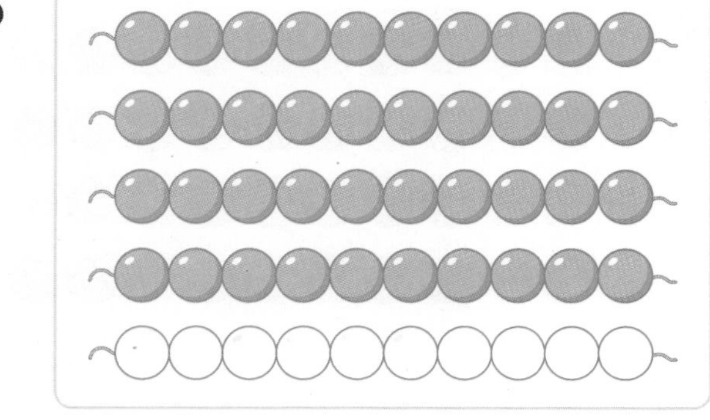

$40+3=$ □

6

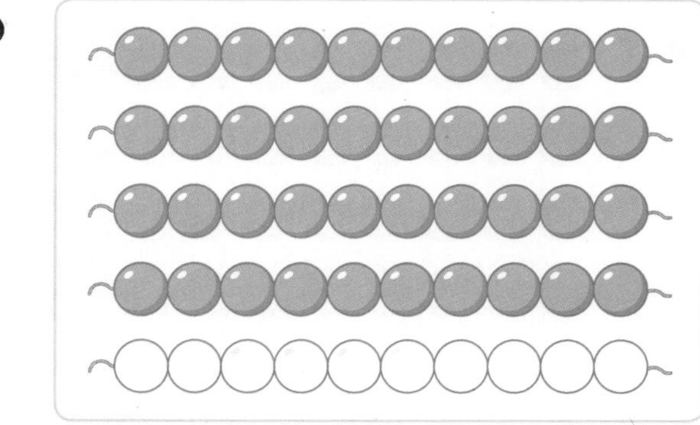

$40+5=$ □

제한 시간 5분

플러스 계산 연습

맞은 개수 / 10개

▶ 정답과 해설 7쪽

생활 속 계산

더 넣은 사탕 수만큼 색칠하고 덧셈을 하세요.

7

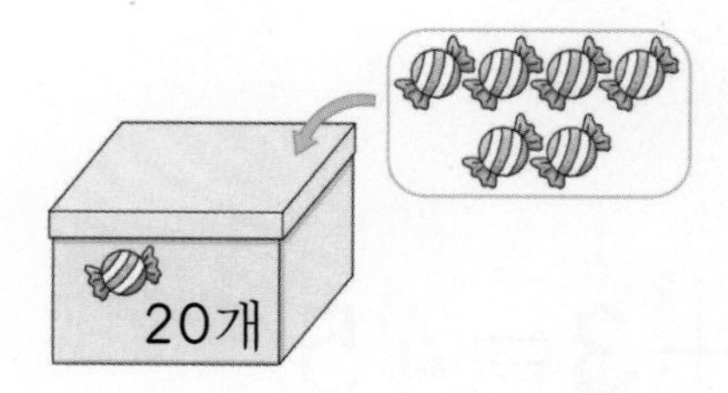

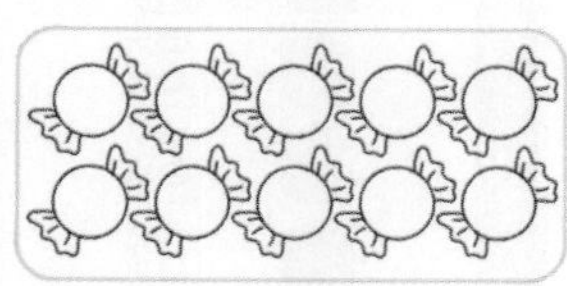

$20+6=$ □

8

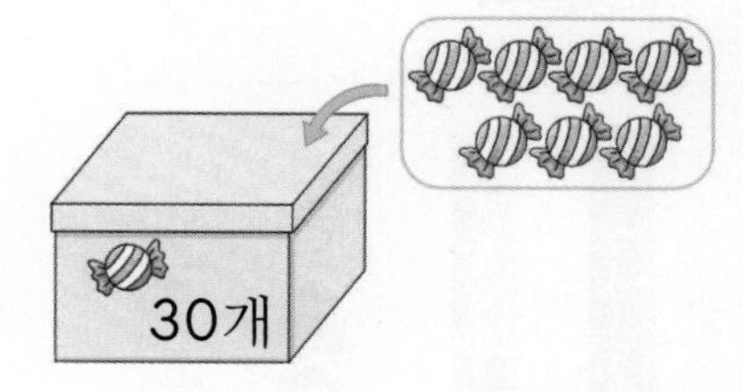

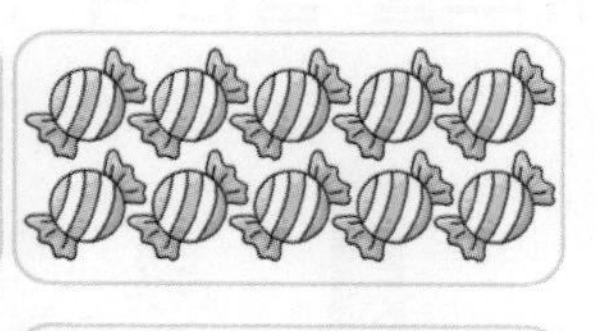

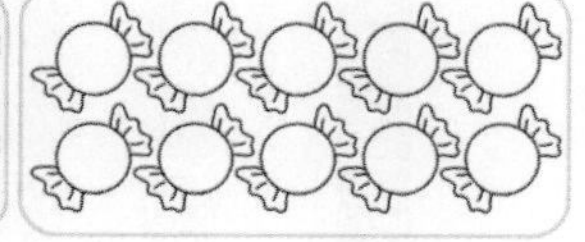

$30+7=$ □

문장 읽고 계산식 세우기

9 빨간색으로 색칠한 구슬은 모두 몇 개일까요?

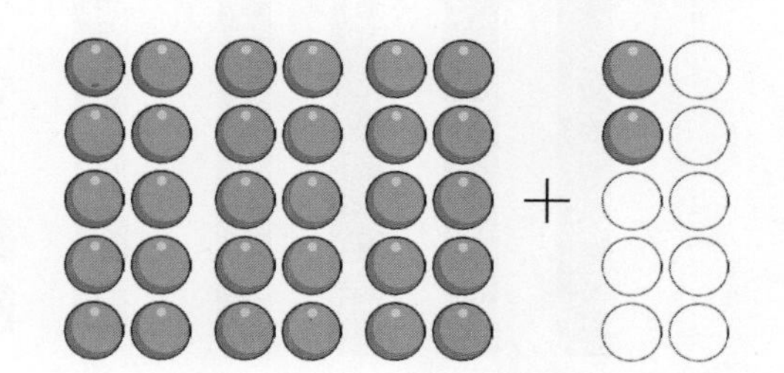

식 $30+2=$ □ (개)

10 연두색으로 색칠한 구슬은 모두 몇 개일까요?

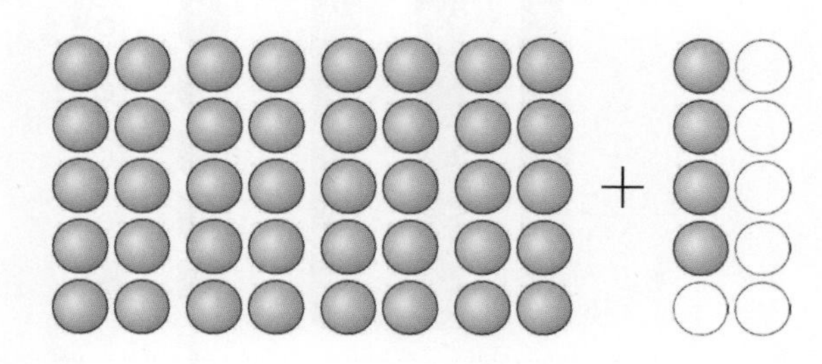

식 $40+$ □ $=$ □ (개)

2 50까지 수의 덧셈

색칠하고 덧셈하기 ②

이렇게 해결하자

• 색칠하고 42＋3 계산하기

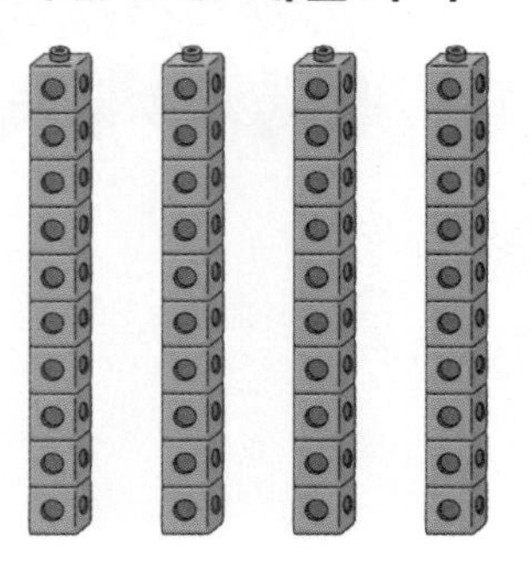

42＋3＝45

3만큼 색칠해요.

연결큐브를 빨간색 수만큼 색칠하고 덧셈을 하세요.

❶

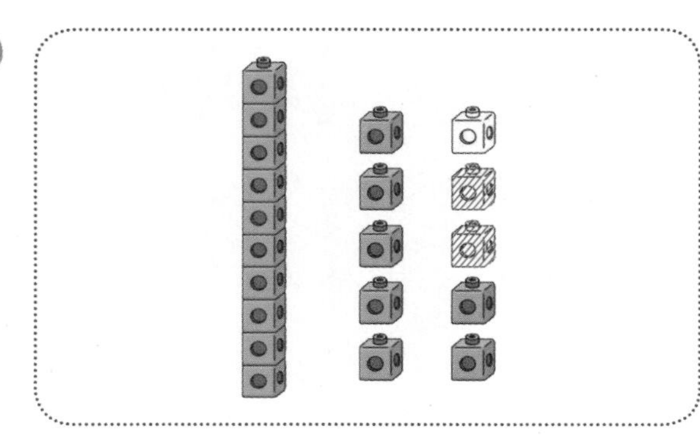

17＋2＝☐

❷

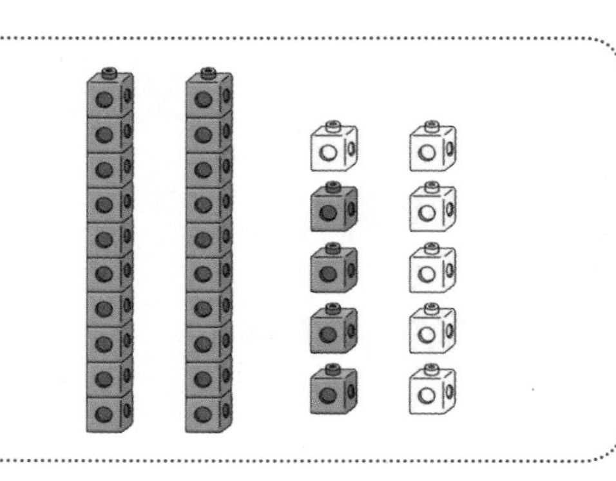

24＋1＝☐

❸

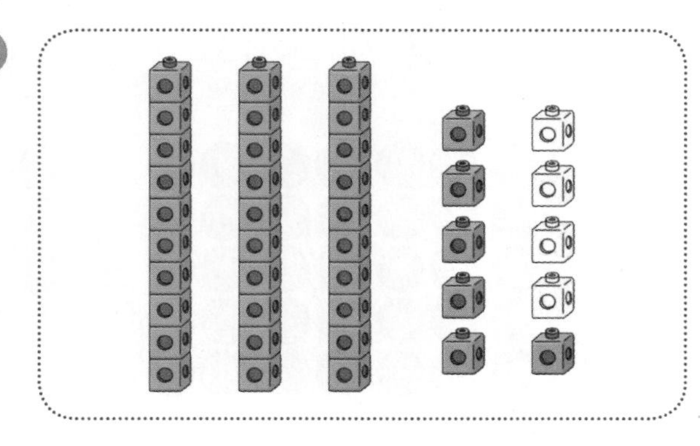

36＋3＝☐

❹

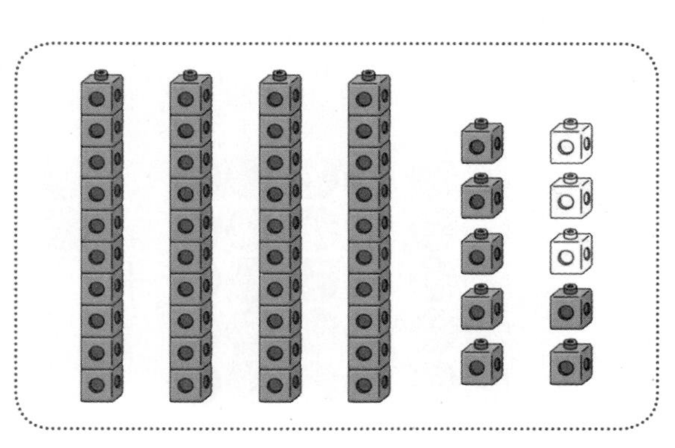

47＋2＝☐

제한 시간 3분

기초 계산 연습

맞은 개수 / 10개

▶ 정답과 해설 7쪽

초록색 수만큼 색칠하고 덧셈을 하세요.

❺

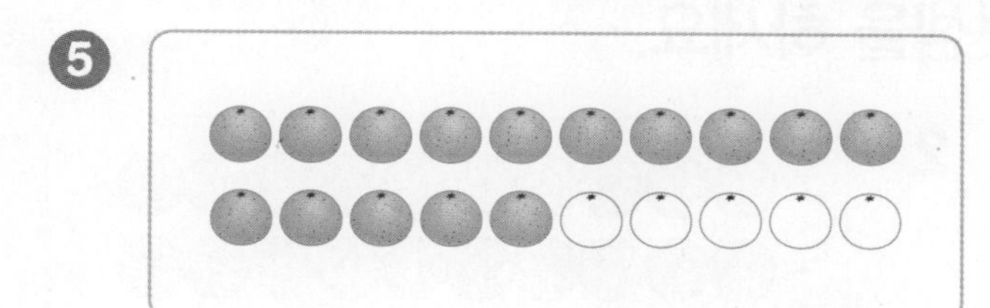

$15+3=\square$

❻

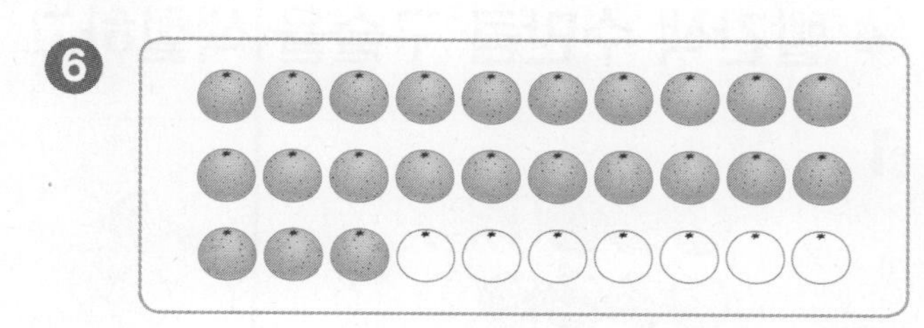

$23+5=\square$

❼

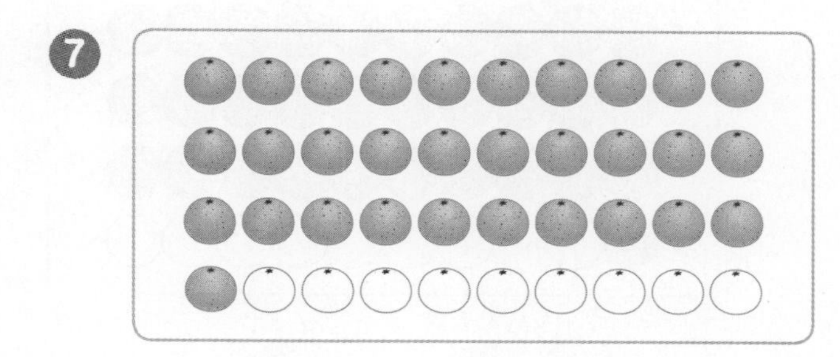

$31+6=\square$

❽

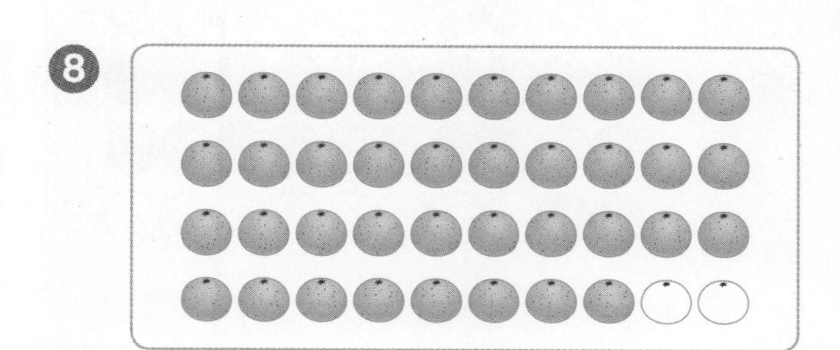

$38+1=\square$

❾

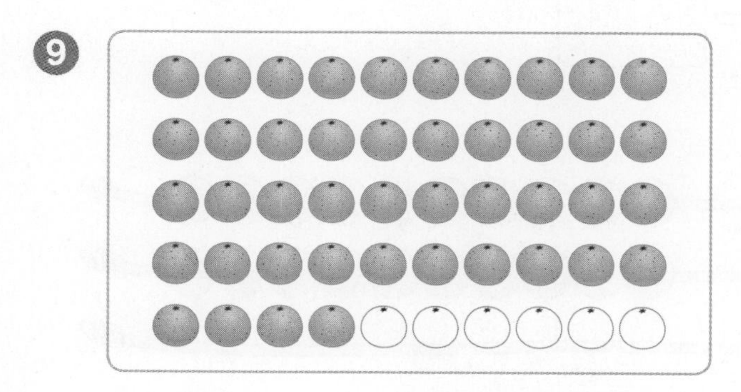

$44+3=\square$

❿

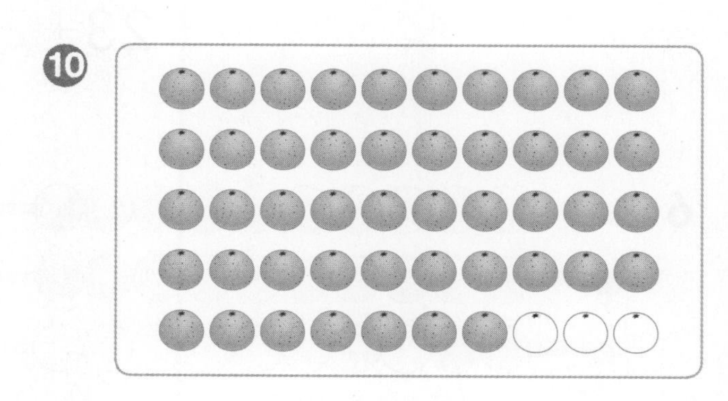

$47+1=\square$

5 일차

색칠하고 덧셈하기 ②

빨간색 수만큼 구슬을 색칠하고 덧셈을 하세요.

1

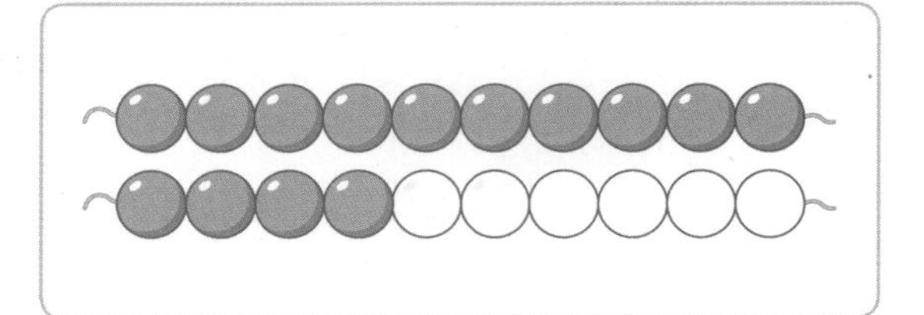

$14+2=\square$

2

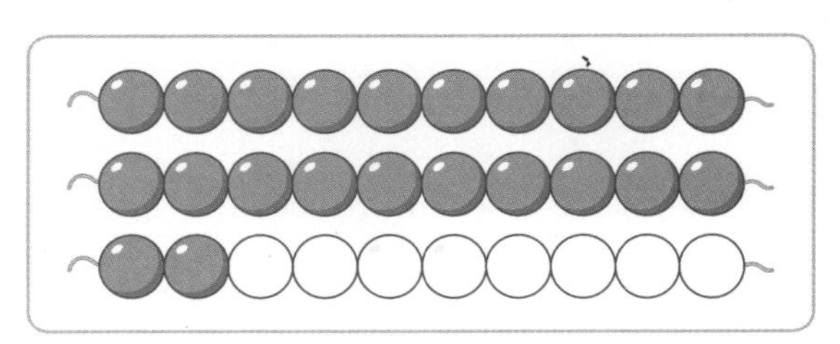

$22+4=\square$

3

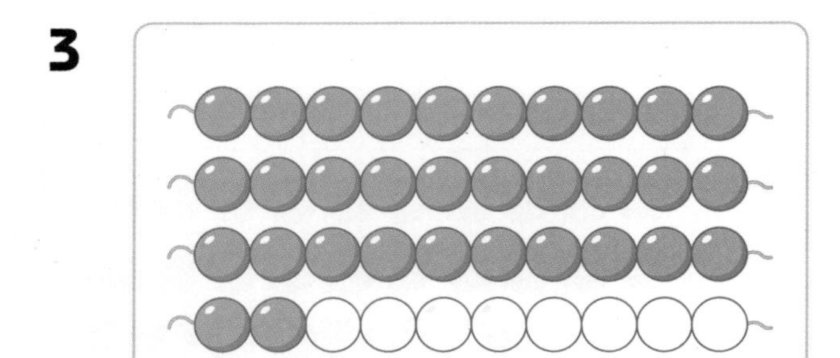

$32+4=\square$

4

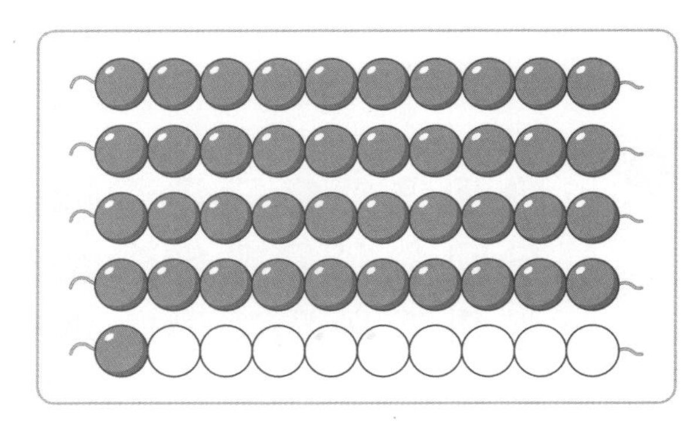

$41+5=\square$

5

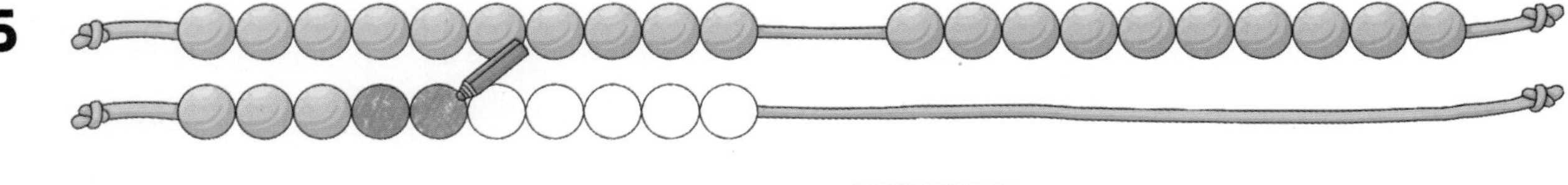

$23+2=\square$

6

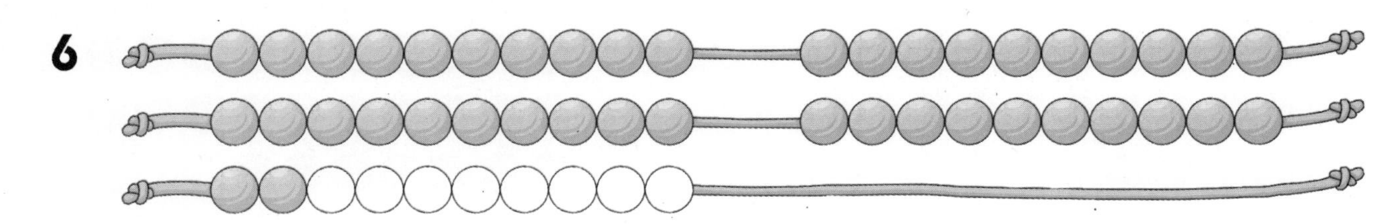

$42+6=\square$

제한 시간 5분

플러스 계산 연습

맞은 개수 / 12개

▶ 정답과 해설 7쪽

생활 속 계산

파란색 수만큼 달걀판에 ○를 그리고 덧셈을 하세요.

7

$12+3=$ ☐

8

$25+3=$ ☐

9

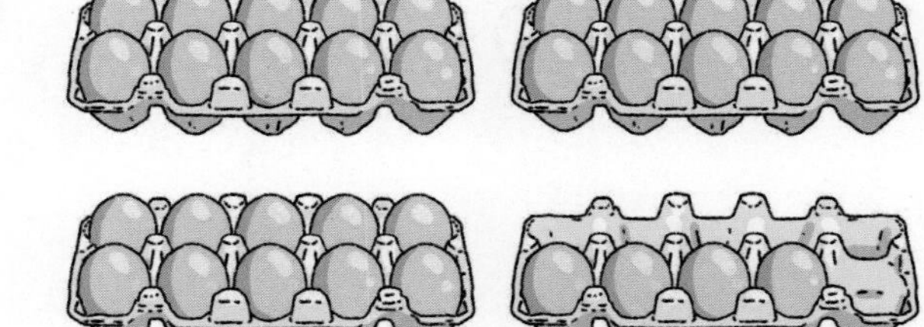

$34+2=$ ☐

10

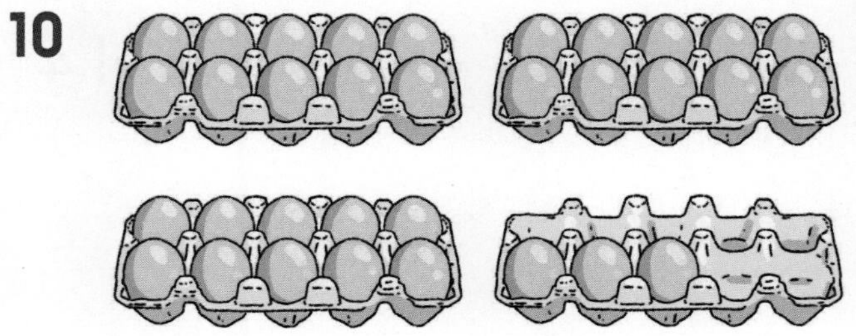

$33+4=$ ☐

문장 읽고 계산식 세우기

11

빨간색으로 색칠한 구슬은 몇 개일까요?

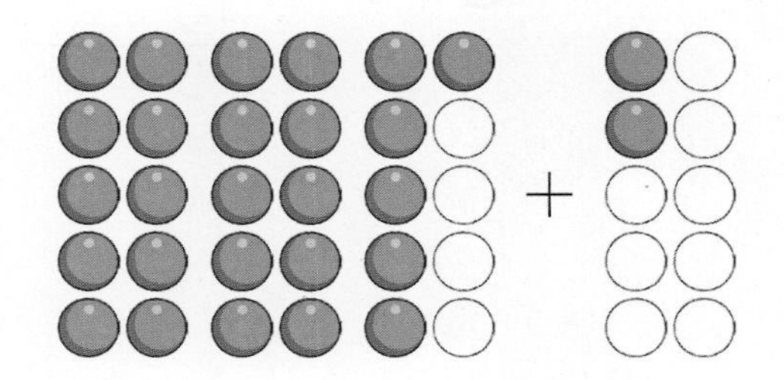

$26+2=$ ☐ (개)

식 ______________________

12

연두색으로 색칠한 구슬은 몇 개일까요?

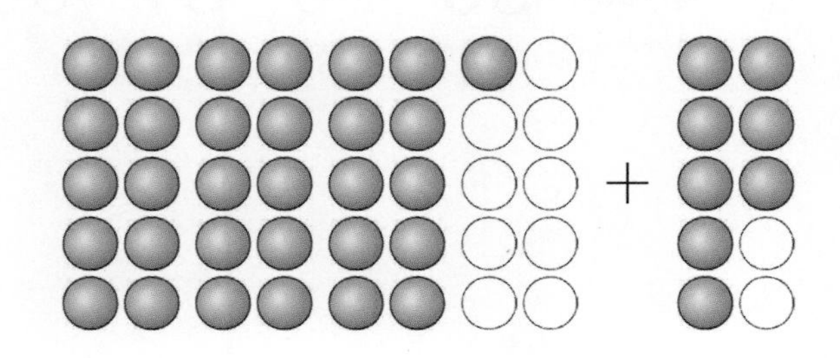

$31+8=$ ☐ (개)

식 ______________________

6 일차

이어 세어 덧셈하기

이렇게 해결하자

• 이어 세어 21＋2 알아보기

1 2 2번 앞으로!

21	22	23	24	25

21＋2＝23

빨간색 수만큼 이어 세기를 표시하고 덧셈을 하세요.

❶ 1 2

10	11	12	13	14	15

10＋2＝☐

❷ 1 2 3

22	23	24	25	26	27

22＋3＝☐

❸

34	35	36	37	38	39

34＋4＝☐

❹

45	46	47	48	49	50

45＋4＝☐

제한 시간 3분

기초 계산 연습

맞은 개수 / 10개

▶ 정답과 해설 8쪽

❺ | 11 | 12 | 13 | 14 | 15 | 16 |

$11+5=\square$

❻ | 25 | 26 | 27 | 28 | 29 | 20 |

$28+1=\square$

❼ | 13 | 14 | 15 | 16 | 17 | 18 |

$14+4=\square$

❽ | 41 | 42 | 43 | 44 | 45 | 46 |

$42+4=\square$

❾ | 43 | 44 | 45 | 46 | 47 | 48 | 49 |

$44+3=\square$

❿ | 31 | 32 | 33 | 34 | 35 | 36 | 37 |

$33+3=\square$

6 일차 이어 세어 덧셈하기

덧셈을 하세요.

1

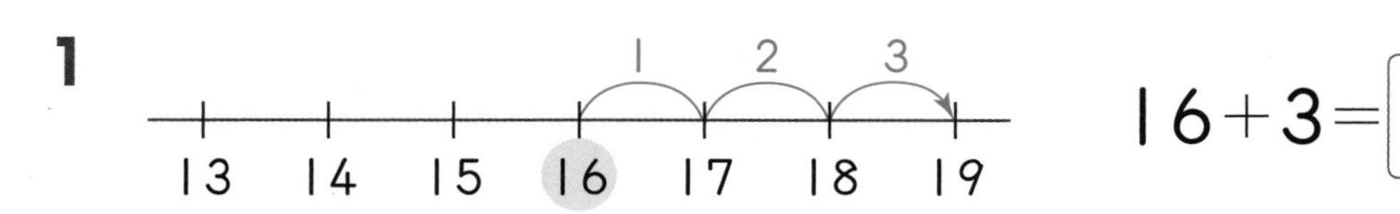

$16+3=\square$

2

1 2 3 4
23 24 25 26 27 28 29

$24+4=\square$

3

1 2 3
34 35 36 37 38 39 40

$36+3=\square$

4

1 2 3
31 32 33 34 35 36 37

$34+3=\square$

5

1 2
41 42 43 44 45 46 47

$43+2=\square$

6

1 2
44 45 46 47 48 49 50

$47+2=\square$

제한 시간 5분

플러스 계산 연습

맞은 개수 / 12개

▶ 정답과 해설 8쪽

빈 곳에 알맞은 수를 쓰고 덧셈을 하세요.

7

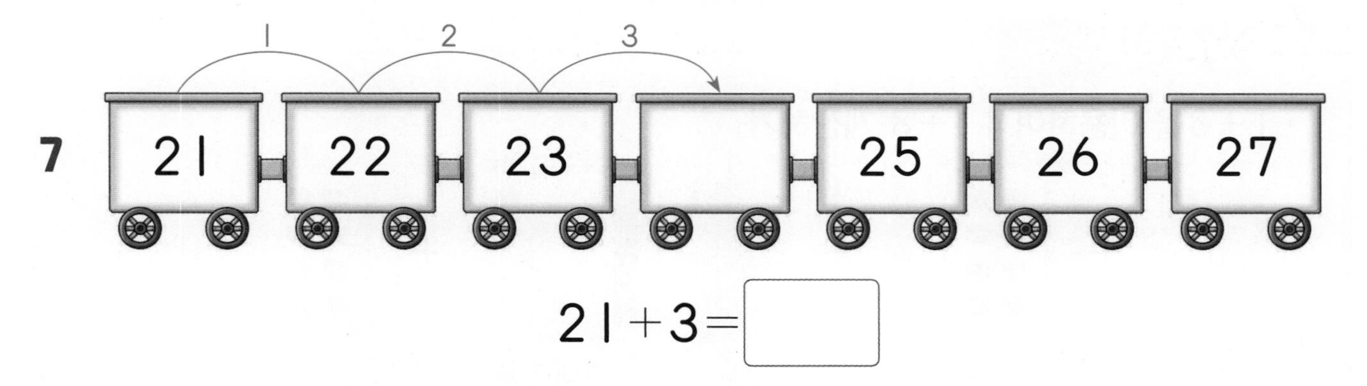

21+3=☐

8

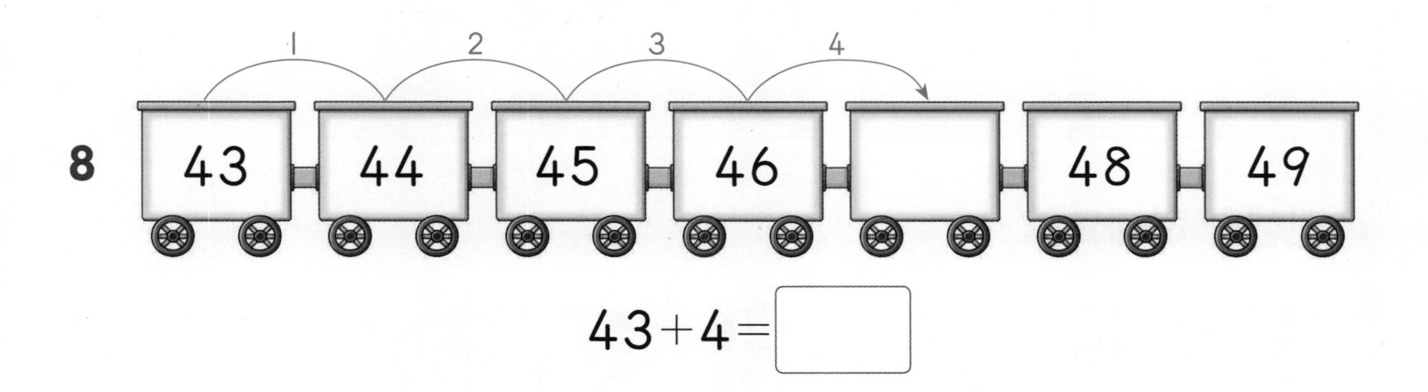

43+4=☐

문장 읽고 계산식 세우기

9 15부터 차례로 2만큼 이어 세면 얼마일까요?

식 15+2=☐

10 22부터 차례로 6만큼 이어 세면 얼마일까요?

식 22+6=☐

11 35부터 차례로 4만큼 이어 세면 얼마일까요?

식 35+4=☐

12 46부터 차례로 3만큼 이어 세면 얼마일까요?

식 46+3=☐

7 일차 비슷한 덧셈하기

이렇게 해결하자

• 1＋8을 이용하여 11＋8 계산하기

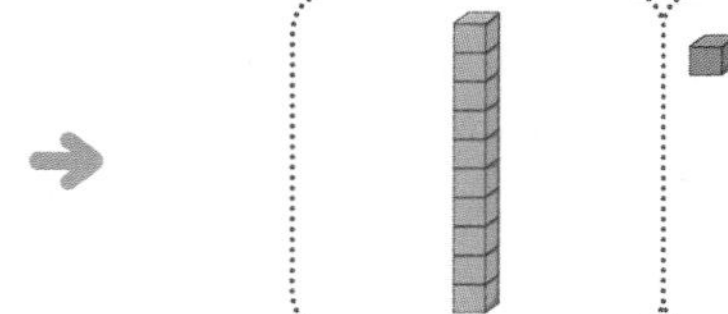

$1+8=9$

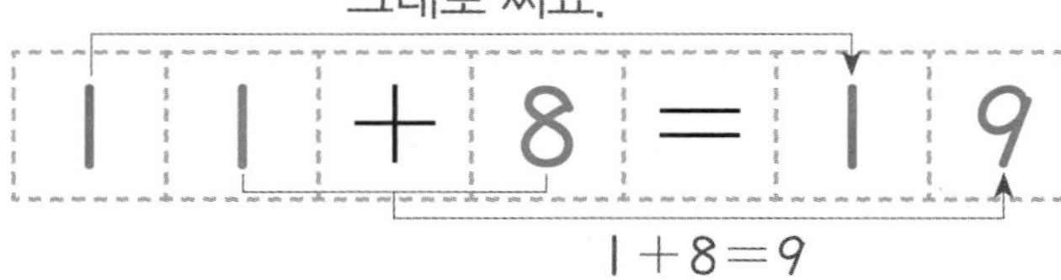

덧셈을 하세요.

❶
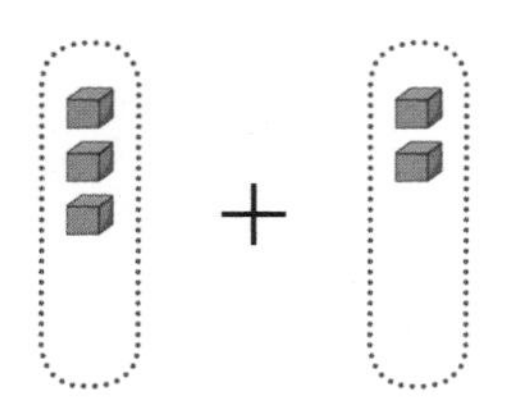
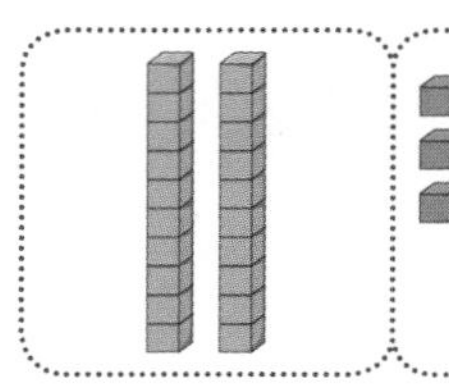

$3+2=$ □　　$23+2=$ □

❷
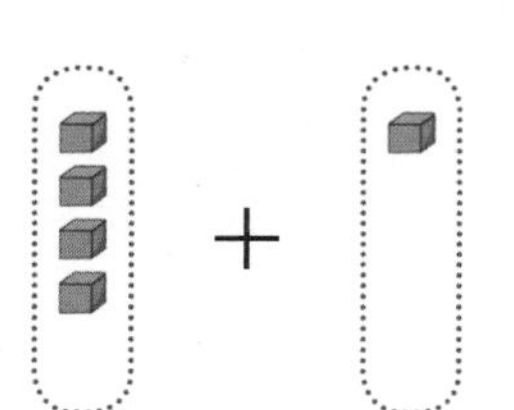
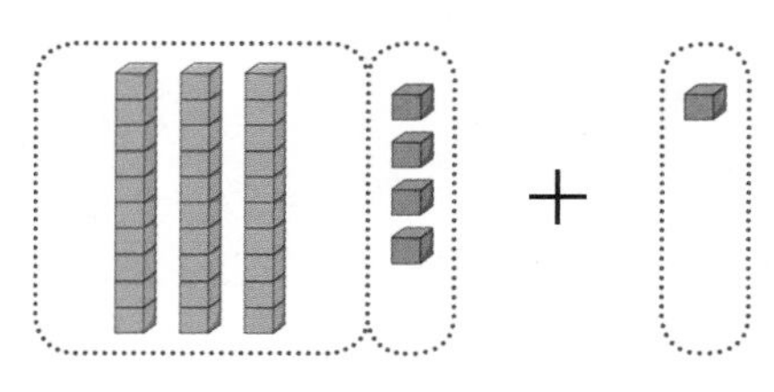

$4+1=$ □　　$34+1=$ □

❸
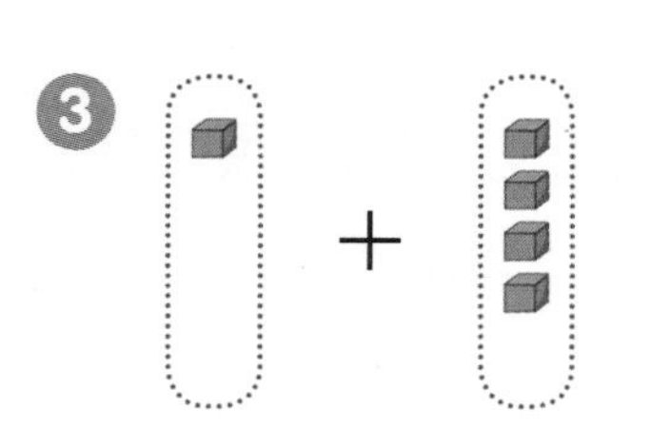
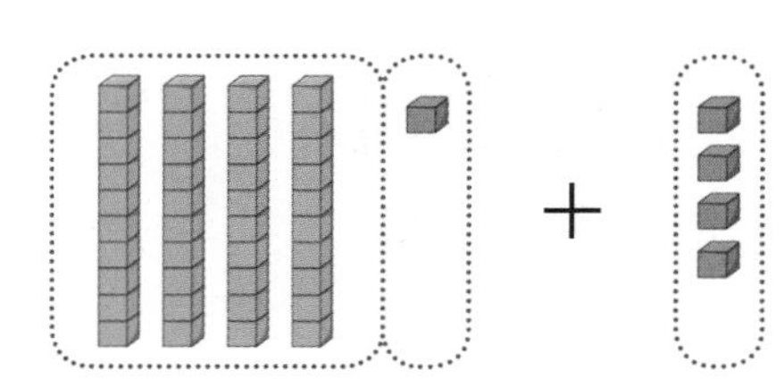

$1+4=$ □　　$41+4=$ □

기초 계산 연습

맞은 개수 / 9개

▶ 정답과 해설 8쪽

❹

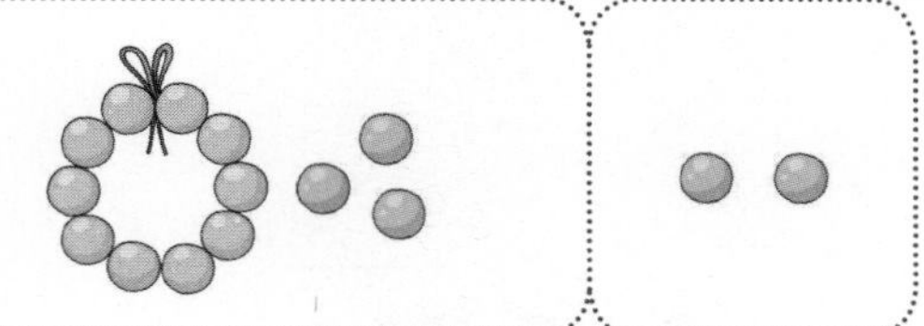

3+2=☐

13+2=☐

❺

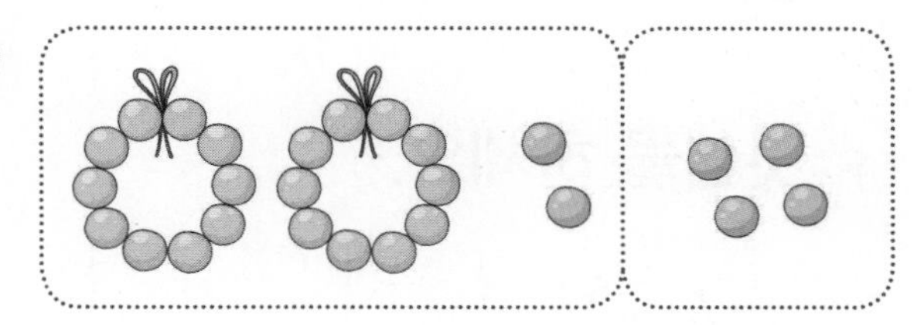

2+4=☐

22+4=☐

❻

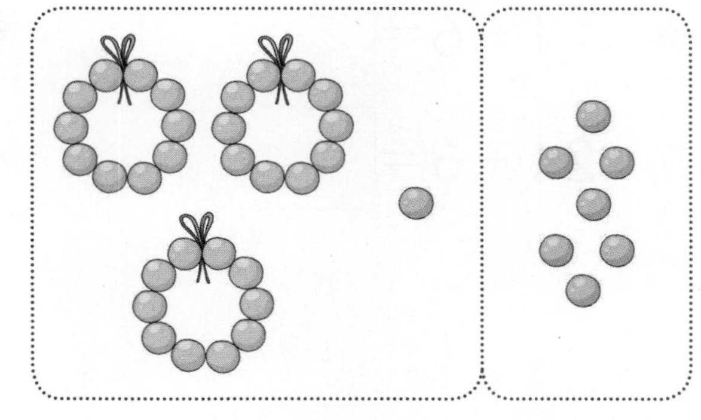

1+7=☐

31+7=☐

❼

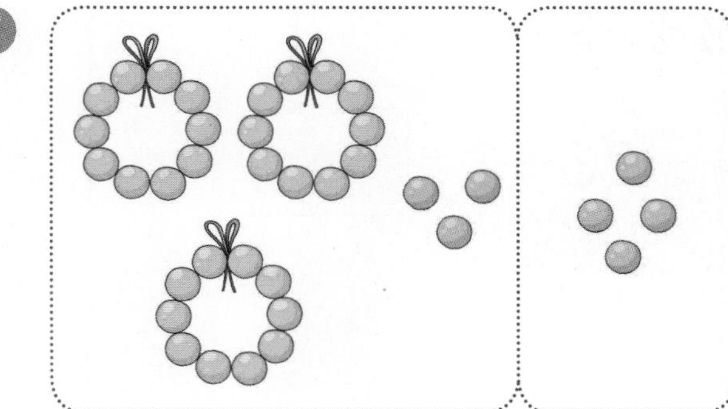

3+4=☐

33+4=☐

❽

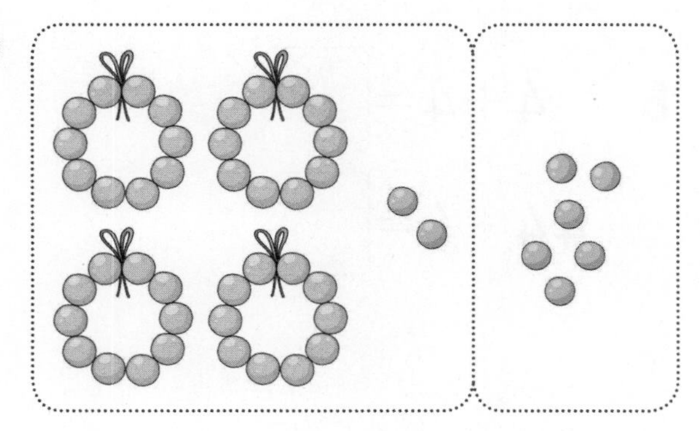

2+6=☐

42+6=☐

❾

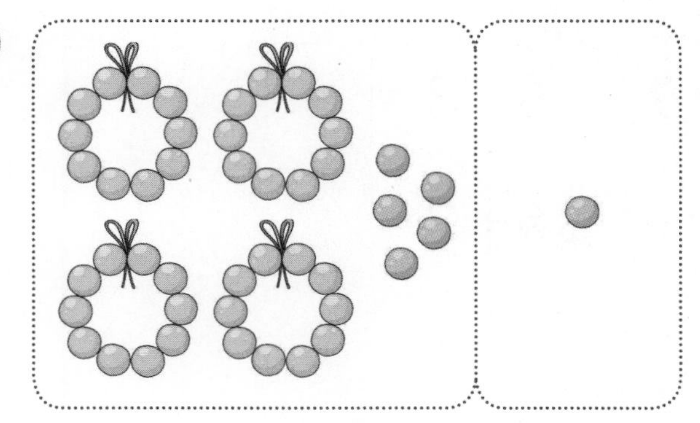

5+1=☐

45+1=☐

비슷한 덧셈하기

덧셈을 하세요.

1 $4+2=\square$

$14+2=\square$

2 $3+5=\square$

$13+5=\square$

3 $3+3=\square$

$23+3=\square$

4 $1+6=\square$

$21+6=\square$

5 $4+5=\square$

$34+5=\square$

6 $7+2=\square$

$37+2=\square$

7 $6+3=\square$

$36+3=\square$

8 $4+4=\square$

$44+4=\square$

9 $1+5=\square$

$41+5=\square$

10 $7+2=\square$

$47+2=\square$

제한 시간 5분

플러스 계산 연습

맞은 개수 / 17개

▶ 정답과 해설 9쪽

생활 속 계산

보기 와 같이 사다리 타기를 해서 덧셈을 하세요.

보기

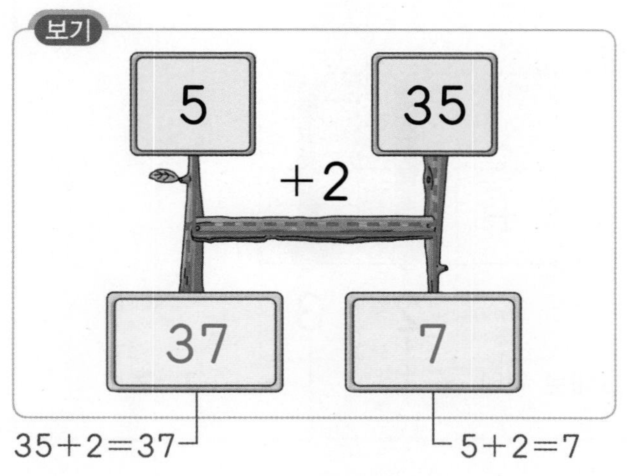

35+2=37　　5+2=7

11 4　24　+4

12 1　11　+6

13 3　43　+3

문장 읽고 계산식 세우기

14 12 더하기 5는 얼마일까요?

식 12+5=

15 25 더하기 3은 얼마일까요?

식 25+3=

16 34 더하기 2는 얼마일까요?

식 34+2=

17 41 더하기 8은 얼마일까요?

식 41+8=

세로셈 알아보기

이렇게 해결하자

• 2 l + 2의 세로셈 계산하기

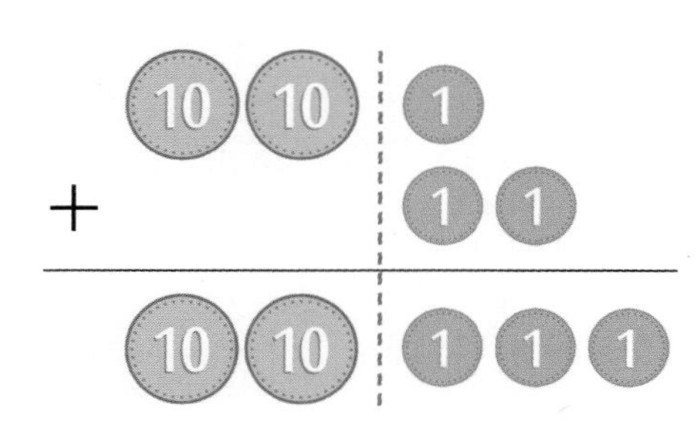

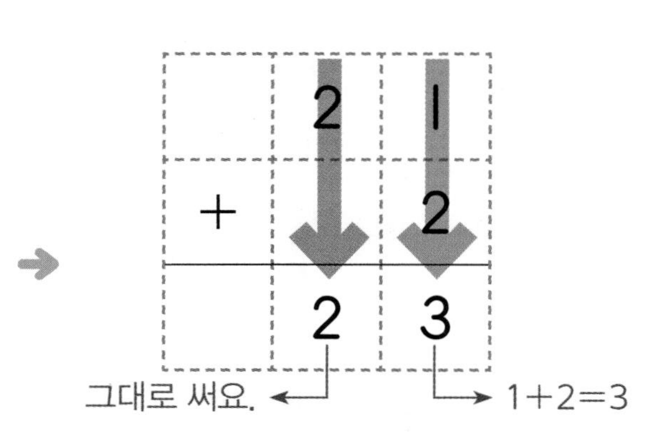

덧셈을 하세요.

❶

	l	2
+		3

❷

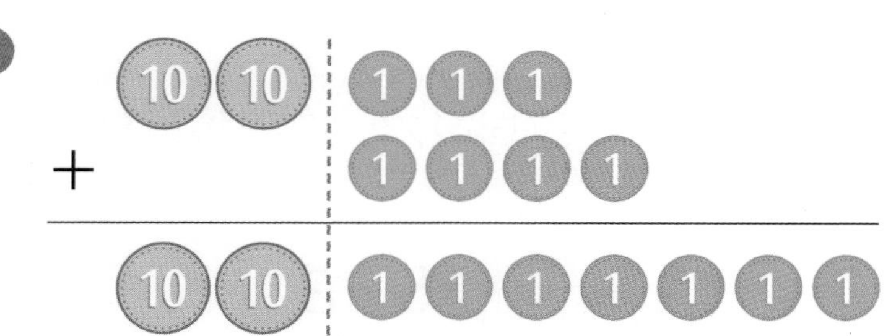

	2	3
+		4

❸

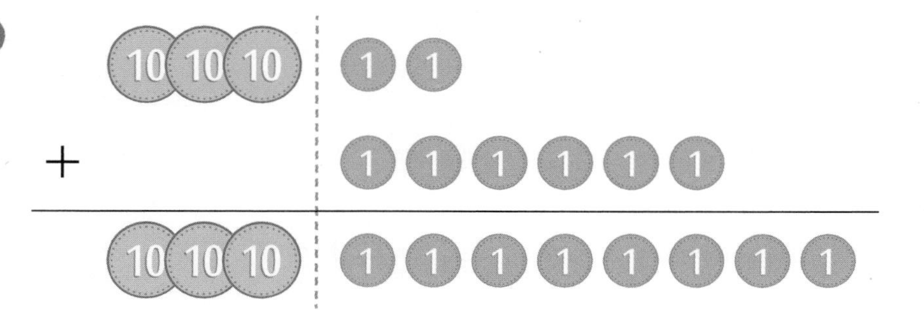

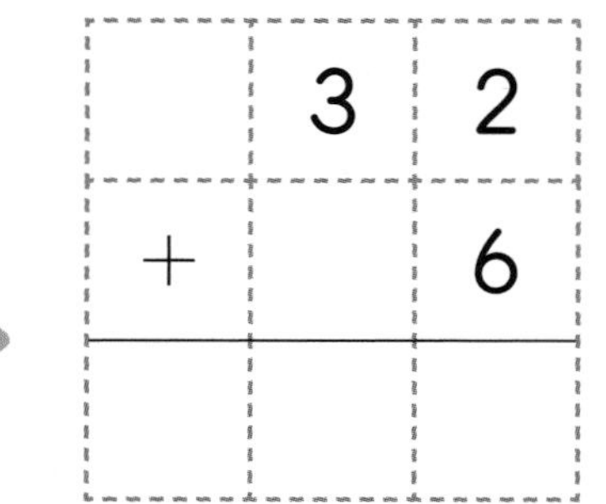

제한 시간 3분

기초 계산 연습

맞은 개수 / 11개

▶ 정답과 해설 9쪽

❹

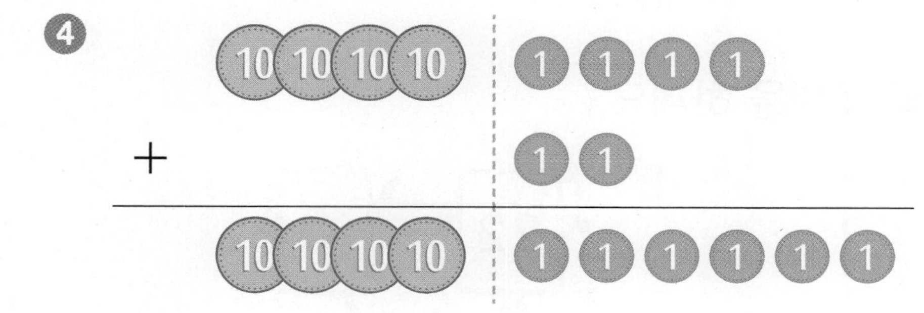

➔

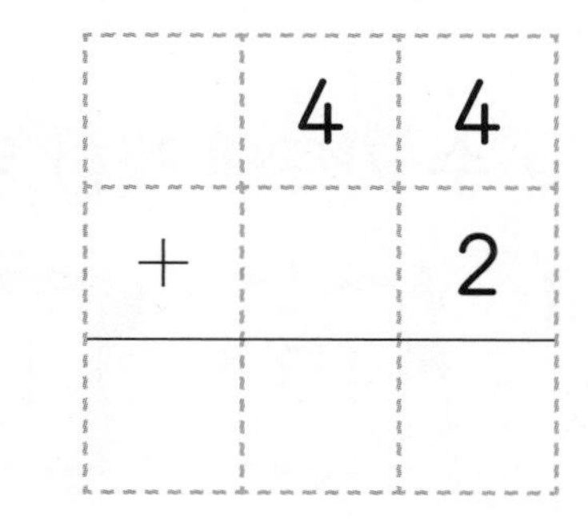

❺

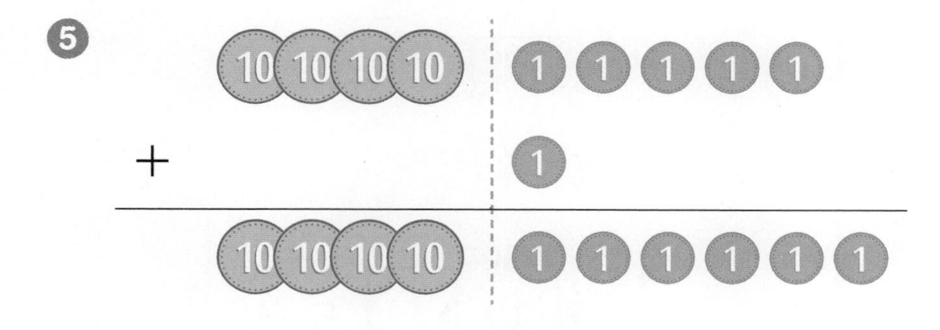

➔

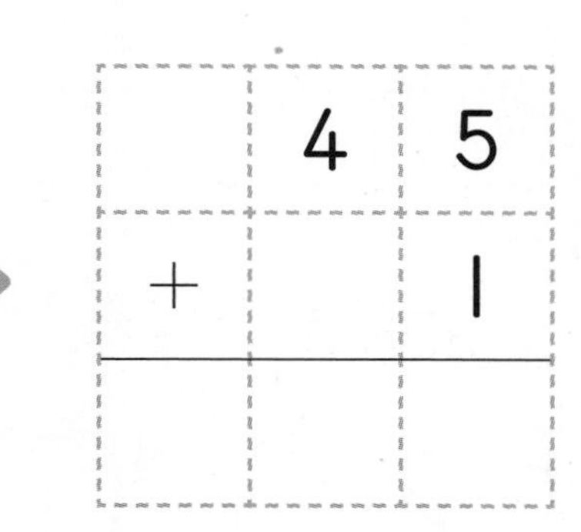

❻

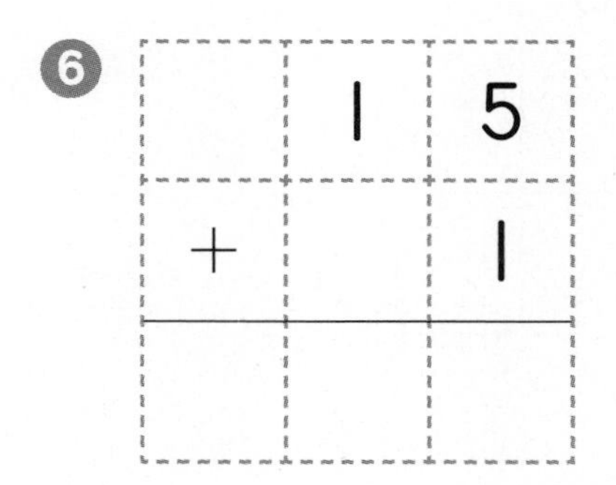

❼

	2	4
+		3

❽

	3	3
+		5

❾

	3	4
+		4

❿

	4	5
+		4

⓫

	4	6
+		3

8 일차 세로셈 알아보기

수 카드에 적힌 두 수의 덧셈을 하세요.

1

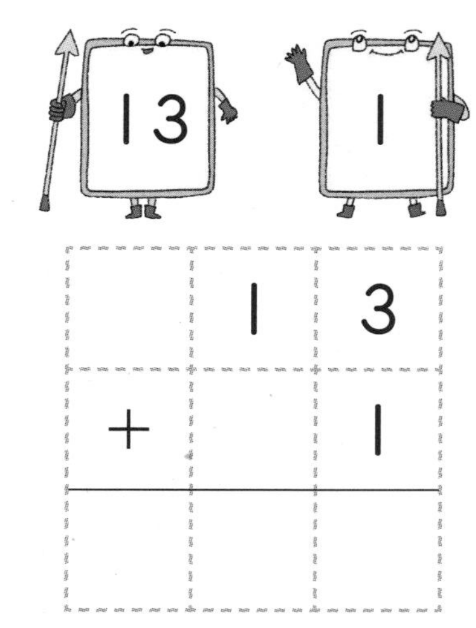

2

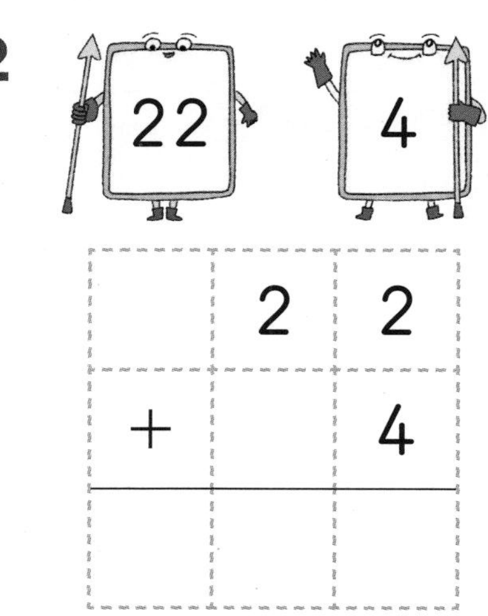

3

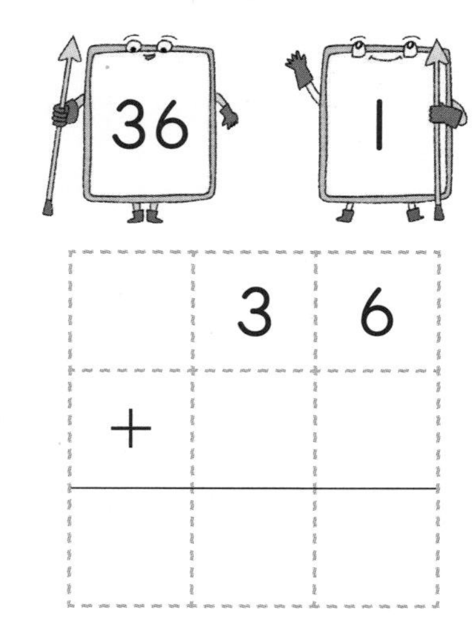

4

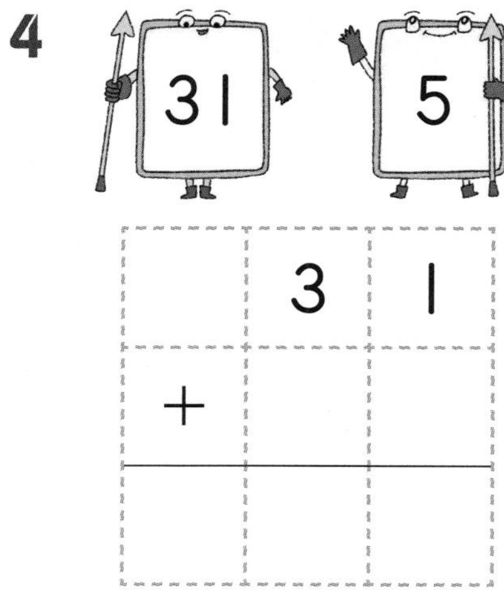

5

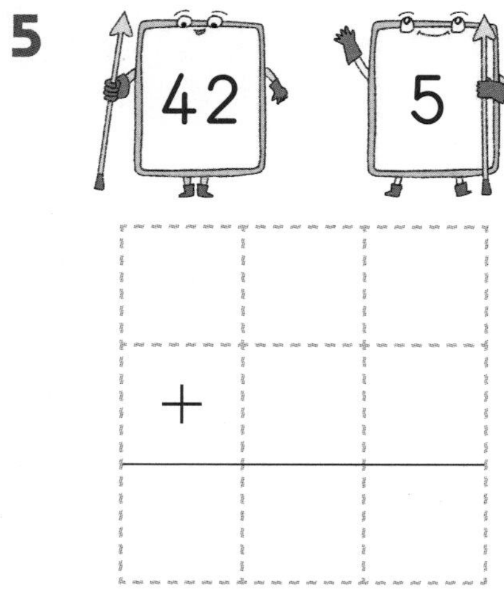

6

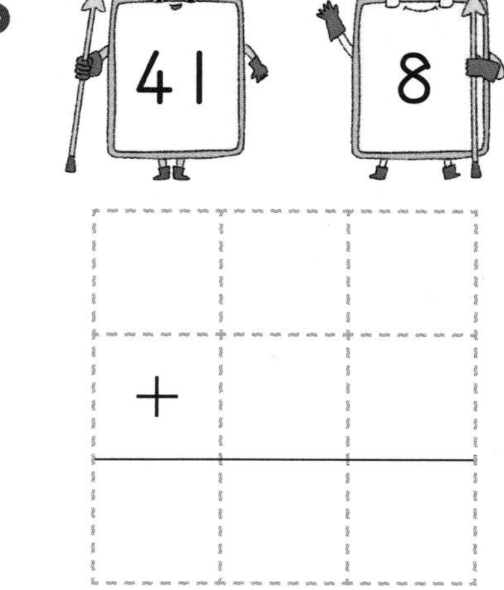

제한 시간 5분

플러스 계산 연습

맞은 개수 / 12개

▶ 정답과 해설 9쪽

생활 속 계산

구슬은 모두 몇 개인지 식을 쓰고 계산을 하세요.

7

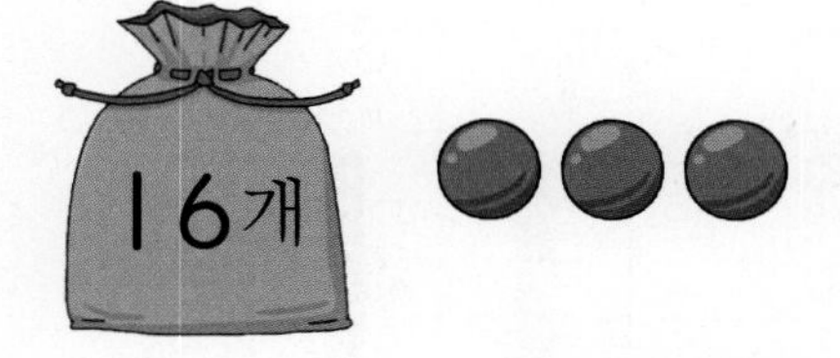

	1	6
+		3

8

	3	3
+		

9

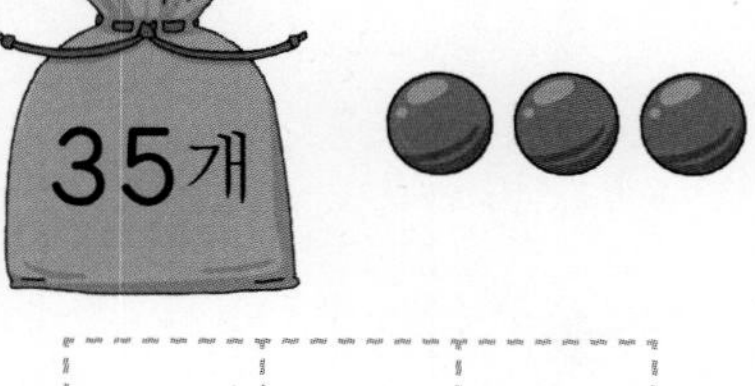

+		

10

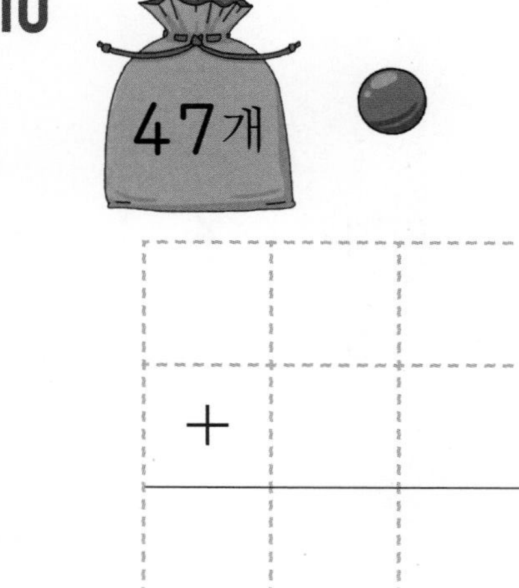

문장 읽고 계산식 세우기

11 25＋3의 세로셈을 계산하세요.

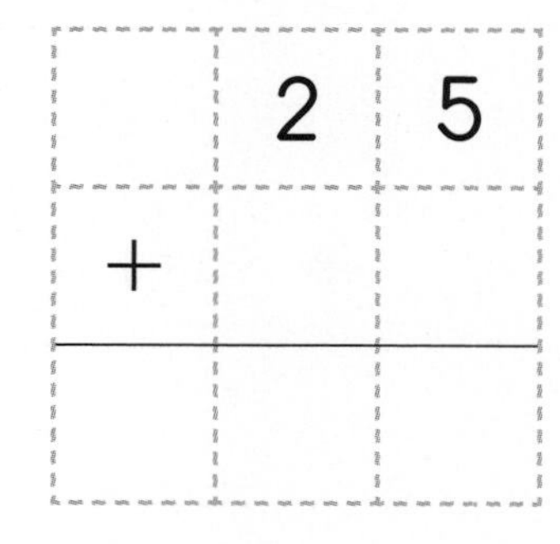

12 41＋5의 세로셈을 계산하세요.

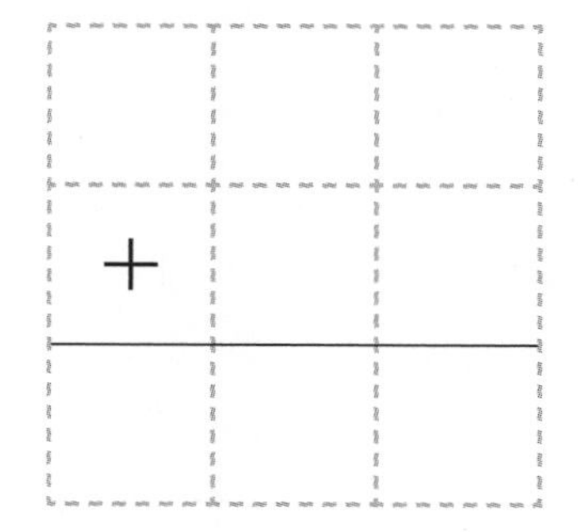

가로셈, 세로셈 쓰기

이렇게 해결하자

• 25＋3의 가로셈과 세로셈

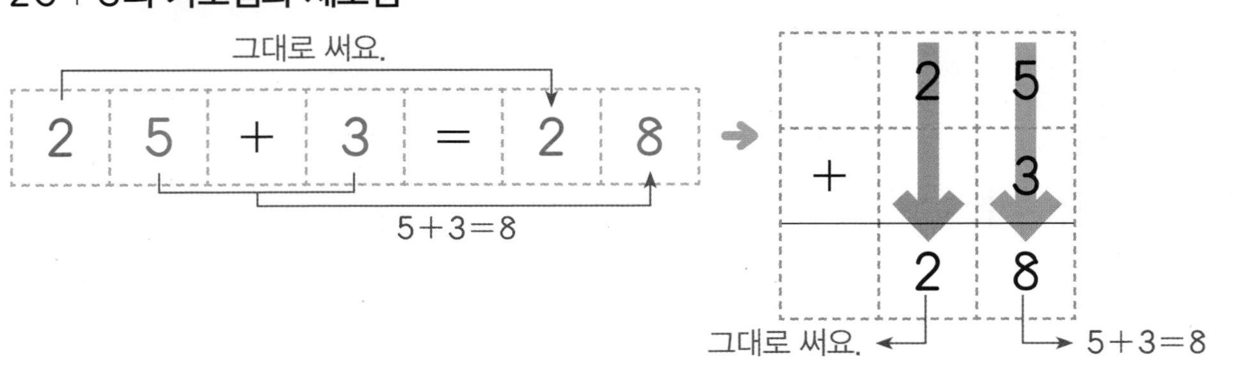

덧셈을 하세요.

❶

1	2	+	6	=		

→

	1	2
+		6

❷

3	5	+	2	=		

→

	3	5
+		2

❸

4	8	+	1	=		

→

	4	8
+		1

기초 계산 연습

맞은 개수 / 9개

▶ 정답과 해설 10쪽

덧셈을 하세요.

❹ 15+1=□

	1	5
+		1

❺ 23+4=□

	2	3
+		4

❻ 31+6=□

	3	1
+		6

❼ 33+2=□

	3	3
+		2

❽ 42+3=□

	4	2
+		3

❾ 47+2=□

	4	7
+		2

9 일차

가로셈, 세로셈 쓰기

덧셈을 하세요.

1 $17+1=\square$

2 $24+5=\square$

3 $32+2=\square$

4 $35+1=\square$

5 $43+3=\square$

6 $46+2=\square$

7

	1	4
+		4

8

	2	2
+		5

9

	3	5
+		4

10

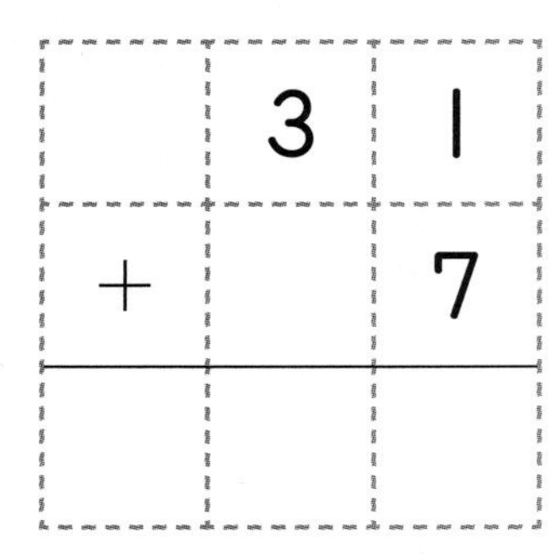

11

	4	5
+		2

12

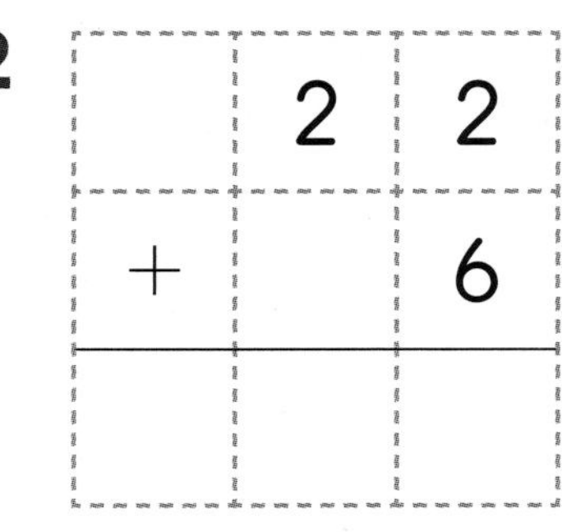

제한 시간 5분

플러스 계산 연습

맞은 개수 / 17개

▶ 정답과 해설 10쪽

생활 속 계산

도서관에 있는 책을 보고 덧셈을 하세요.

13

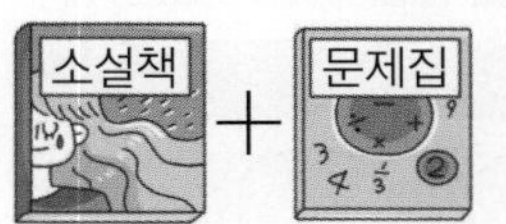

	4	4
+		3

14

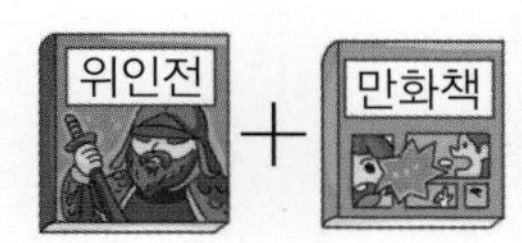

	4	0
+		

15

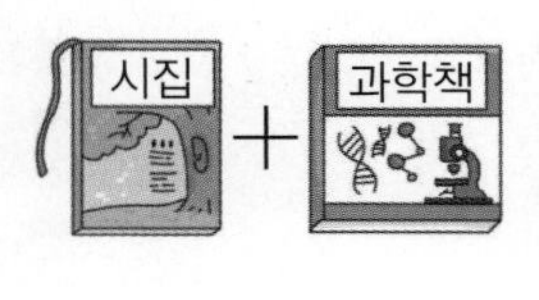

+		

문장 읽고 계산식 세우기

16 감자를 34개보다 3개 더 많이 캤다면 캔 감자는 모두 몇 개일까요?

식 $34+3=\square$ (개)

17 당근을 41개보다 7개 더 많이 캤다면 캔 당근은 모두 몇 개일까요?

식 $41+7=\square$ (개)

평가 SPEED 연산력 TEST

연결큐브는 모두 몇 개인지 덧셈을 하세요.

❶

$11+3=\square$

❷

$24+1=\square$

❸

$32+4=\square$

❹

$45+2=\square$

빈 곳에 알맞은 수를 쓰고 덧셈을 하세요.

❺ 23 24 ☐ 26 27 28

$23+2=\square$

❻ 35 36 37 ☐ 39 40

$35+3=\square$

▶정답과 해설 10쪽

덧셈을 하세요.

❼ $15+1=\square$

❽ $22+6=\square$

❾ $31+5=\square$

❿ $34+4=\square$

⓫ $40+9=\square$

⓬ $47+2=\square$

⓭

	1	4
+		2

⓮

	2	0
+		3

⓯

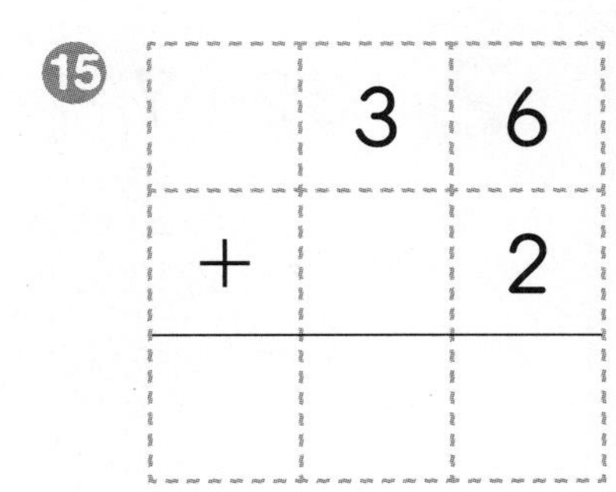

	3	6
+		2

⓰

	3	5
+		2

⓱

	4	3
+		5

⓲

	4	1
+		7

⓳

	1	2
+		5

⓴

	2	5
+		3

제한 시간 안에
정확하게 모두 풀었다면
여러분은 진정한 **계산왕!**

특강 문장제 문제 도전하기

덧셈을 해 보세요.

1 $40+1=\square$ ➔ 색연필은 모두 몇 자루일까요?

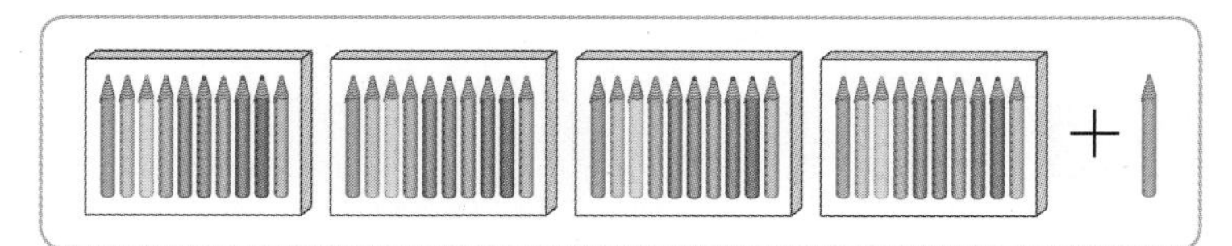

이 덧셈식이 실생활에서 어떤 상황에 이용될까요?

식 $40+\square=\square$

답 ______ 자루

2 $32+7=\square$ ➔ 수수깡은 모두 몇 개일까요?

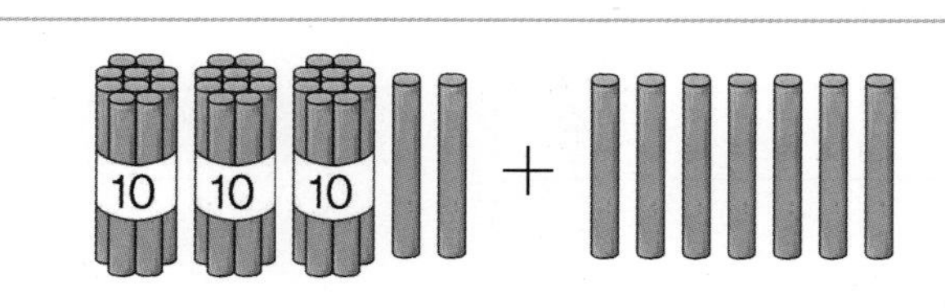

식 $32+\square=\square$

답 ______ 개

3 $21+7=\square$ ➔ 도토리는 모두 몇 개일까요?

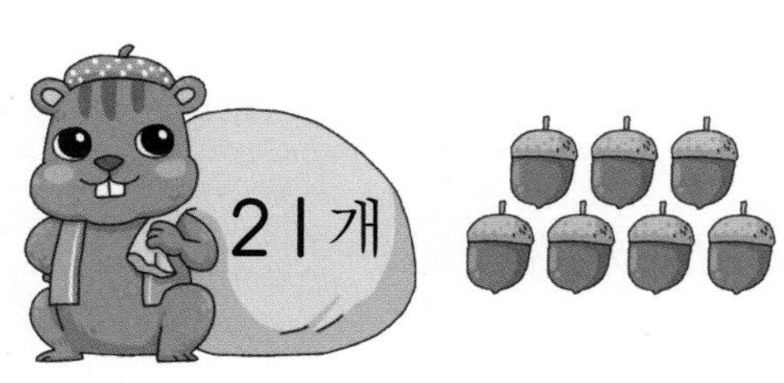

식 $21+\square=\square$

답 ______ 개

▶ 정답과 해설 10쪽

문장을 읽고 알맞은 덧셈식을 세워 답을 구해 보자!

4 달걀은 모두 몇 개일까요?

$22+\square=\square$(개)

5 주어진 수에 펼친 손가락의 수만큼 더하면 얼마일까요?

32 + ➜ $\square+\square=\square$

6 주어진 수에 주사위 눈의 수만큼 더하면 얼마일까요?

45 + ➜ $\square+\square=\square$

낚시를 해 보자!

창의 1 덧셈을 하여 알맞은 답을 찾아 선으로 이어 보세요.

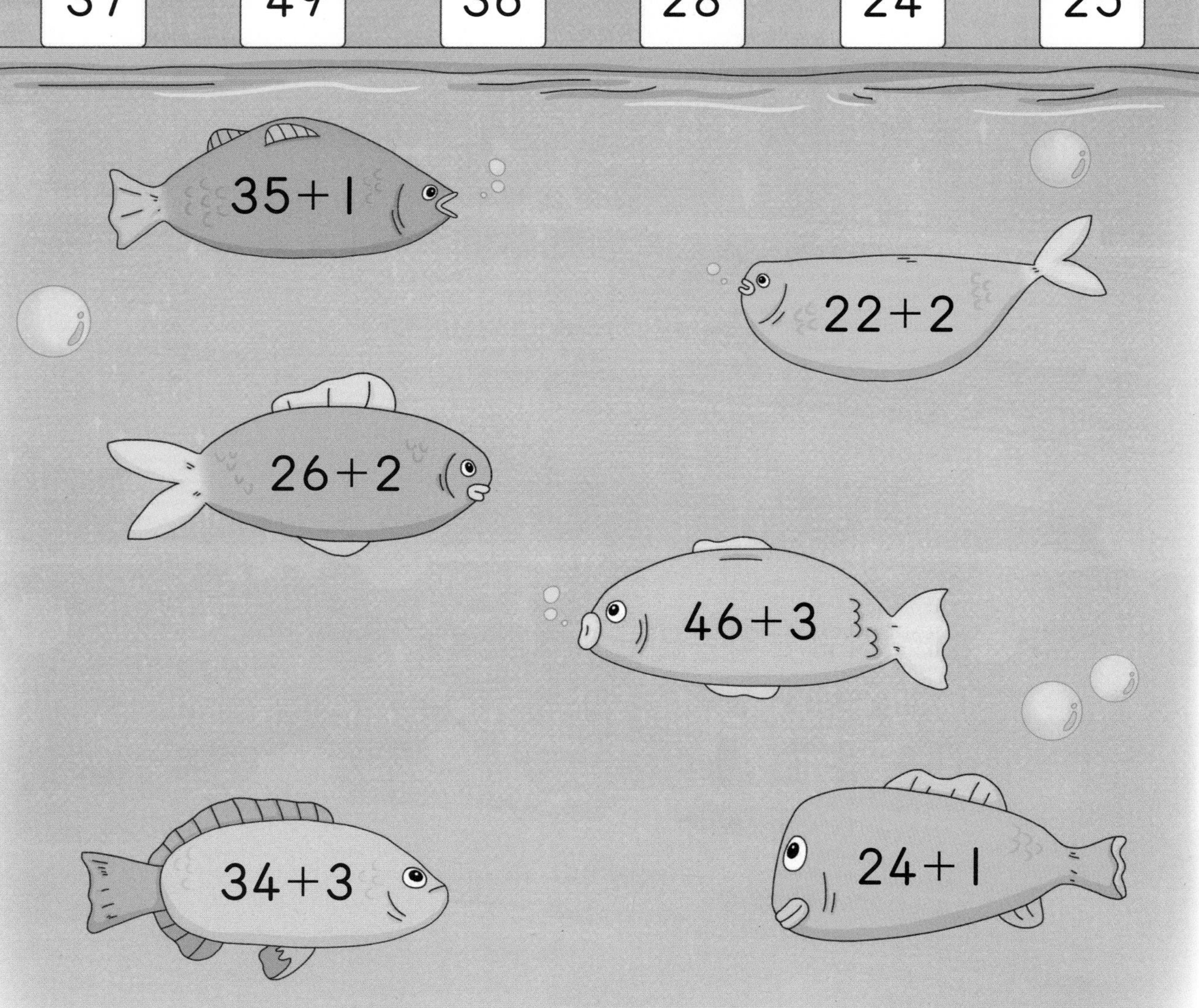

도토리를 찾아서!

창의 2 덧셈을 하여 알맞은 답을 따라 길을 찾아 가세요.

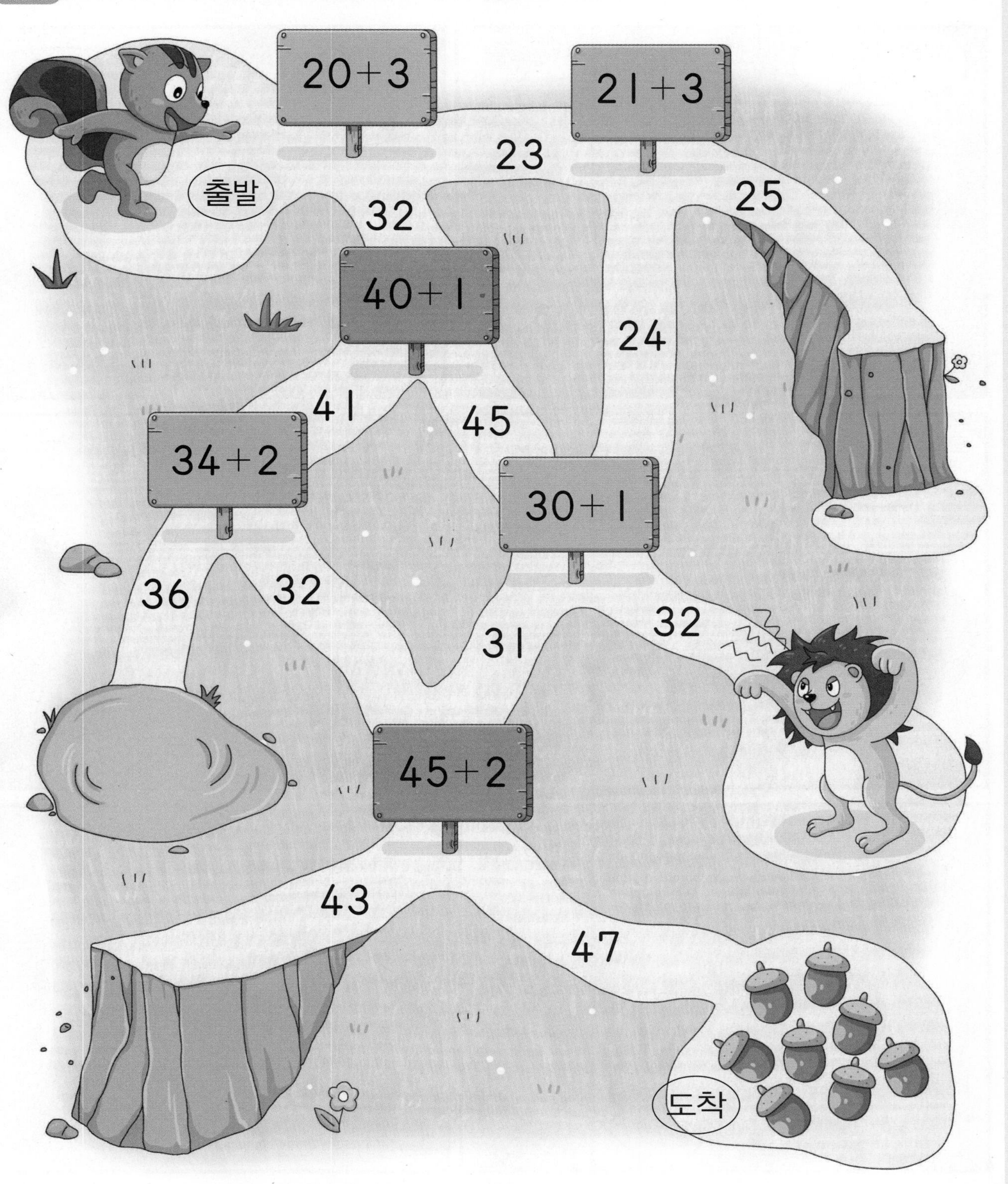

50까지 수의 뺄셈

실생활에서 알아보는 재미있는 수학 이야기

이번에 배울 내용을 알아볼까요?

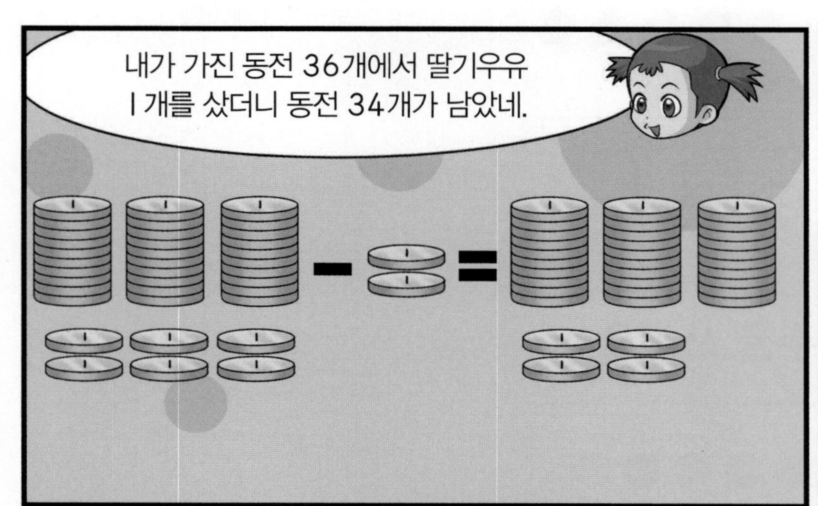

남은 건 몇 개인지 세어 보기

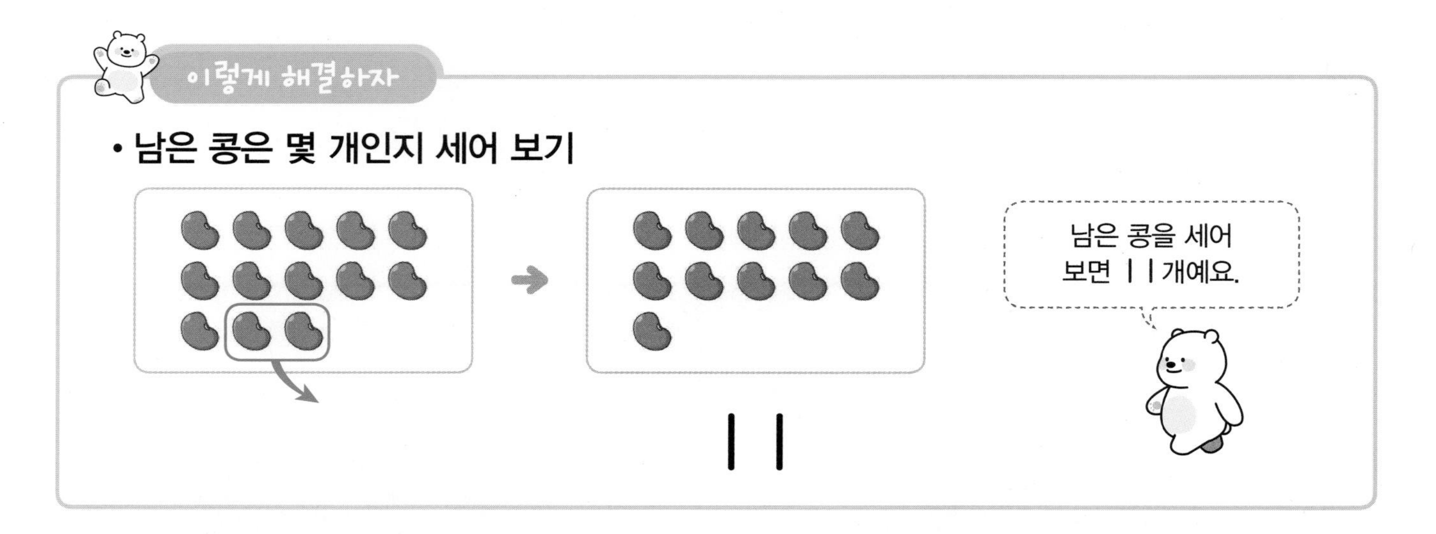

이렇게 해결하자
• 남은 콩은 몇 개인지 세어 보기
11
남은 콩을 세어
보면 11개예요.

남은 콩은 몇 개인지 세어 수를 쓰세요.

❶

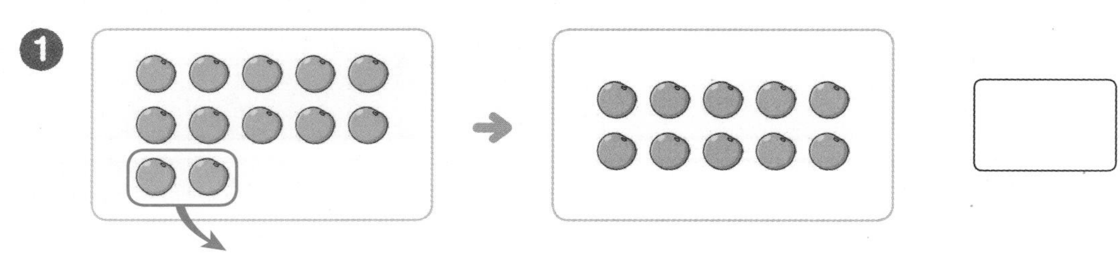

☐

❷

☐

❸

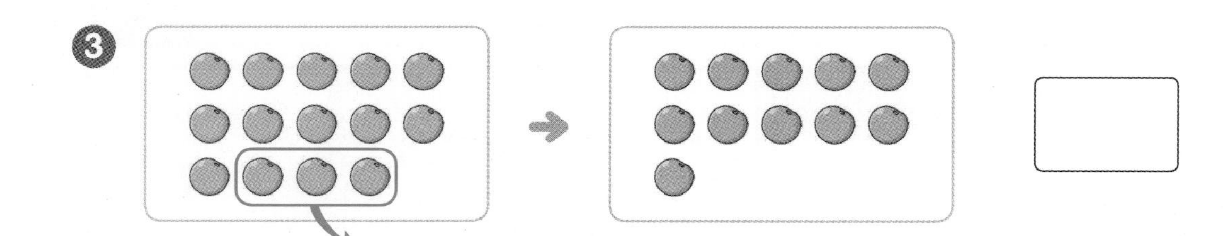

☐

❹

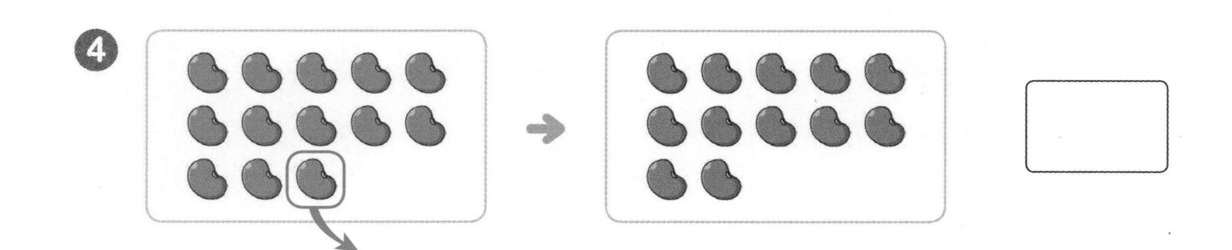

☐

제한 시간 3분

기초 계산 연습

맞은 개수 / 12개

▶ 정답과 해설 11쪽

남은 구슬은 몇 개인지 세어 수를 쓰세요.

5
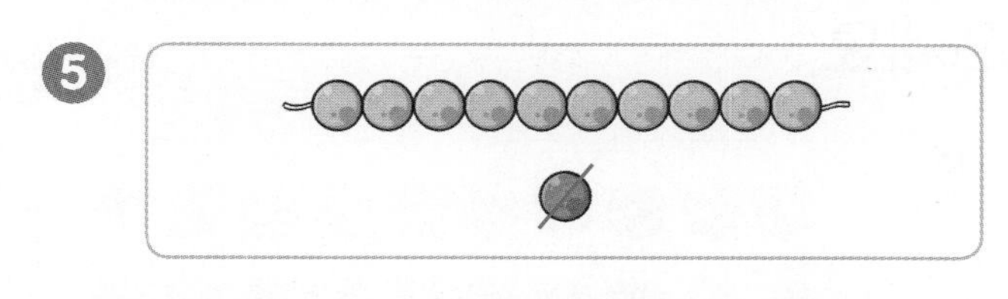

6
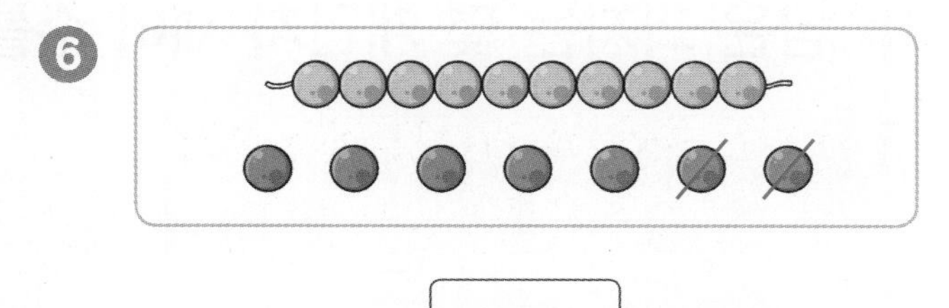

7
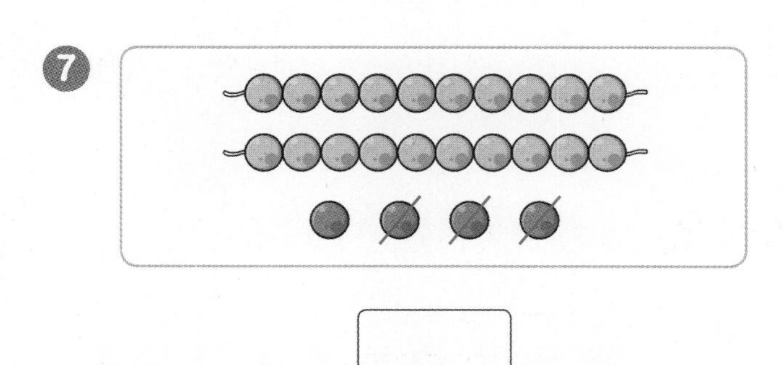

8
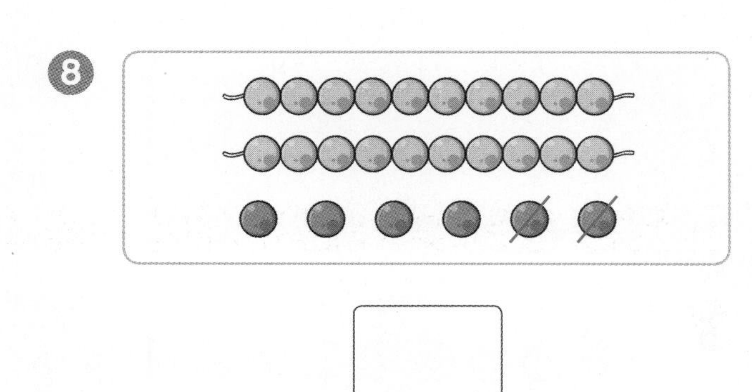

9
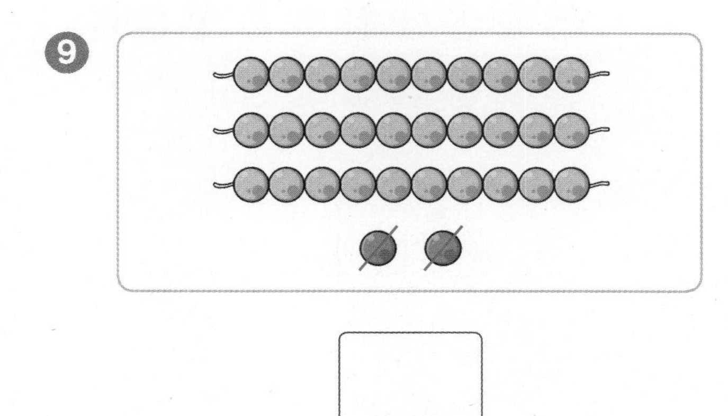

10
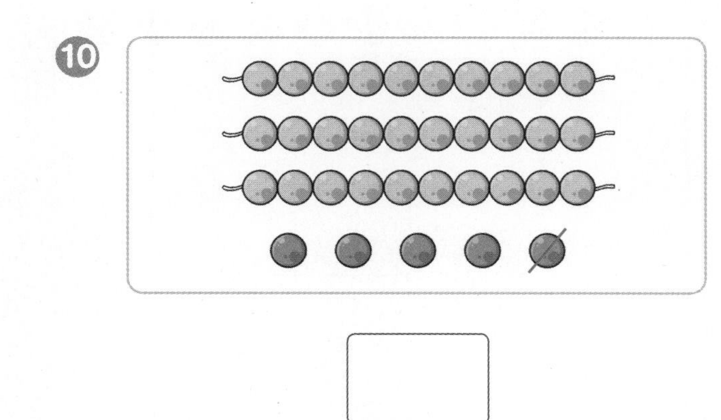

11
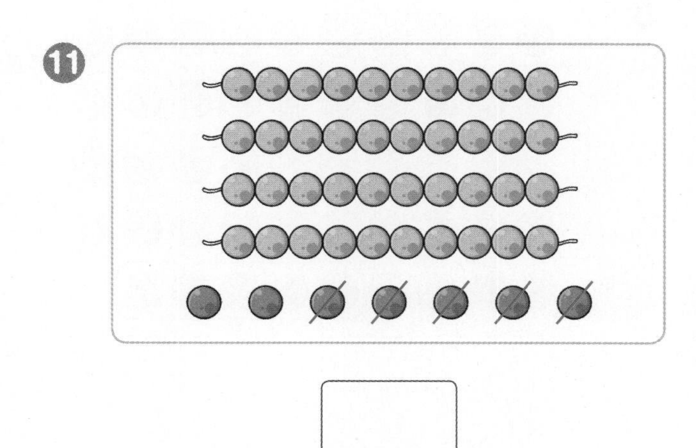

12
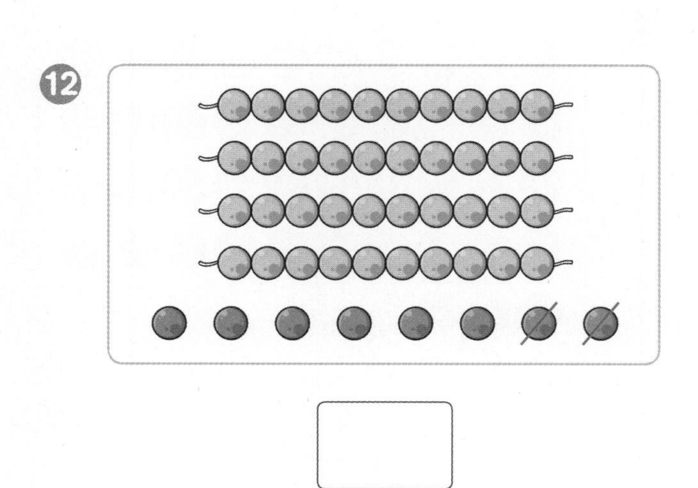

1 일차

남은 건 몇 개인지 세어 보기

남은 과자는 몇 개인지 세어 수를 쓰세요.

1

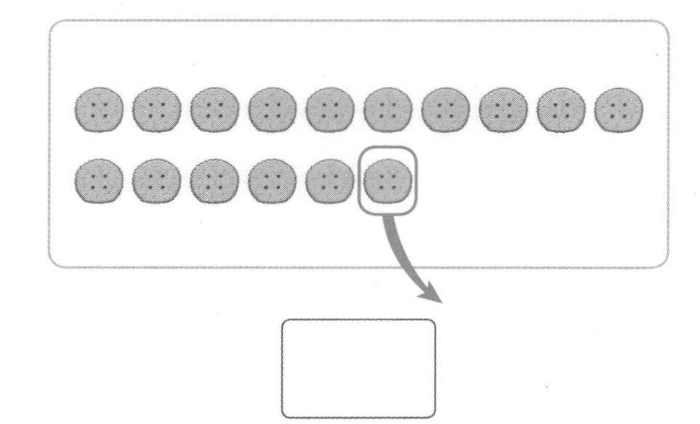

2

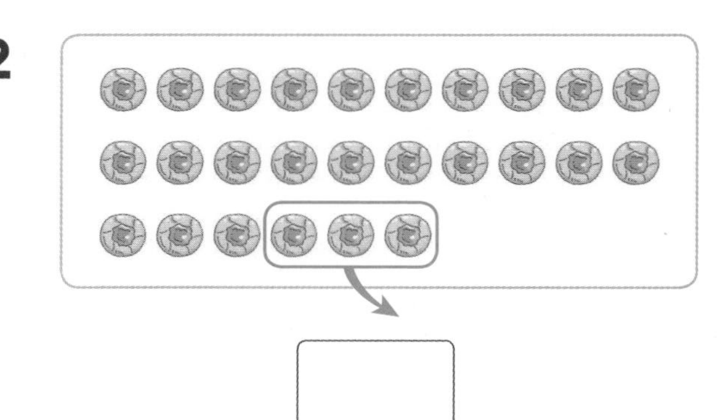

3

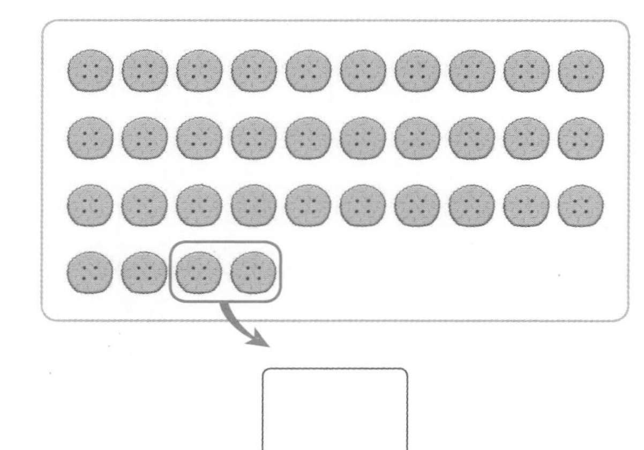

4

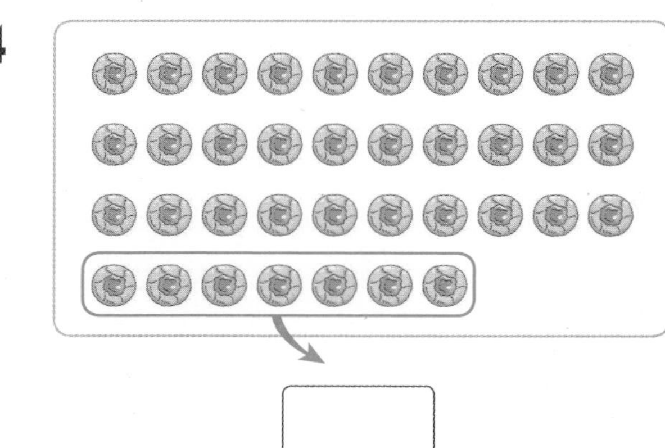

5

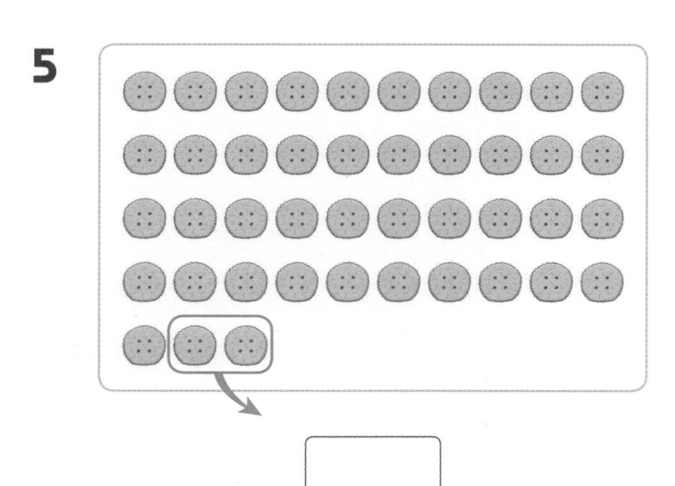

6

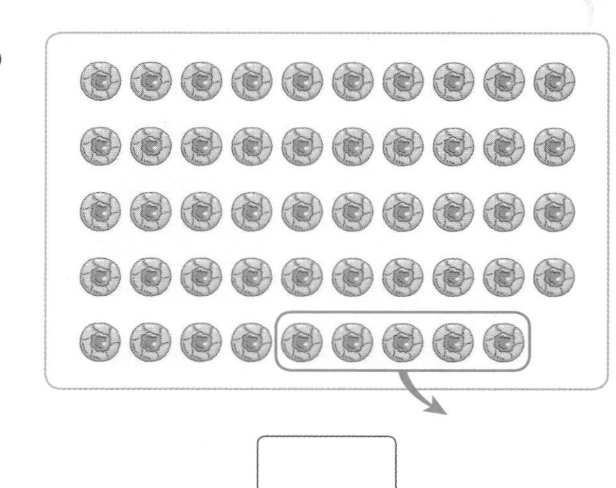

제한 시간 5분

플러스 계산 연습

맞은 개수 / 11개

▶ 정답과 해설 11쪽

생활 속 문제

먹고 남은 초콜릿은 몇 개인지 세어 수를 쓰세요.

7

8

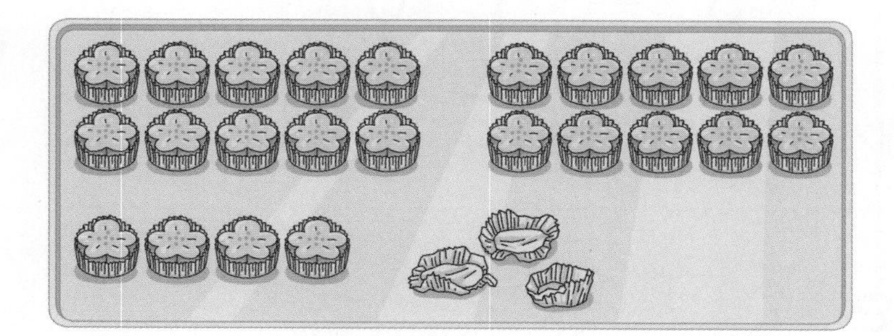

9

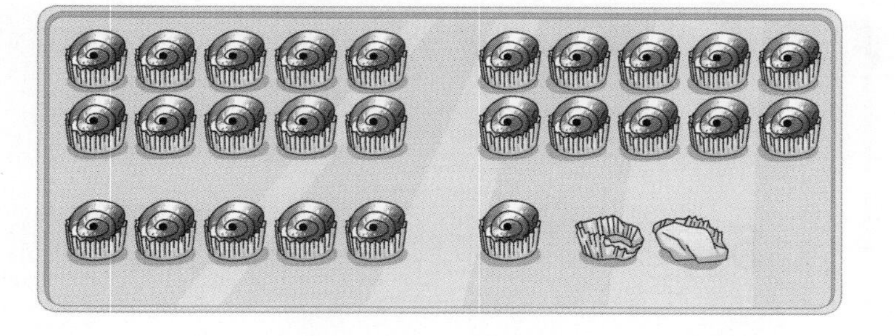

문장 읽고 문제 해결하기

10 남은 가지는 몇 개인지 세어 수를 쓰세요.

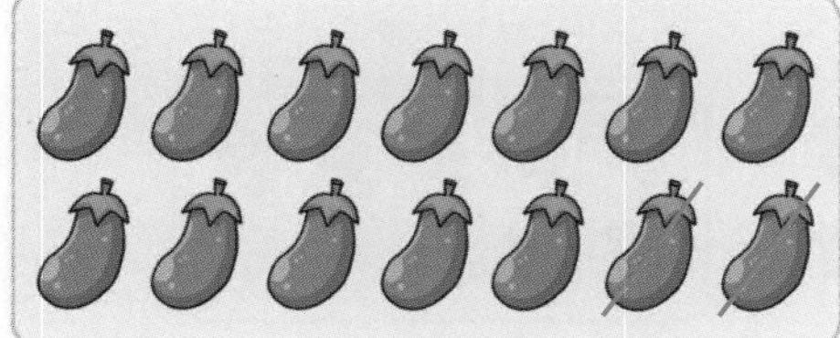

11 남은 당근은 몇 개인지 세어 수를 쓰세요.

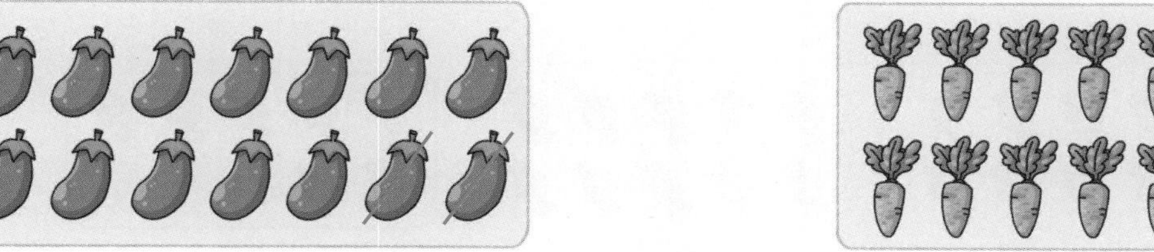

2 일차

그림 보고 뺄셈하기①

이렇게 해결하자

• 그림을 보고 13－3 계산하기

1	3	－	3	＝	1	0

3－3＝0

13 빼기 3은 10과 같습니다.

그림을 보고 뺄셈을 하세요.

❶

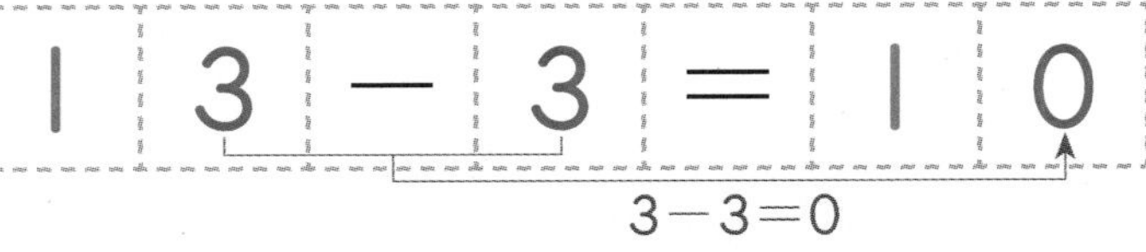

1	5	－	5	＝		

❷

2	2	－	2	＝		

❸

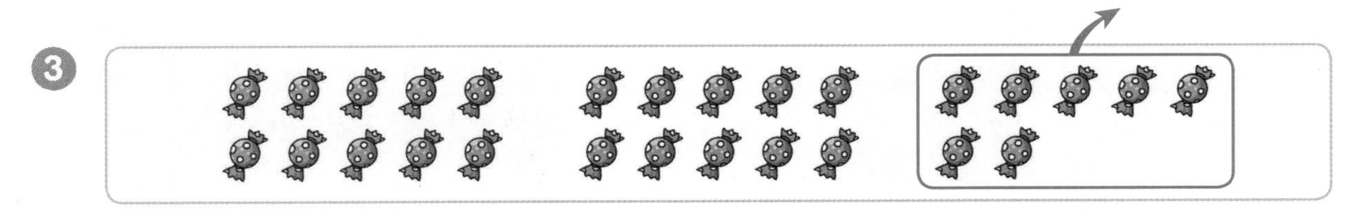

2	7	－	7	＝		

기초 계산 연습

맞은 개수 / 11개

▶ 정답과 해설 11쪽

❹

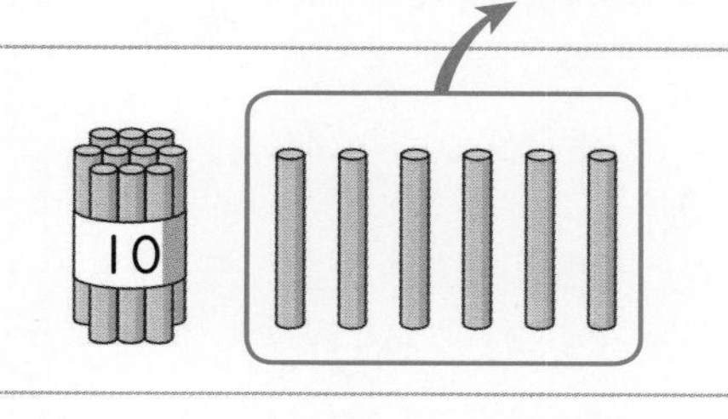

$16-6=\square$

❺

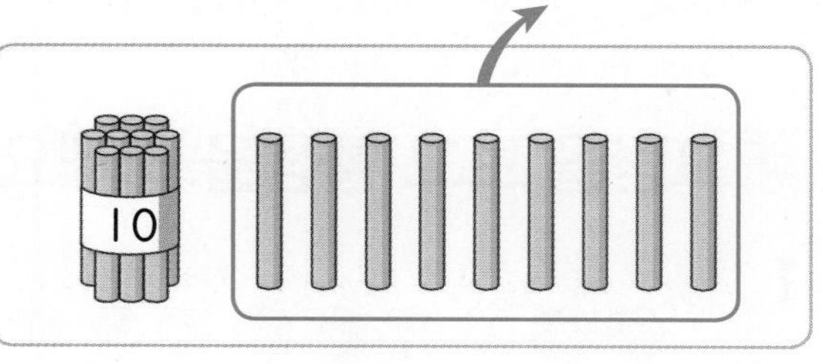

$19-9=\square$

❻

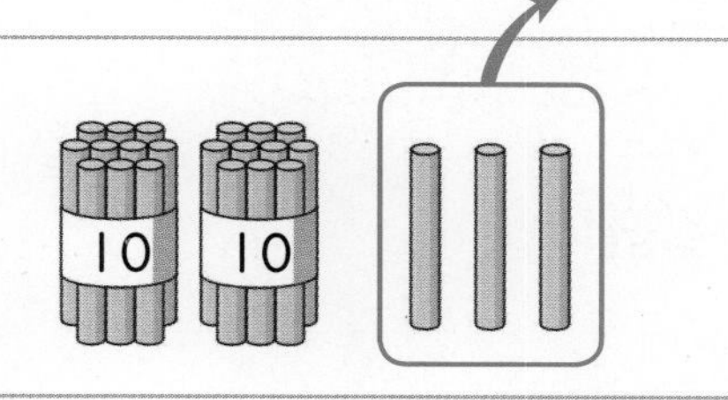

$23-3=\square$

❼

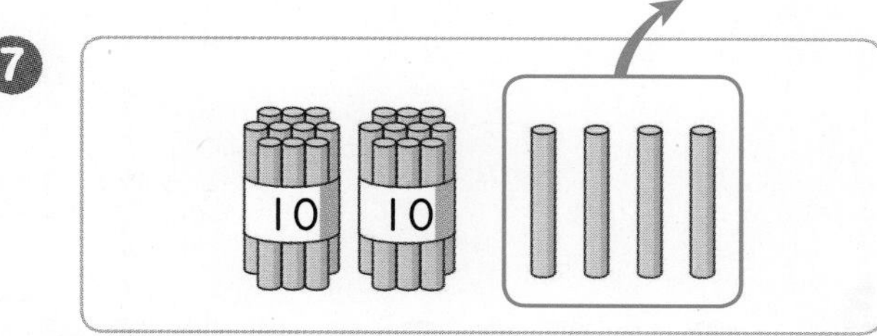

$24-4=\square$

❽

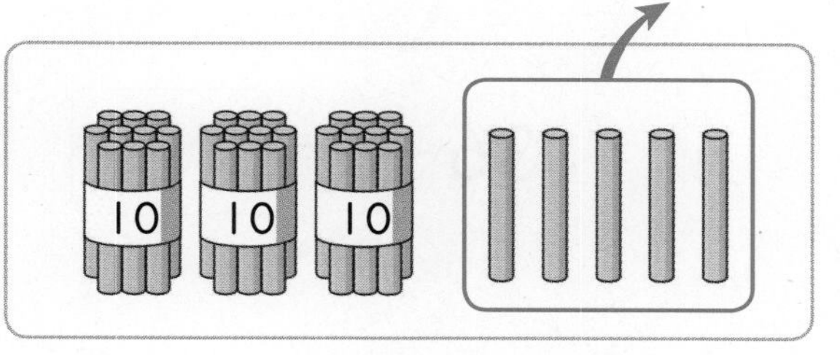

$35-5=\square$

❾

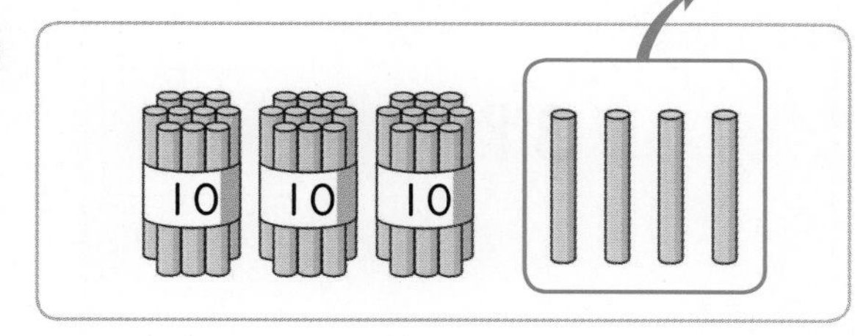

$34-4=\square$

❿

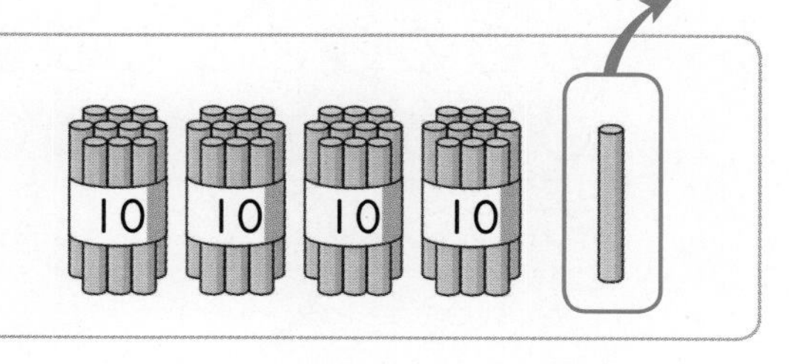

$41-1=\square$

⓫

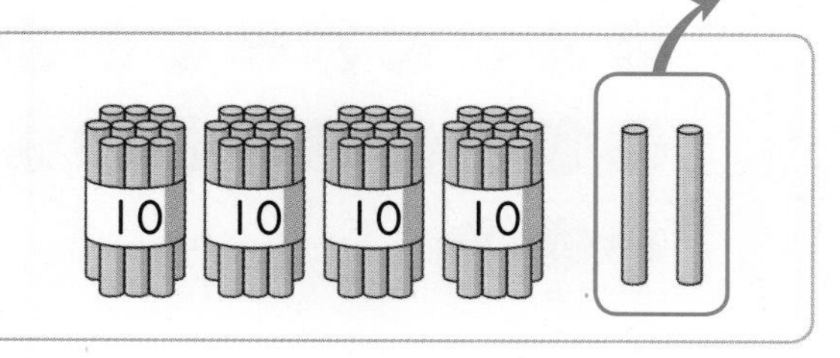

$42-2=\square$

그림 보고 뺄셈하기①

그림을 보고 뺄셈을 하세요.

1

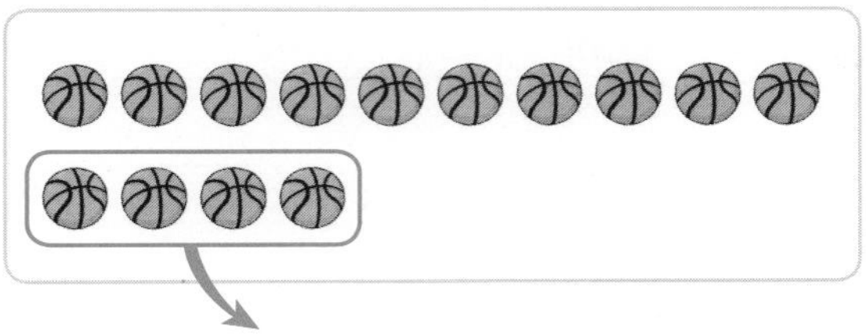

$14-4=$ □

2

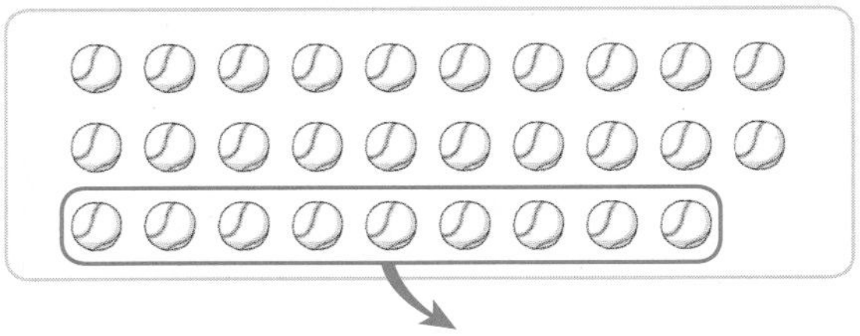

$29-9=$ □

3

$31-1=$ □

4

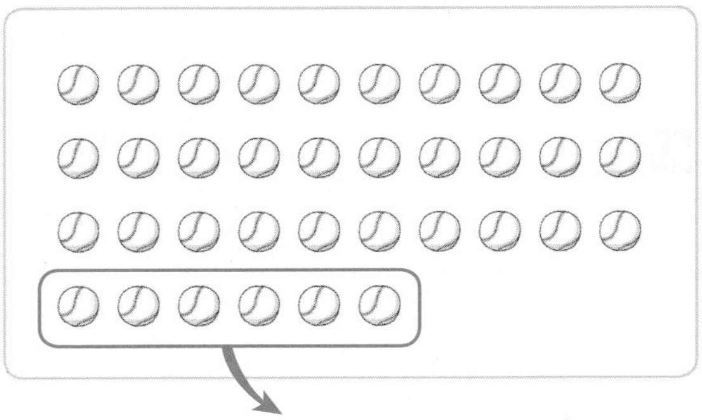

$36-6=$ □

5

$43-3=$ □

6

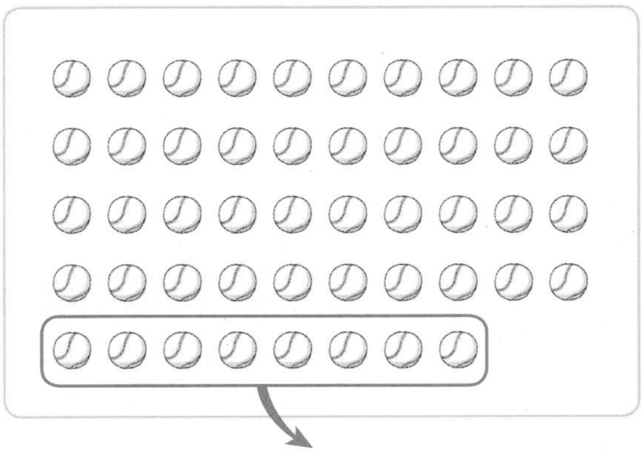

$48-8=$ □

▶ 정답과 해설 11쪽

생활 속 계산

깨지고 남은 달걀의 수를 구하세요.

7

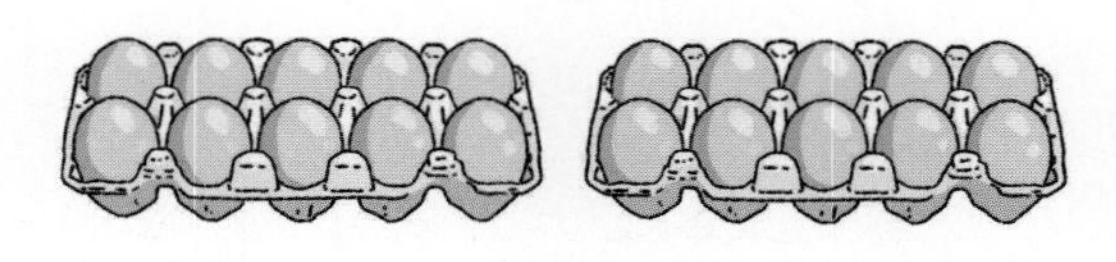

21−1=☐

8

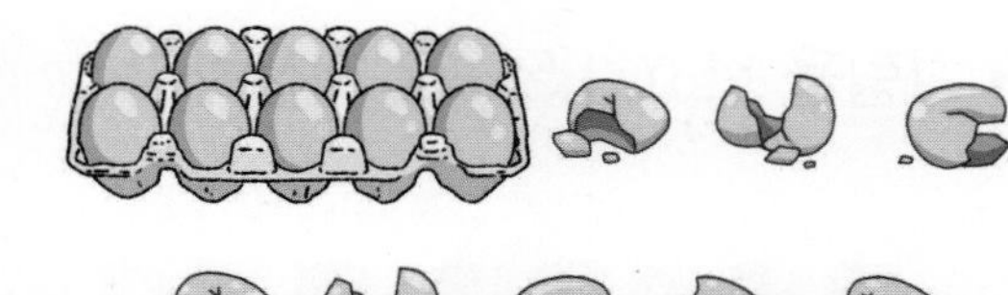

18−8=☐

9

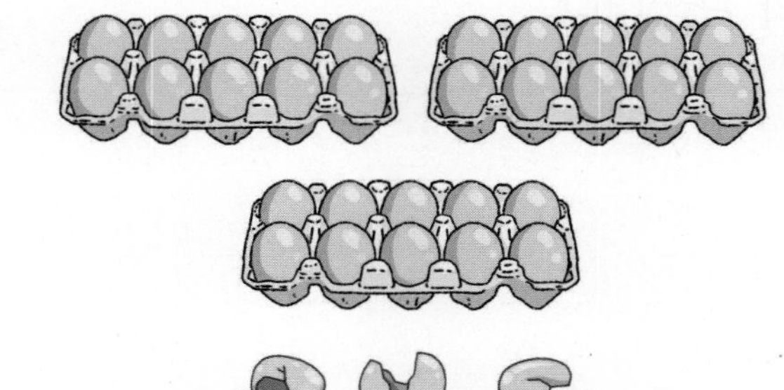

33−3=☐

10

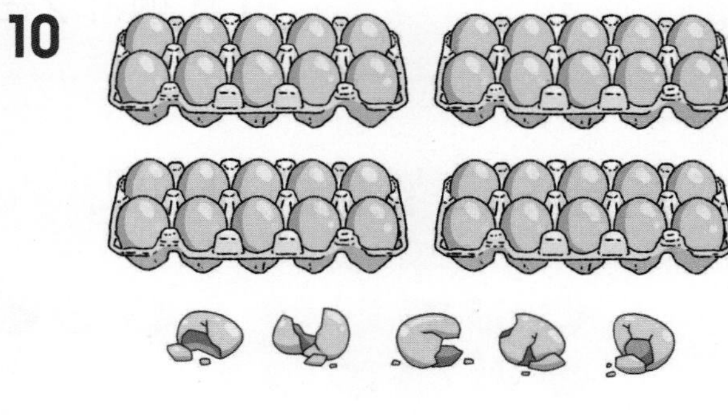

45−5=☐

문장 읽고 계산식 세우기

11

남은 지우개는 몇 개일까요?

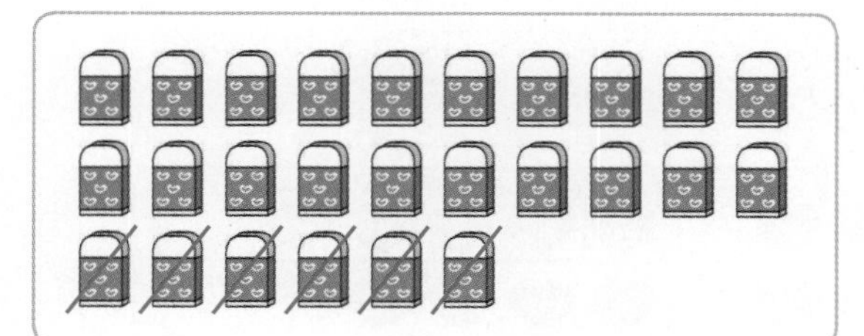

식 26−6=☐(개)

12

남은 연필은 몇 자루일까요?

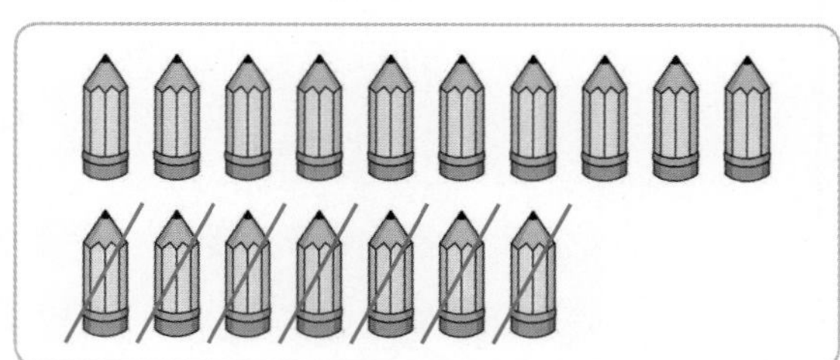

식 17−7=☐(자루)

3 일차

그림 보고 뺄셈하기②

이렇게 해결하자

• 그림을 보고 15－2 계산하기

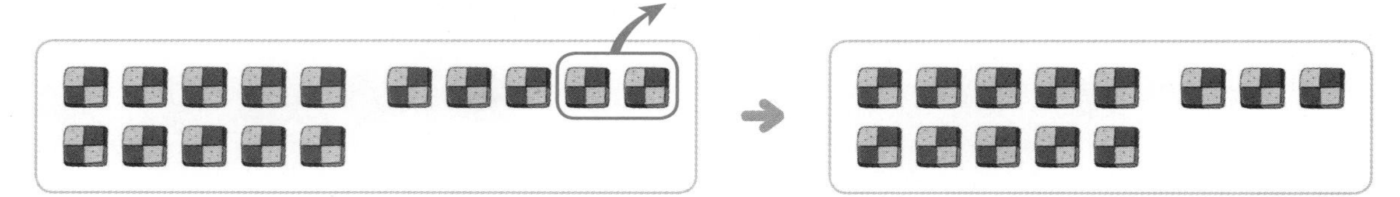

1	5	－	2	＝	1	3

5－2＝3

15 빼기 2는 13과 같습니다.

그림을 보고 뺄셈을 하세요.

❶

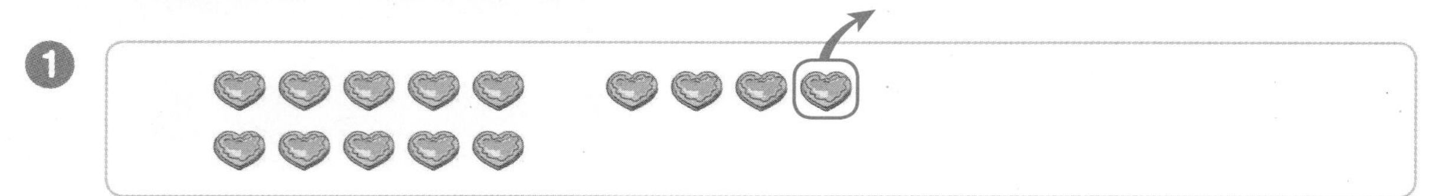

1	4	－	1	＝		

❷

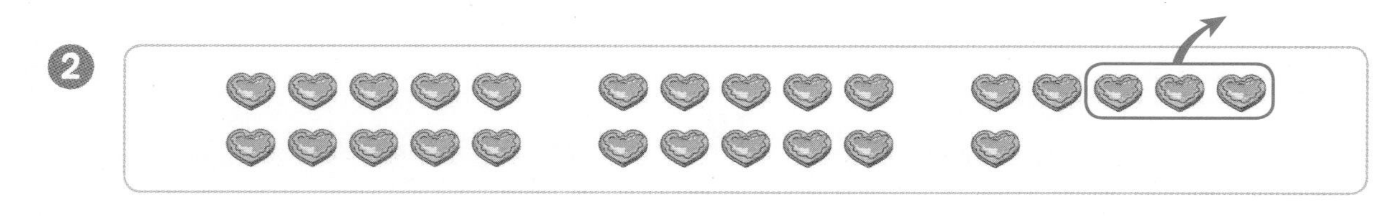

2	6	－	3	＝		

❸

2	9	－	4	＝		

기초 계산 연습

맞은 개수 / 11개

▶ 정답과 해설 11쪽

❹

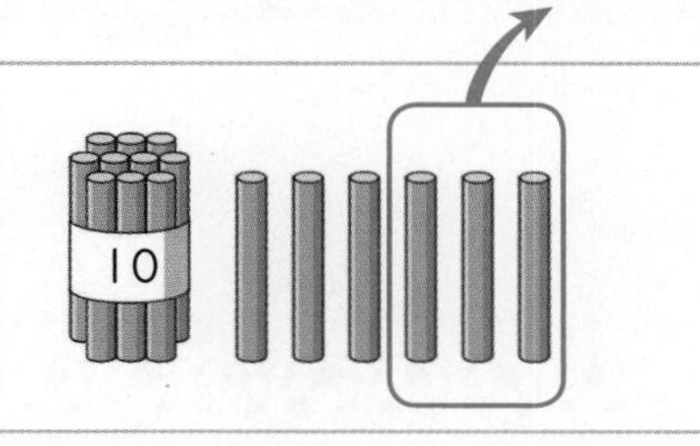

$16-3=$ ☐

❺

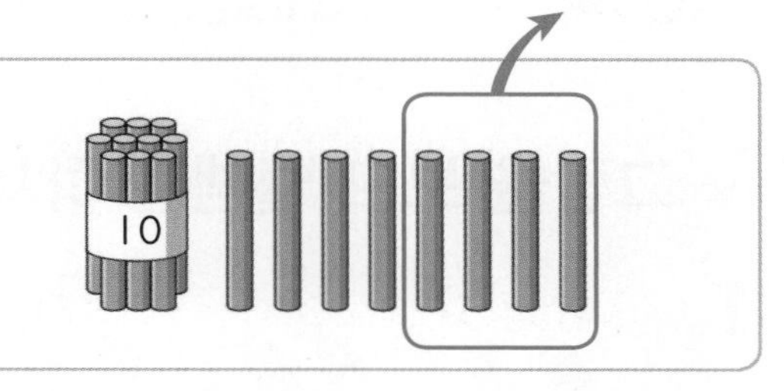

$18-4=$ ☐

❻

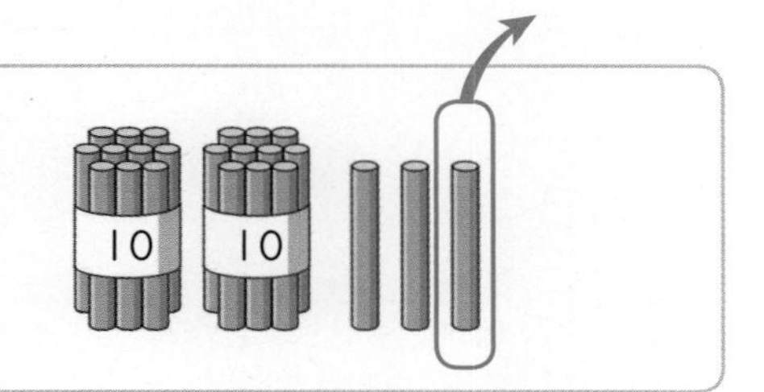

$23-1=$ ☐

❼

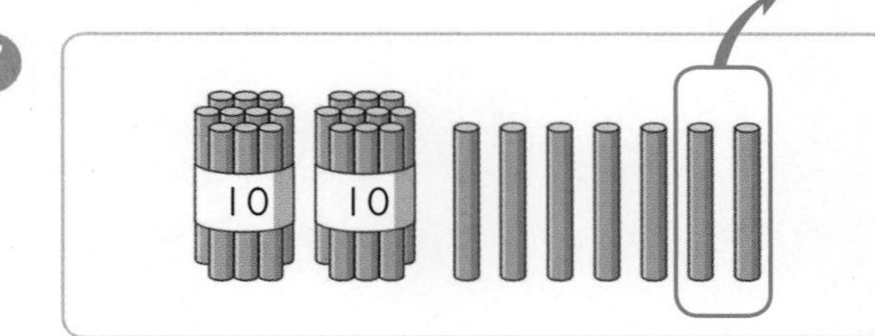

$27-2=$ ☐

❽

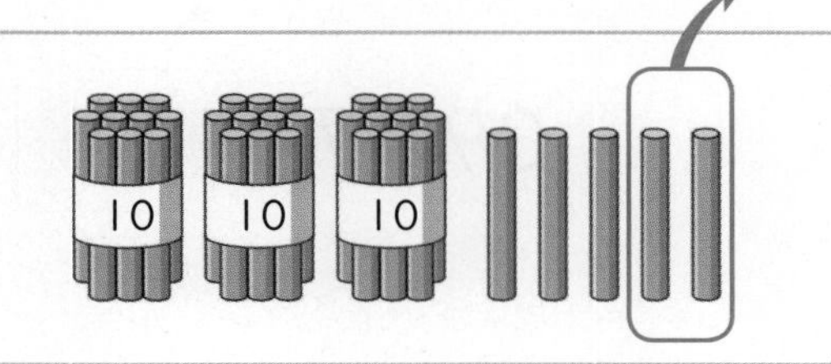

$35-2=$ ☐

❾

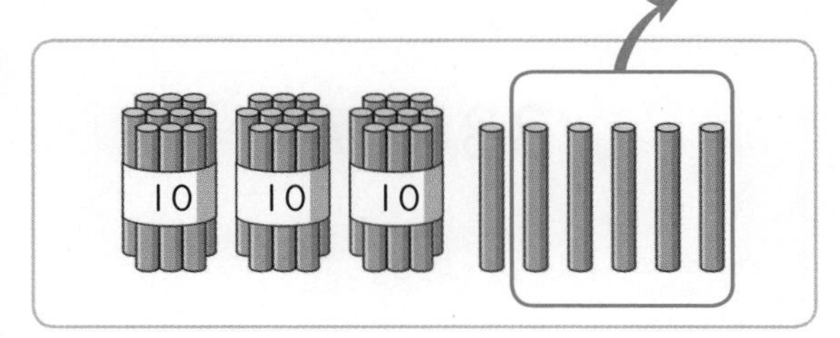

$36-5=$ ☐

❿

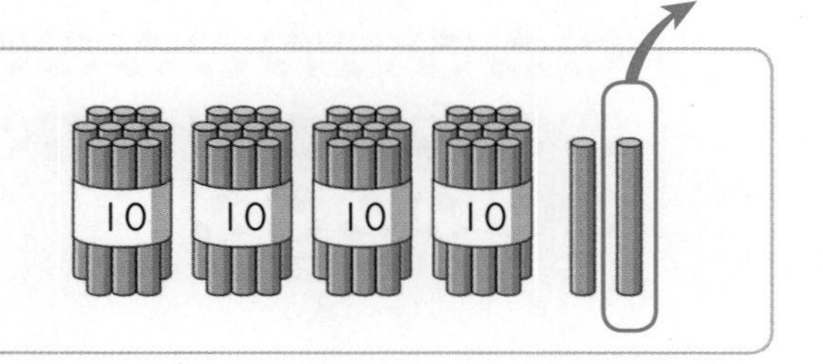

$42-1=$ ☐

⓫

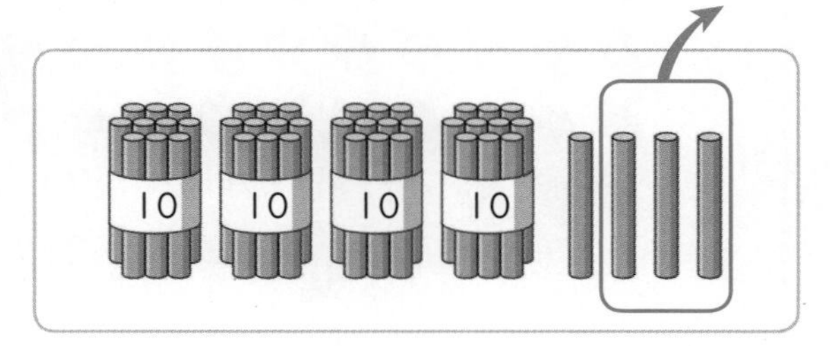

$44-3=$ ☐

그림 보고 뺄셈하기②

그림을 보고 뺄셈을 하세요.

1

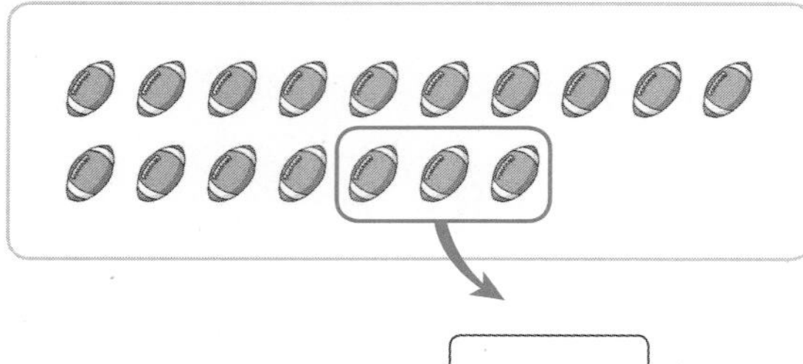

$17-3=$ □

2

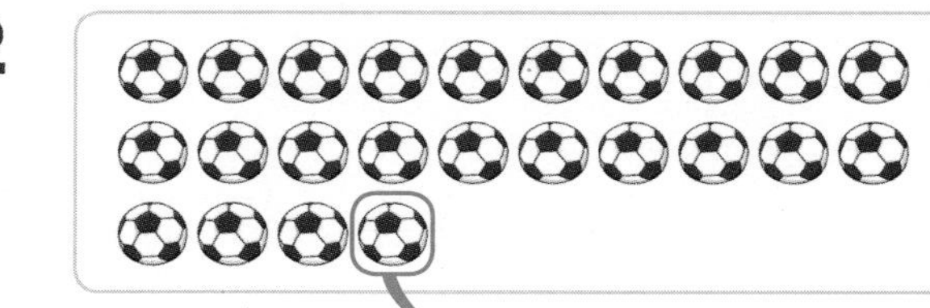

$24-1=$ □

3

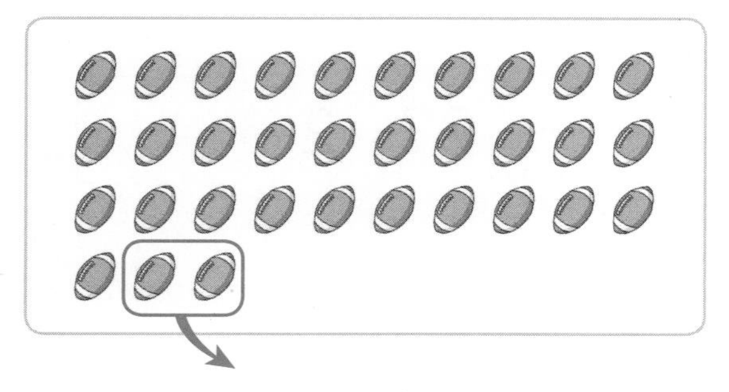

$33-2=$ □

4

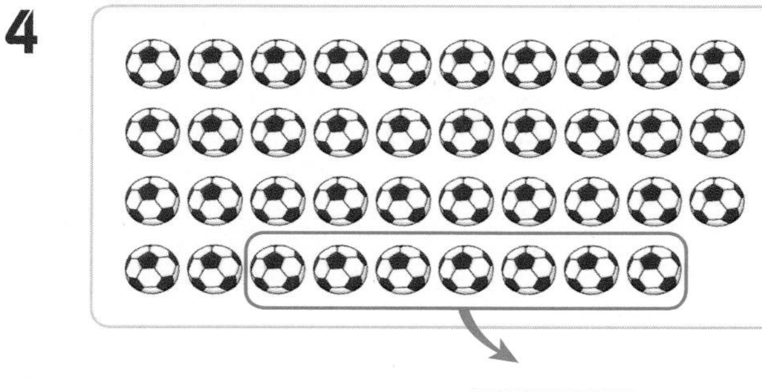

$39-7=$ □

5

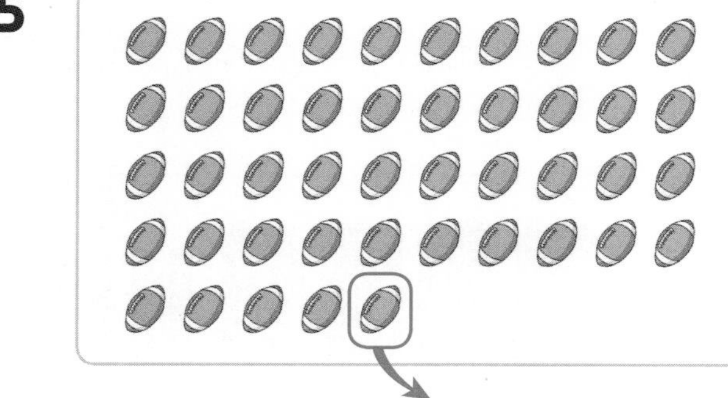

$45-1=$ □

6

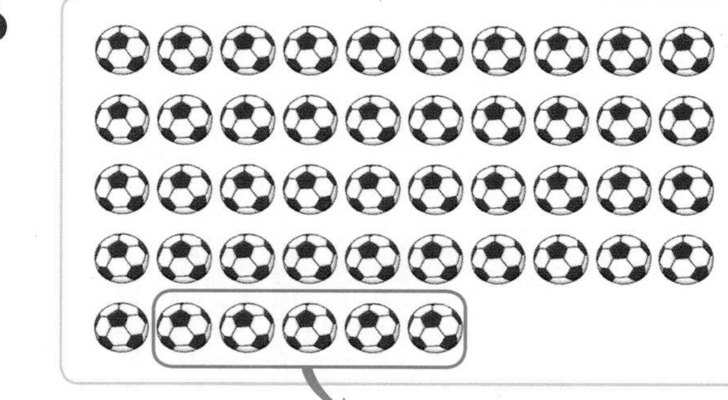

$46-5=$ □

플러스 계산 연습

맞은 개수 / 11개

▶ 정답과 해설 11쪽

생활 속 계산

친구들이 먹고 남은 과일의 수를 구하세요.

7

$19-3=\square$

8

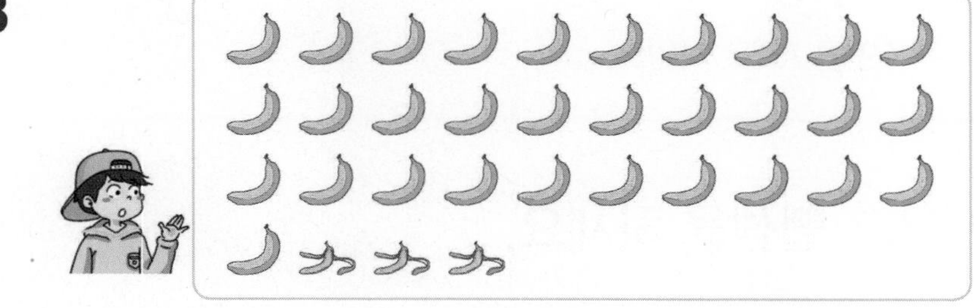

$34-3=\square$

9

$27-4=\square$

문장 읽고 계산식 세우기

10 남은 세제는 몇 개일까요?

식 $18-6=\square$(개)

11 남은 비누는 몇 개일까요?

식 $25-2=\square$(개)

지우고 뺄셈하기①

이렇게 해결하자

• /으로 지우고 14－4 계산하기

모자 4개를 /으로 지우면 10개가 남아요.

14－4＝10

4만큼 /으로 지워요.

빨간색 수만큼 /으로 지우고 뺄셈을 하세요.

❶ 13－3＝☐

3만큼 /으로 지워요.

❷ 25－5＝☐

5만큼 /으로 지워요.

❸ 38－8＝☐

8만큼 /으로 지워요.

제한 시간 3분

기초 계산 연습

맞은 개수 / 11개

▶ 정답과 해설 12쪽

4. $12-2=$ □

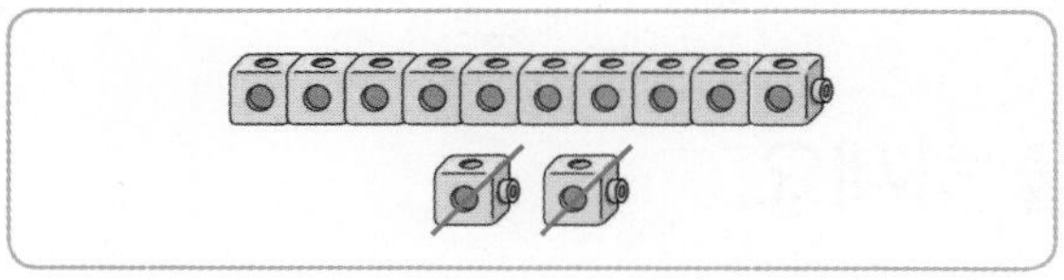

5. $15-5=$ □

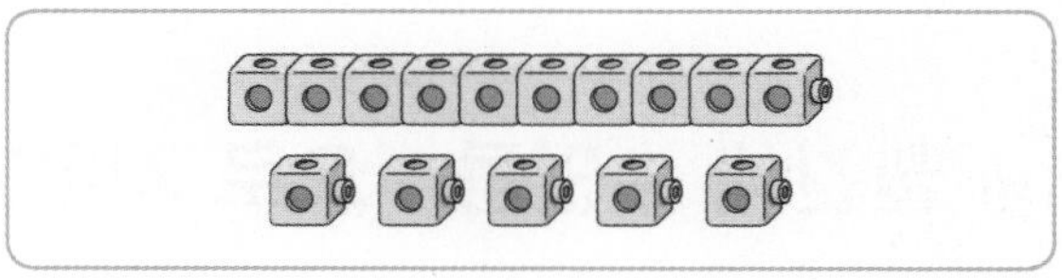

6. $24-4=$ □

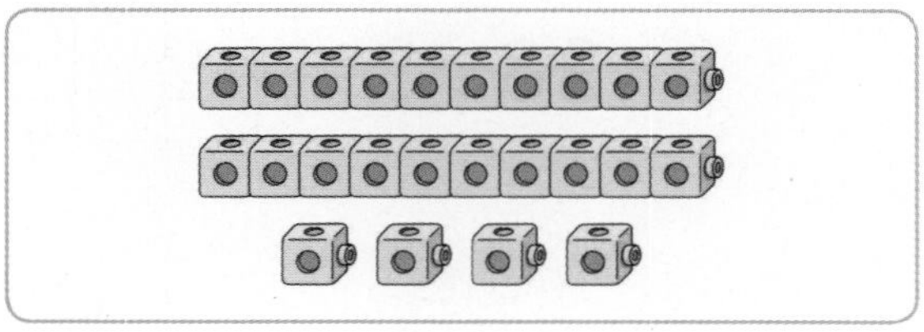

7. $23-3=$ □

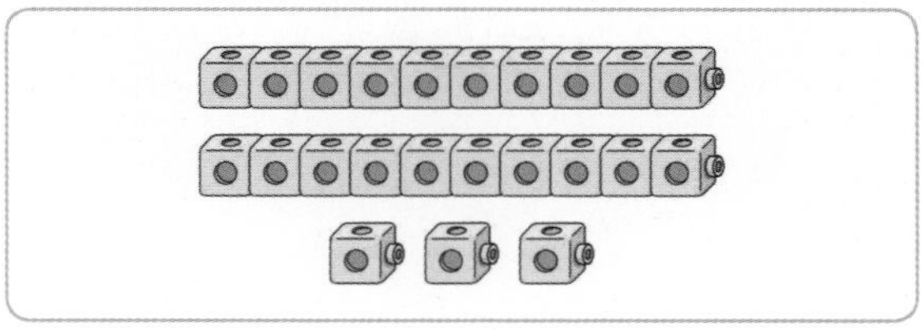

8. $37-7=$ □

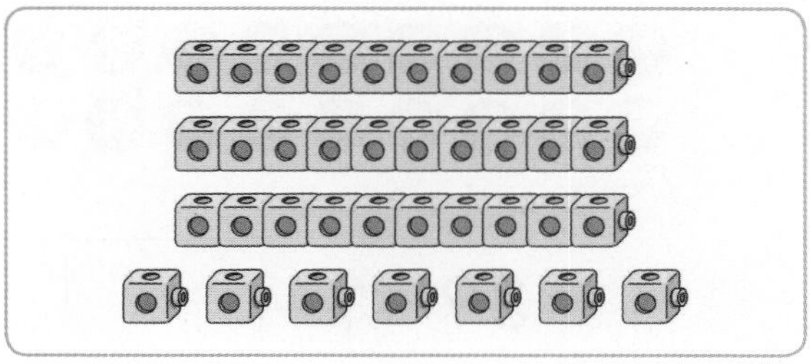

9. $36-6=$ □

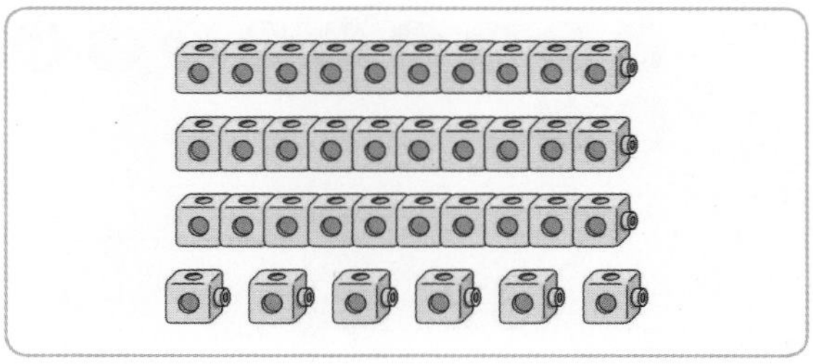

10. $43-3=$ □

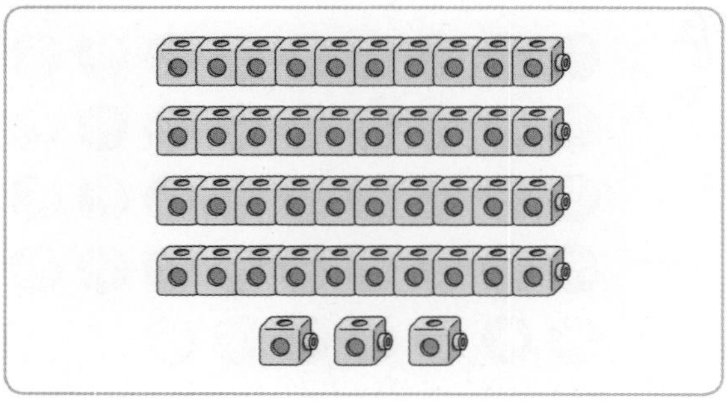

11. $44-4=$ □

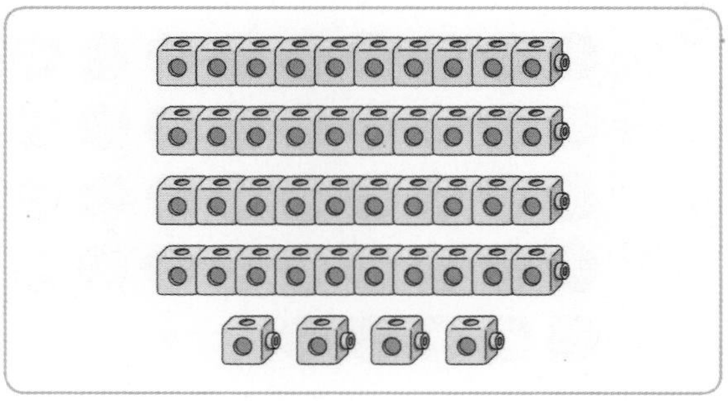

지우고 뺄셈하기①

빨간색 수만큼 /으로 지우고 뺄셈을 하세요.

1

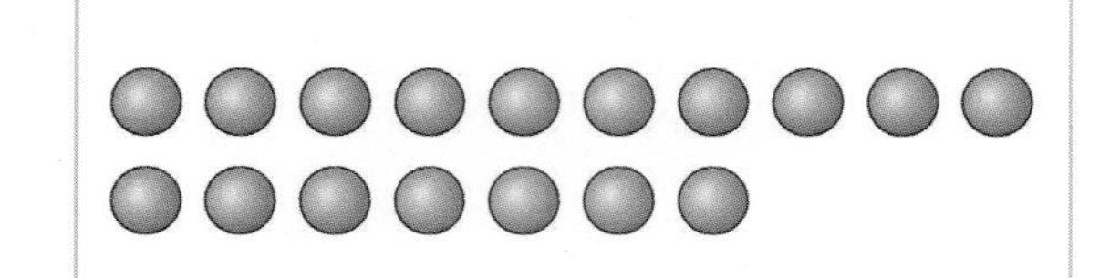

$17-7=$ ☐

2

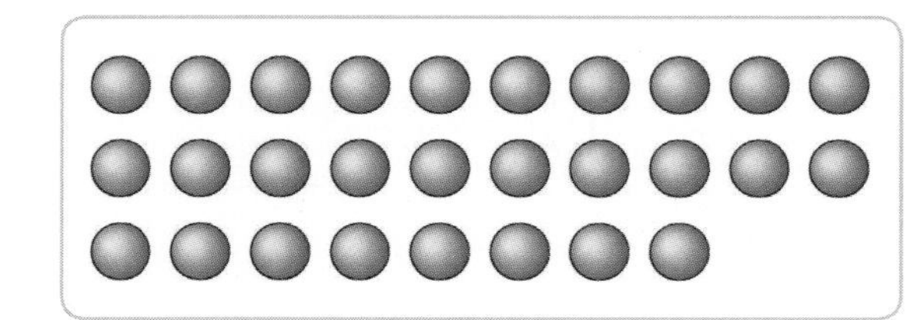

$28-8=$ ☐

3

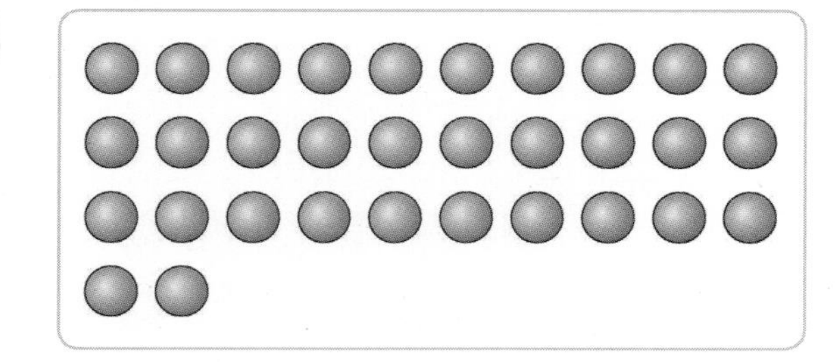

$32-2=$ ☐

4

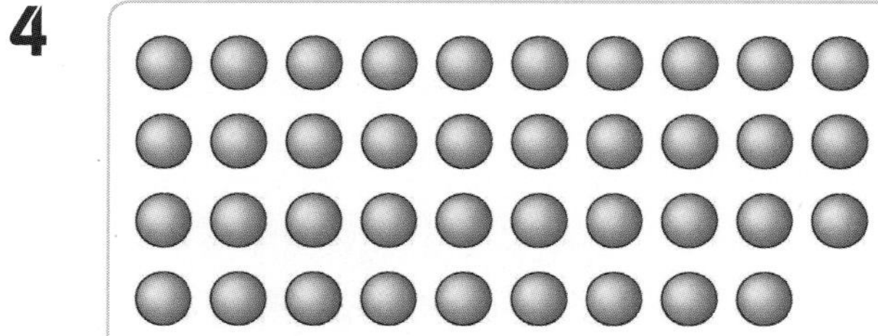

$39-9=$ ☐

5

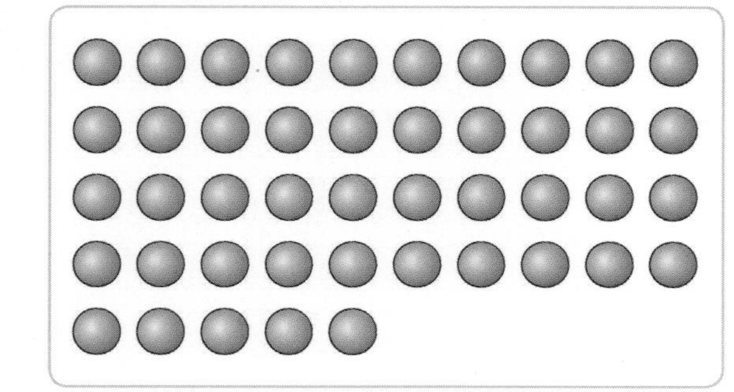

$45-5=$ ☐

6

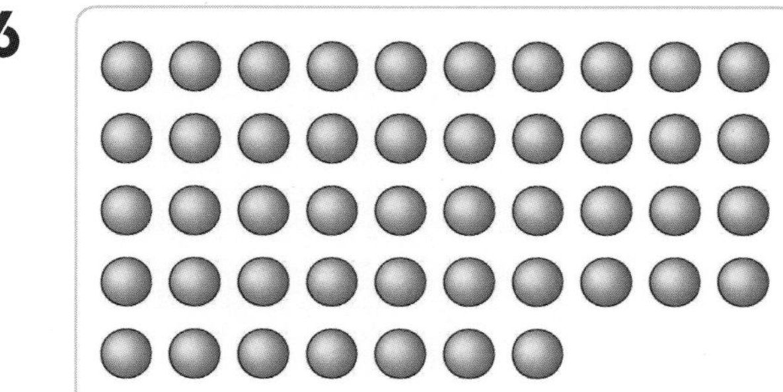

$47-7=$ ☐

제한 시간 5분

플러스 계산 연습

맞은 개수 / 11개

▶ 정답과 해설 12쪽

생활 속 계산

먹은 포도알의 수만큼 /으로 지우고 뺄셈을 하세요.

7

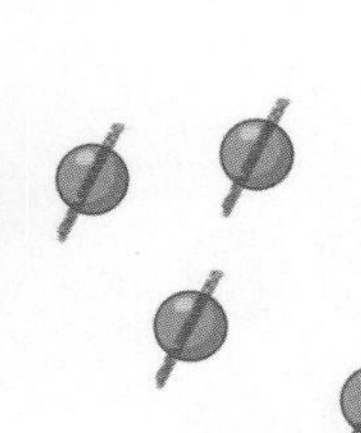

포도알을 6개 먹었어요.

26−6=☐

8

포도알을 1개 먹었어요.

31−1=☐

9

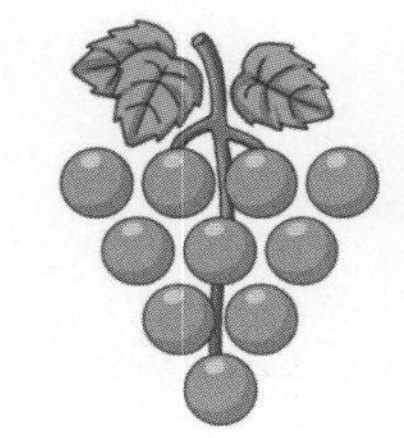

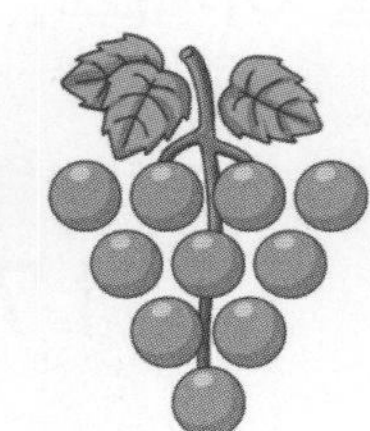

포도알을 2개 먹었어요.

42−2=☐

문장 읽고 계산식 세우기

깨진 컵의 수만큼 /으로 지우고 ☐ 안에 알맞은 수를 써넣으세요.

10

컵 18개 중 8개가 깨지면 남는 컵은 몇 개일까요?

식 18−8=☐(개)

11

컵 22개 중 2개가 깨지면 남는 컵은 몇 개일까요?

식 22−2=☐(개)

지우고 뺄셈하기②

이렇게 해결하자

• /으로 지우고 25－4 계산하기

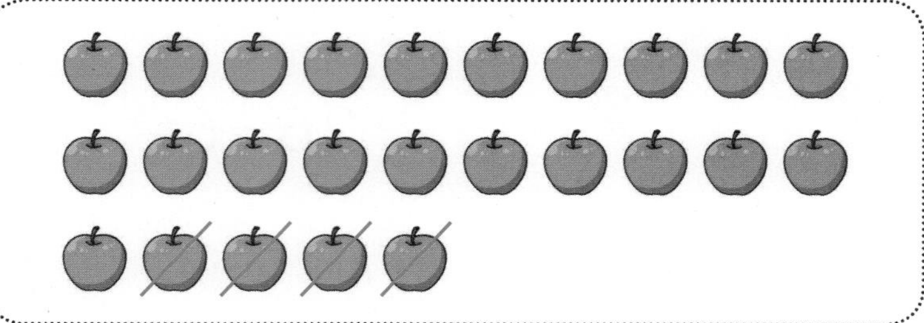

사과 4개를 /으로 지우면 21개가 남아요.

25－4＝21

└ 4만큼 /으로 지워요.

빨간색 수만큼 /으로 지우고 뺄셈을 하세요.

❶

17－4＝□

❷

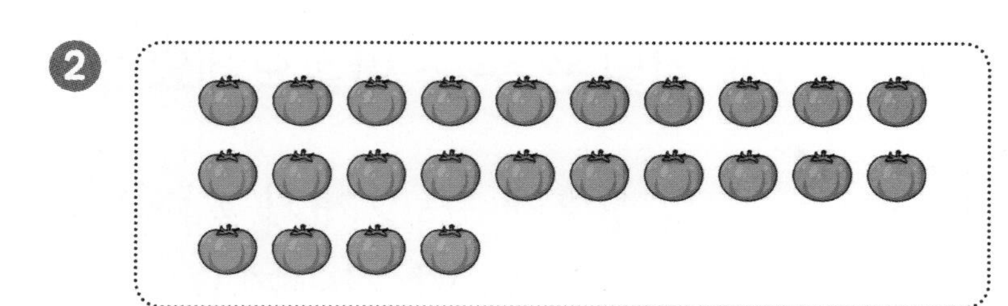

24－2＝□

❸

38－6＝□

제한 시간 3분

기초 계산 연습

맞은 개수 / 11개

▶ 정답과 해설 13쪽

④ $12-1=$ □

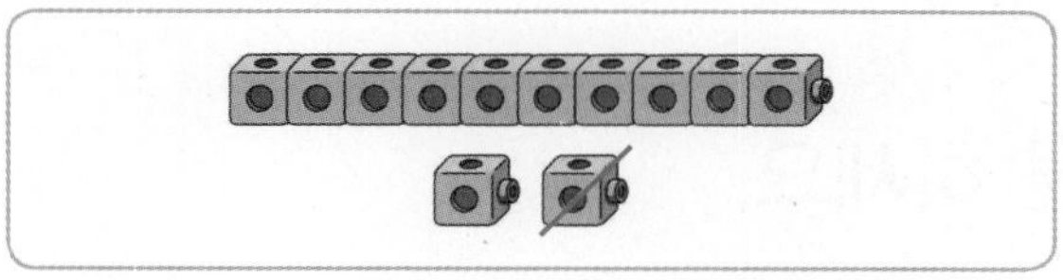

⑤ $16-2=$ □

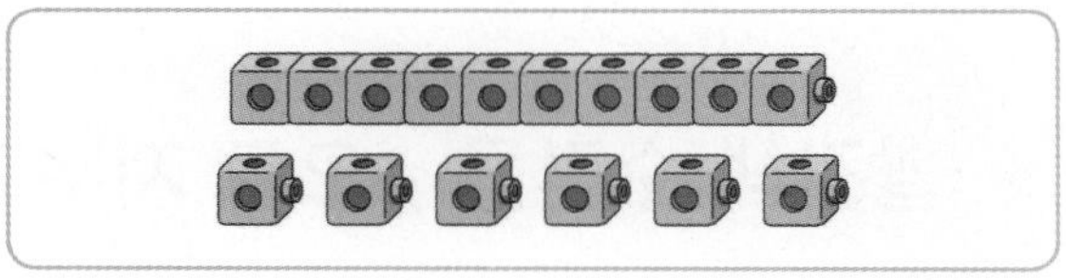

⑥ $23-2=$ □

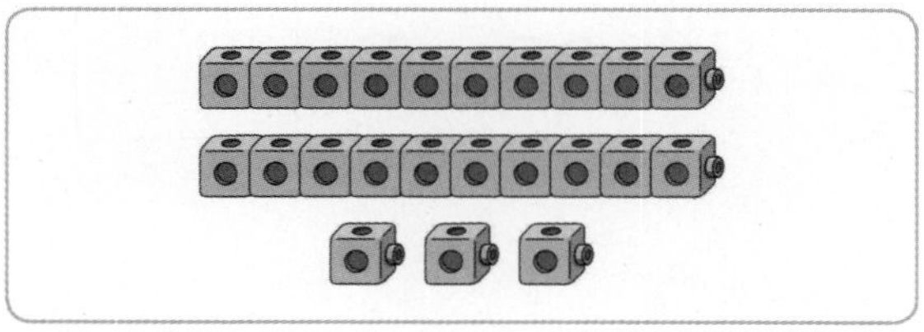

⑦ $27-1=$ □

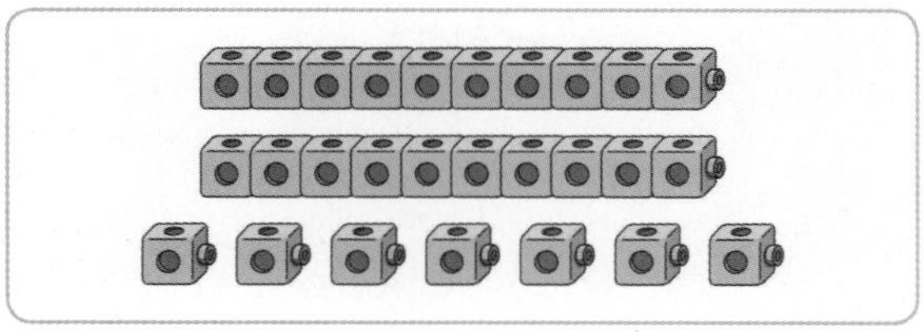

⑧ $33-1=$ □

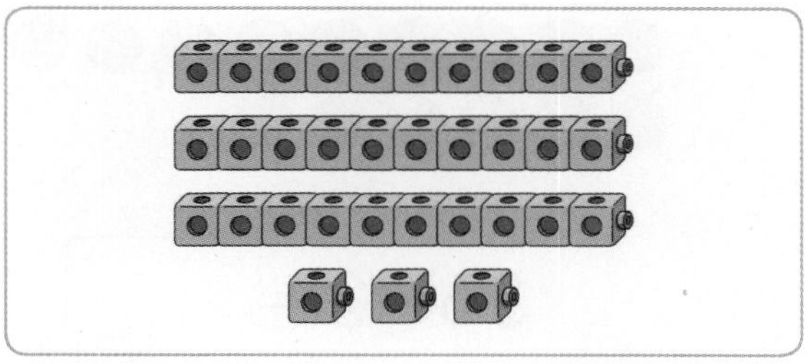

⑨ $35-3=$ □

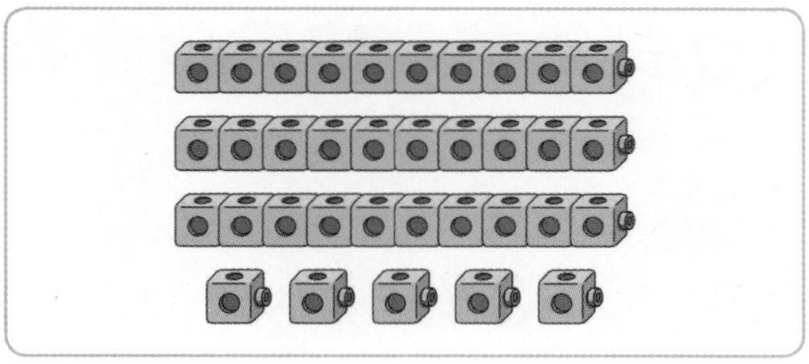

⑩ $45-2=$ □

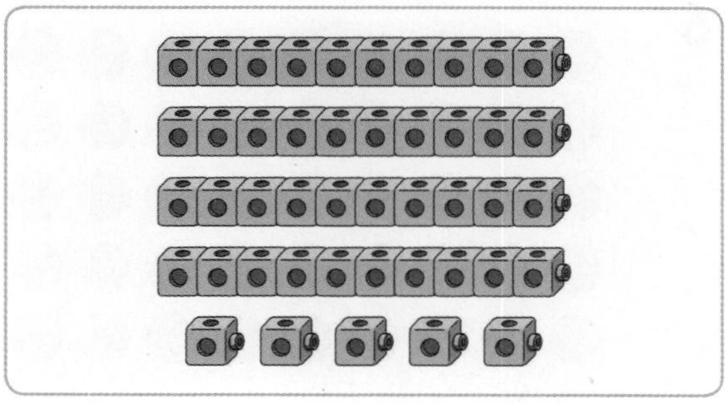

⑪ $47-4=$ □

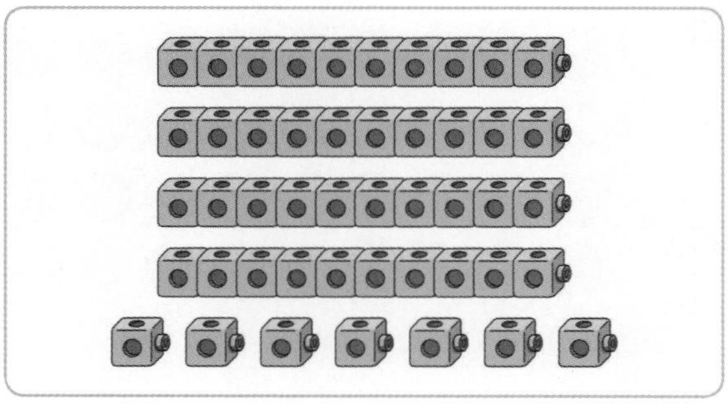

5 일차 지우고 뺄셈하기②

빨간색 수만큼 /으로 지우고 뺄셈을 하세요.

1

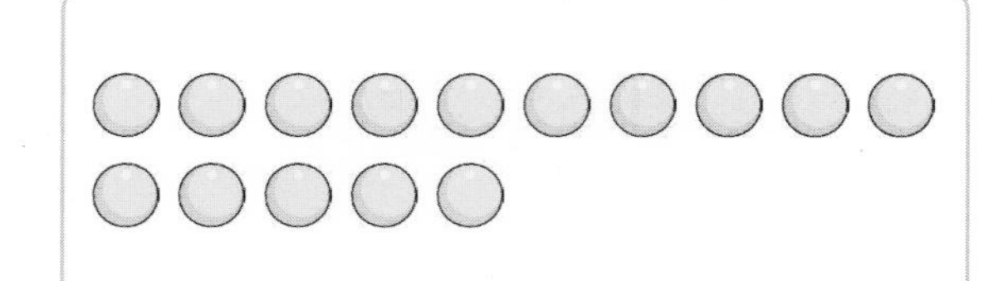

$15-4=$ ☐

2

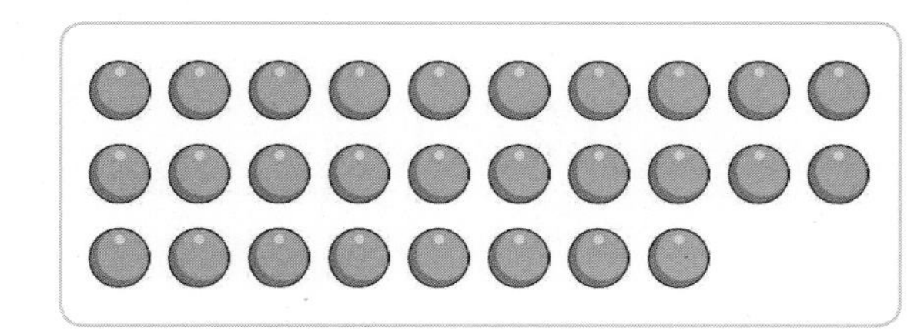

$28-5=$ ☐

3

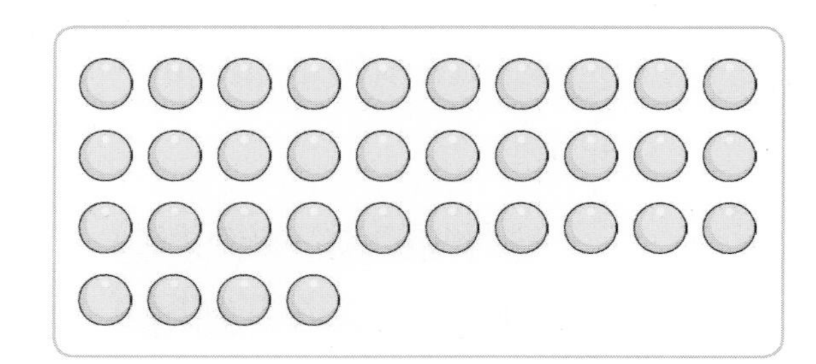

$34-1=$ ☐

4

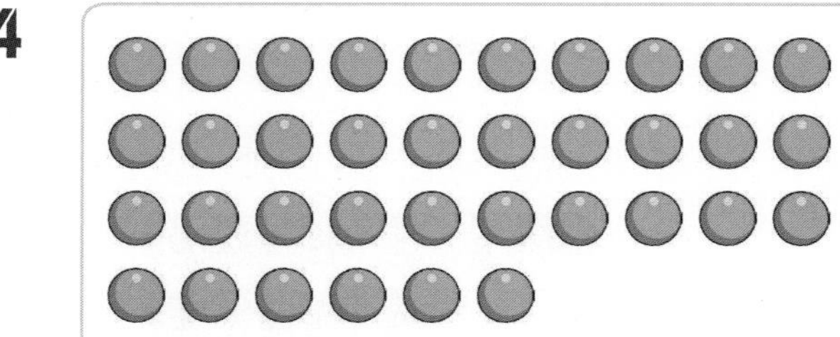

$36-2=$ ☐

5

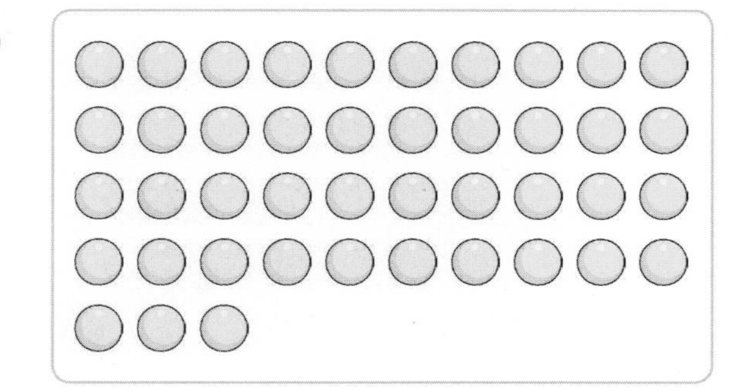

$43-1=$ ☐

6

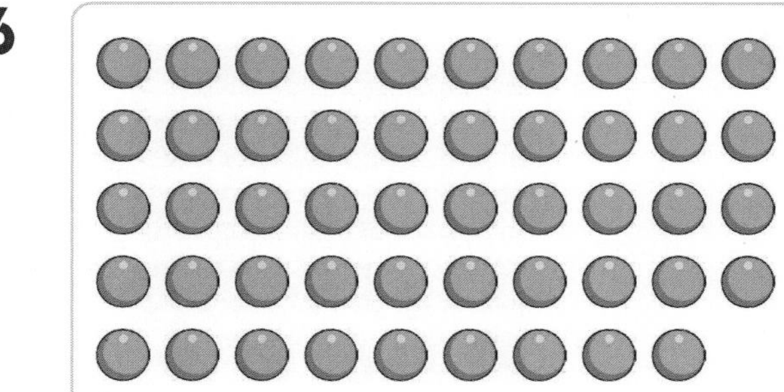

$49-3=$ ☐

제한 시간 5분

플러스 계산 연습

맞은 개수 / 12개

▶ 정답과 해설 13쪽

생활 속 계산

과자가 한 통에 10개씩 들어 있습니다.
먹은 과자의 수만큼 /으로 지우고 뺄셈을 하세요.

7

과자 2개를 먹었어요.

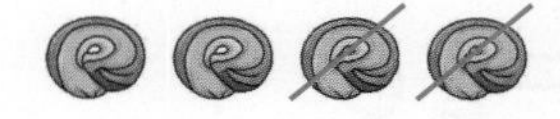

14 − 2 = ☐

8

과자 5개를 먹었어요.

26 − 5 = ☐

9

과자 4개를 먹었어요.

37 − 4 = ☐

10

과자 3개를 먹었어요.

48 − 3 = ☐

문장 읽고 계산식 세우기

준 공책의 수만큼 /으로 지우고 ☐ 안에 알맞은 수를 써넣으세요.

11

공책 13권 중 2권을 형에게 주었다면 남은 공책은 몇 권일까요?

식 13 − 2 = ☐ (권)

12

공책 19권 중 6권을 언니에게 주었다면 남은 공책은 몇 권일까요?

식 19 − 6 = ☐ (권)

6 일차

거꾸로 세어 뺄셈하기

이렇게 해결하자

• 거꾸로 세어 29－3 계산하기

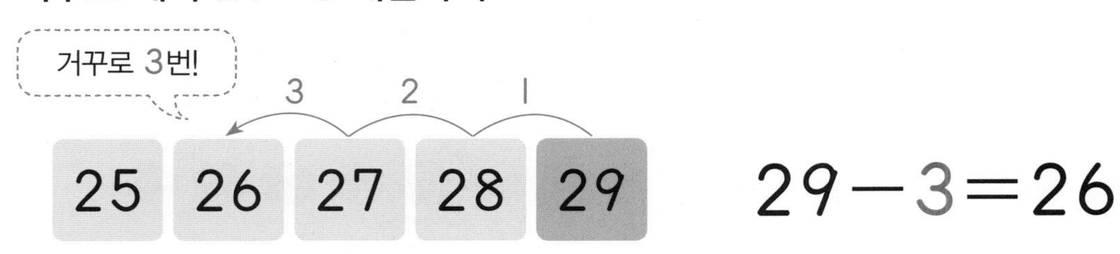

29－3＝26

빨간색 수만큼 거꾸로 세기를 표시하고 뺄셈을 하세요.

❶ 10 11 12 13 14 15 (3 2 1)　15－3＝☐

❷ 11 12 13 14 15 16 (5 4 3 2 1)　16－5＝☐

❸ 23 24 25 26 27 28　28－4＝☐

❹ 22 23 24 25 26 27　27－2＝☐

기초 계산 연습

맞은 개수 / 10개

▶ 정답과 해설 14쪽

❺ 29 30 31 32 **33** 34

$33-2=$ ☐

❻ 31 32 33 34 **35** 36

$35-4=$ ☐

❼ 41 42 43 44 **45** 46

$45-3=$ ☐

❽ 40 41 42 43 **44** 45

$44-2=$ ☐

❾ 32 33 34 35 36 **37** 38

$37-5=$ ☐

❿ 43 44 45 46 47 **48** 49

$48-4=$ ☐

거꾸로 세어 뺄셈하기

빨간색 수만큼 거꾸로 세기를 표시하고 뺄셈을 하세요.

1

3 2 1

10 11 12 13 14 15

$14-3=\square$

2

14 15 16 17 18 19

$19-4=\square$

3

22 23 24 25 26 27

$26-2=\square$

4

20 21 22 23 24 25

$25-3=\square$

5

34 35 36 37 38 39

$39-5=\square$

6

42 43 44 45 46 47

$47-2=\square$

7

30 31 32 33 34 35 36 37 38

$38-7=\square$

8

41 42 43 44 45 46 47 48 49

$49-6=\square$

플러스 계산 연습

맞은 개수 / 14개

▶ 정답과 해설 14쪽

생활 속 계산

빈칸에 알맞은 수를 쓰고 뺄셈을 하세요.

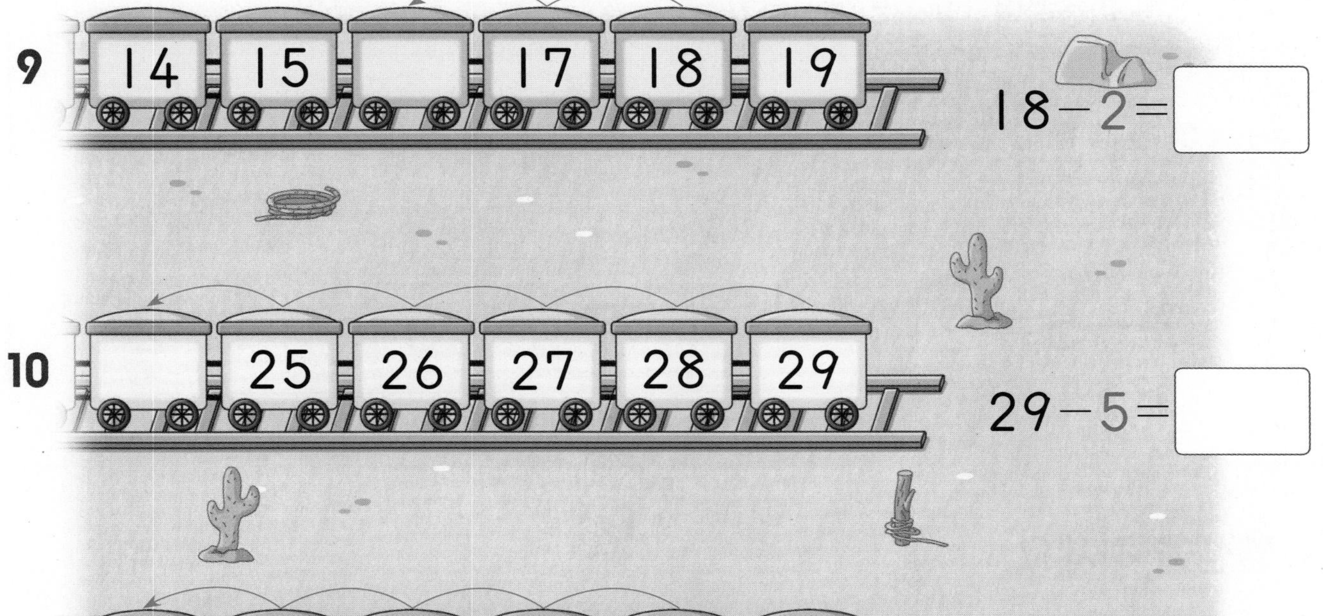

9 $18-2=\square$

10 $29-5=\square$

11 $36-4=\square$

12 $48-3=\square$

문장 읽고 계산식 세우기

13 13부터 거꾸로 2만큼 세면 얼마일까요?

식 $13-2=\square$

14 24부터 거꾸로 3만큼 세면 얼마일까요?

식 $24-3=\square$

7 일차 비슷한 뺄셈하기

이렇게 해결하자

• 7－5를 이용하여 17－5 계산하기

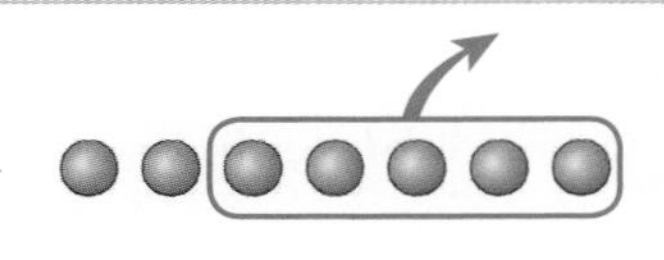

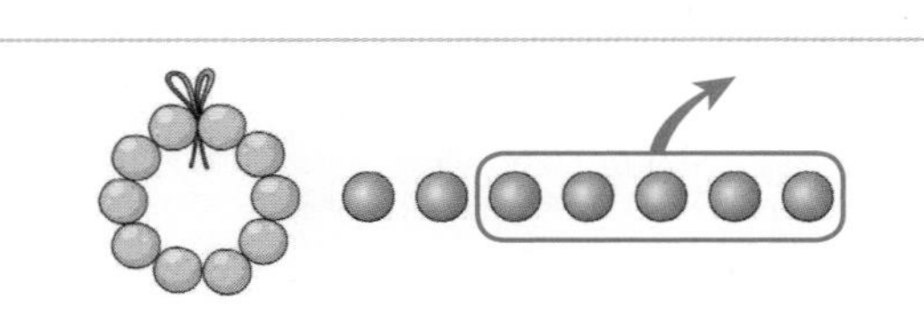

$7-5=2$

그대로 써요.

1	7	－	5	＝	1	2

7－5＝2

뺄셈을 하세요.

❶

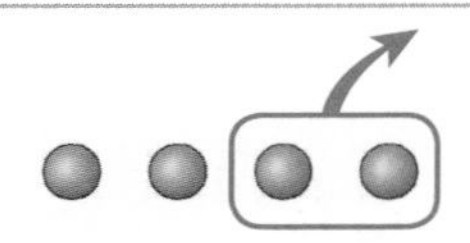

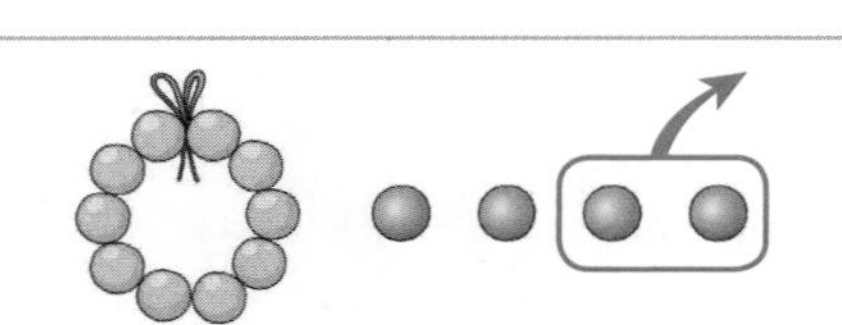

$4-2=\square$

1	4	－	2	＝		

❷

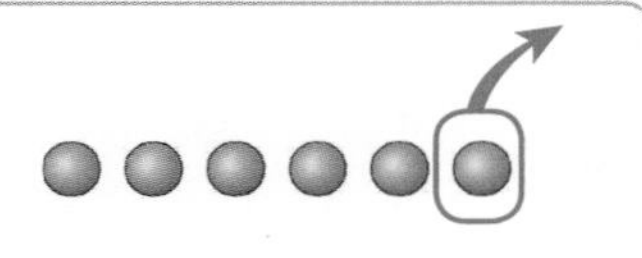

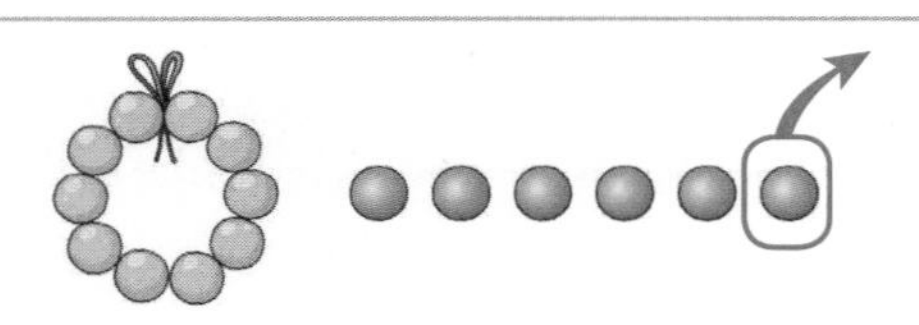

$6-1=\square$

1	6	－	1	＝		

❸

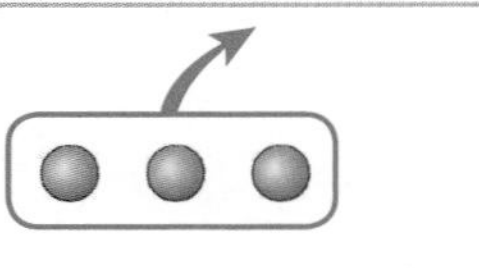

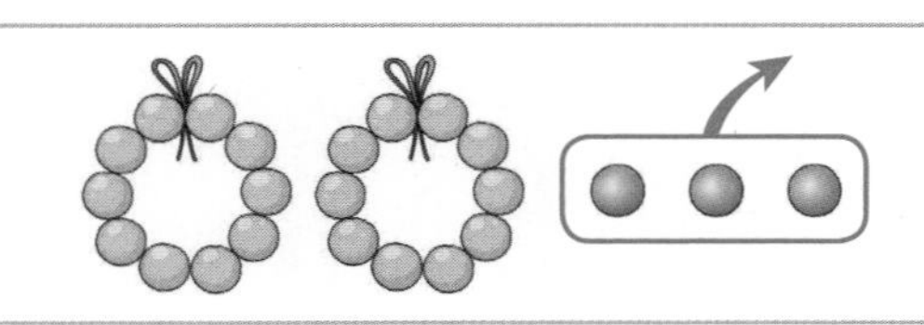

$3-3=\square$

2	3	－	3	＝		

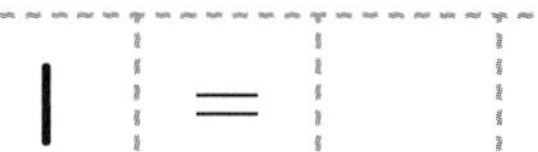

기초 계산 연습

맞은 개수 / 9개

▶ 정답과 해설 14쪽

❹

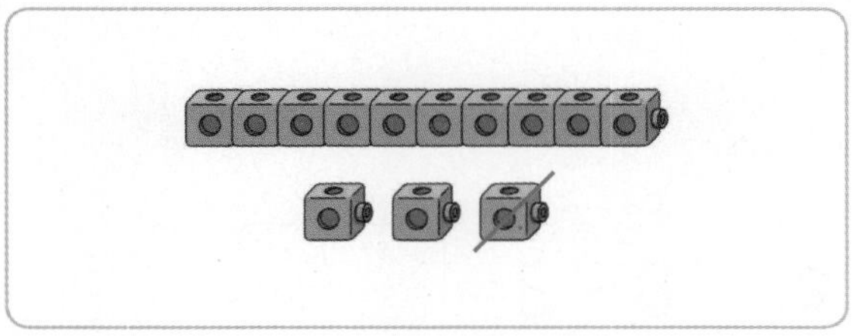

$3-1=\square$

$13-1=\square$

❺

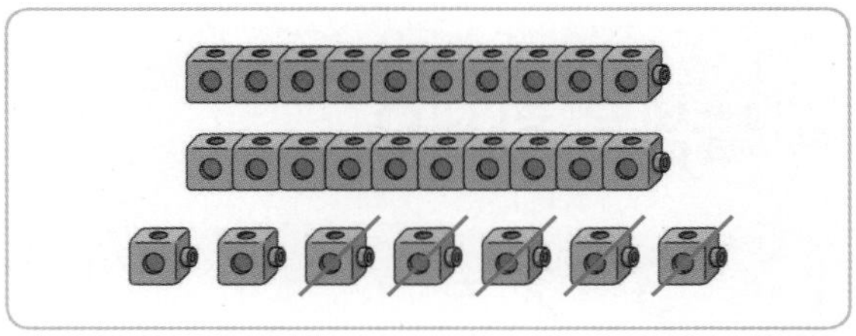

$7-5=\square$

$27-5=\square$

❻

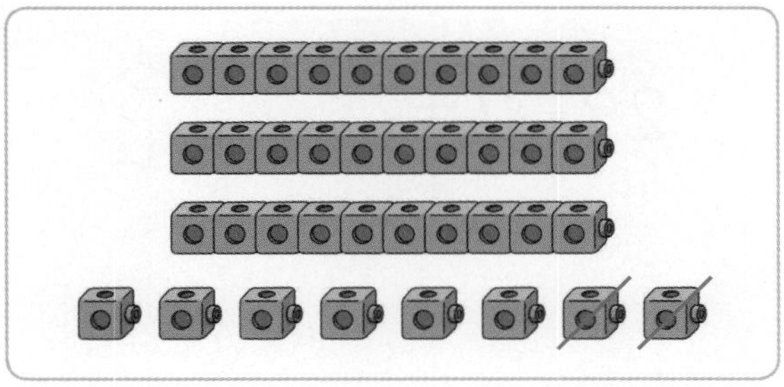

$8-2=\square$

$38-2=\square$

❼

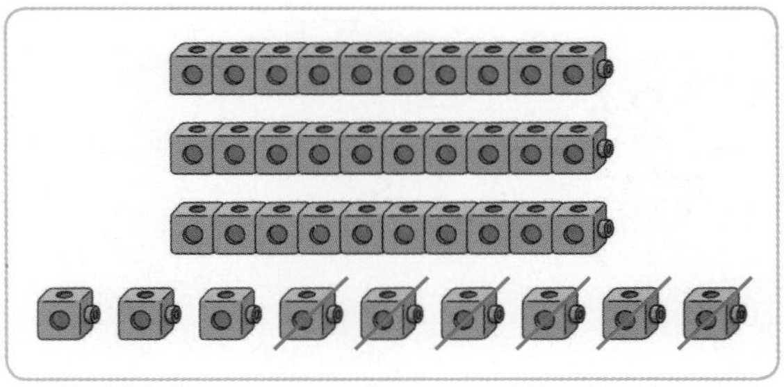

$9-6=\square$

$39-6=\square$

❽

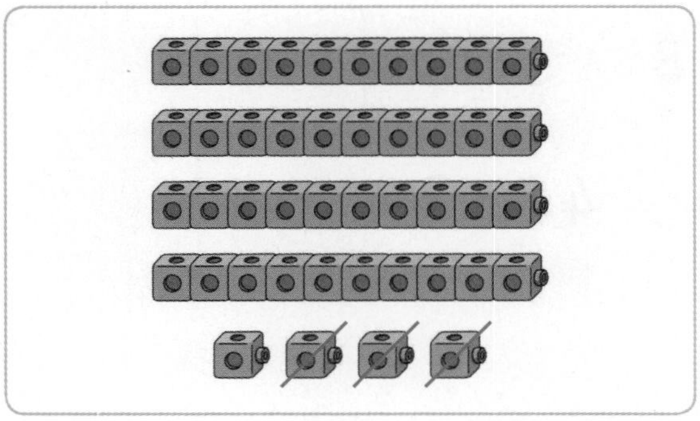

$4-3=\square$

$44-3=\square$

❾

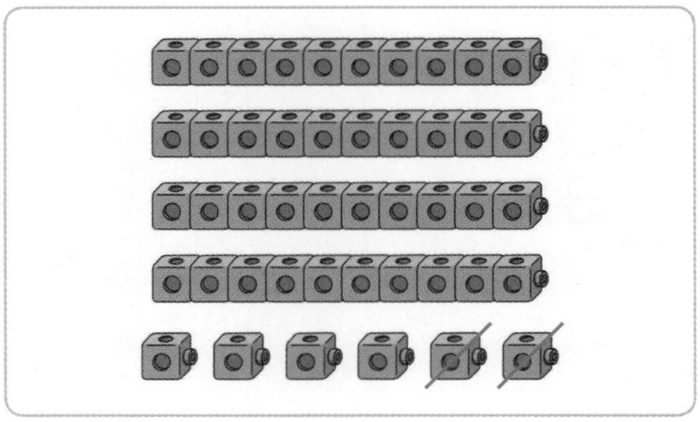

$6-2=\square$

$46-2=\square$

7 일차

비슷한 뺄셈하기

뺄셈을 하세요.

1 $5-2=\square$

$15-2=\square$

2 $8-3=\square$

$18-3=\square$

3 $4-1=\square$

$24-1=\square$

4 $9-7=\square$

$29-7=\square$

5 $4-2=\square$

$34-2=\square$

6 $6-3=\square$

$36-3=\square$

7 $8-1=\square$

$38-1=\square$

8 $3-3=\square$

$43-3=\square$

9 $5-4=\square$

$45-4=\square$

10 $9-4=\square$

$49-4=\square$

제한 시간 5분

플러스 계산 연습

맞은 개수 / 15개

▶ 정답과 해설 14쪽

생활 속 계산

보기 와 같이 사다리 타기를 해서 뺄셈을 하세요.

보기

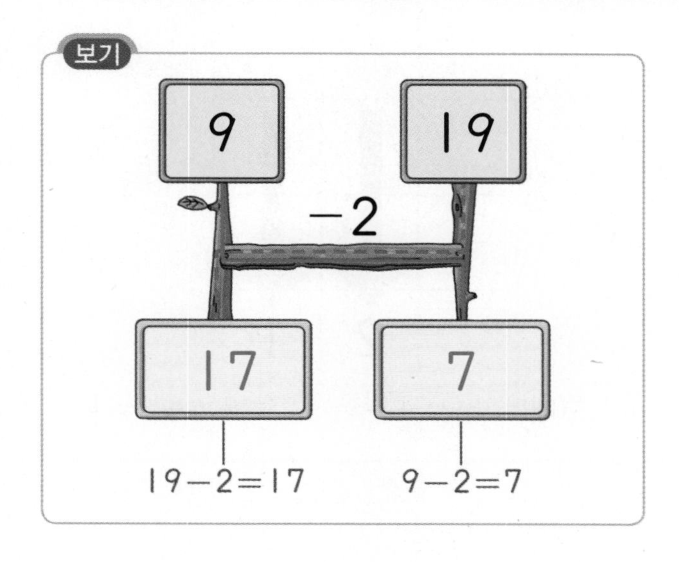

11

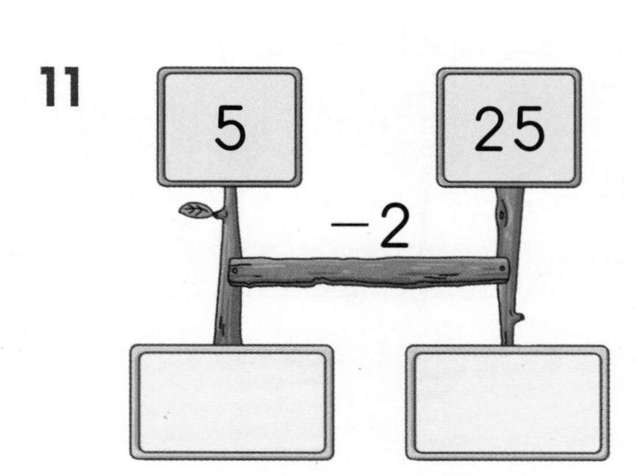

12

7 37

−6

13

문장 읽고 계산식 세우기

14 26 빼기 1은 얼마일까요?

식 $26-1=\square$

15 35 빼기 3은 얼마일까요?

식 $35-3=\square$

3 50까지 수의 뺄셈

세로셈 알아보기

이렇게 해결하자

• 24 − 3의 세로셈 계산하기

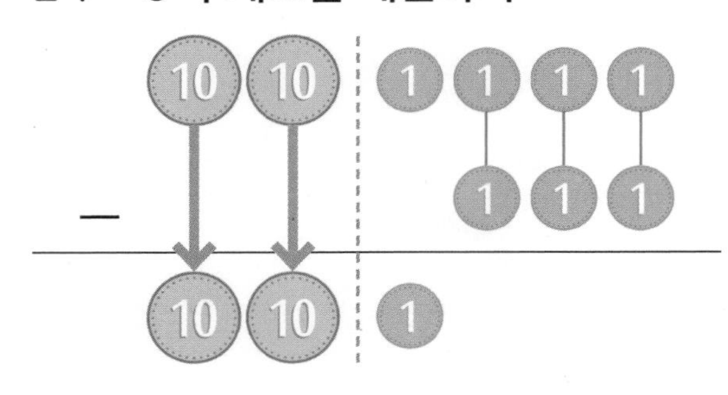

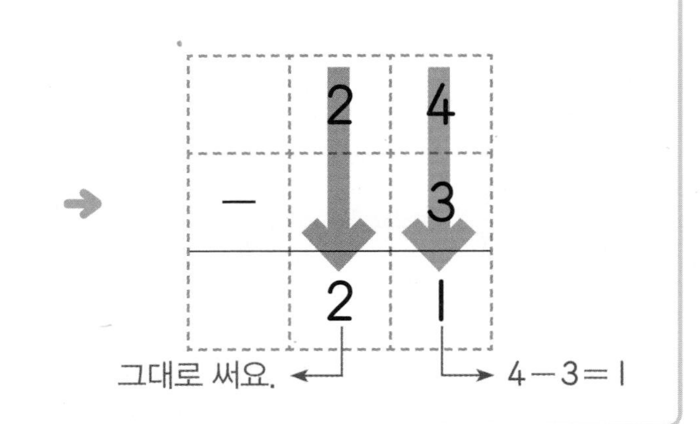

뺄셈을 하세요.

❶

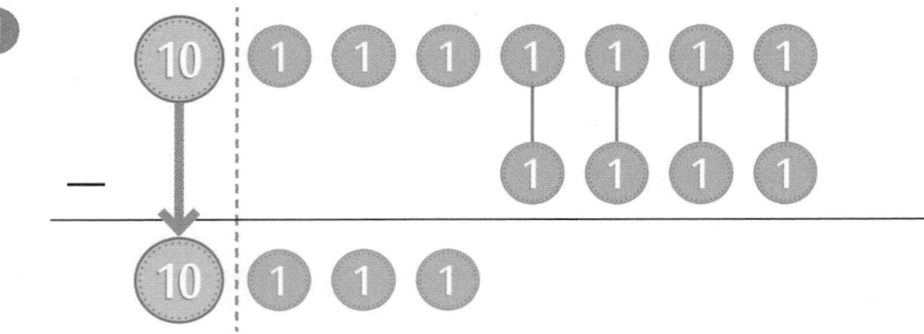

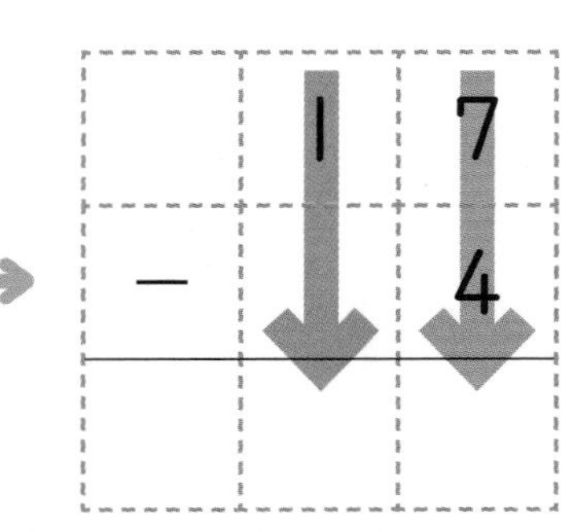

❷

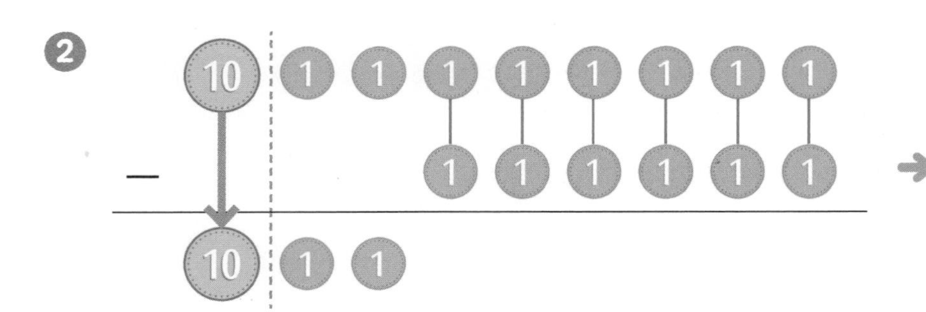

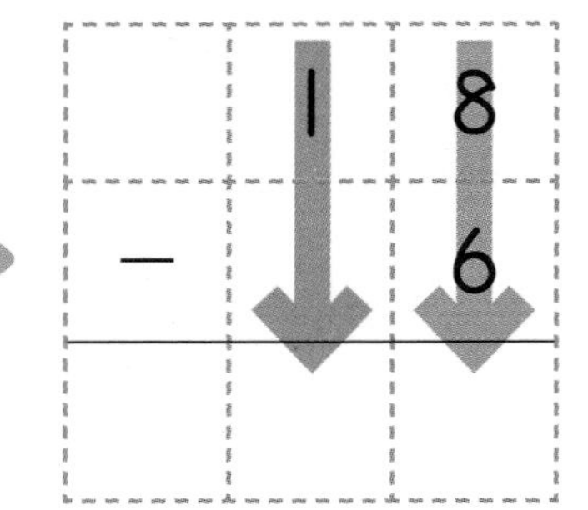

❸

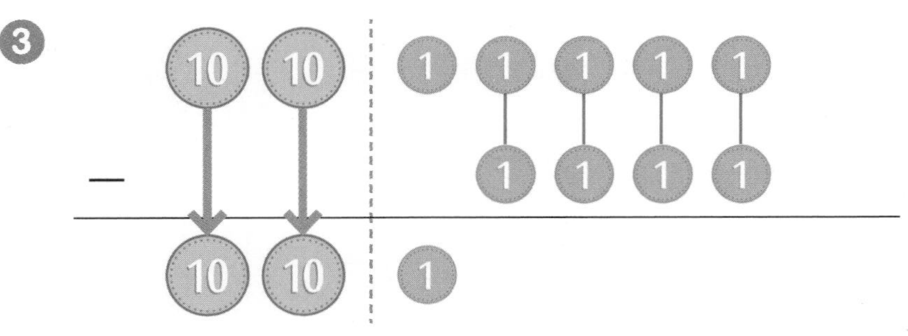

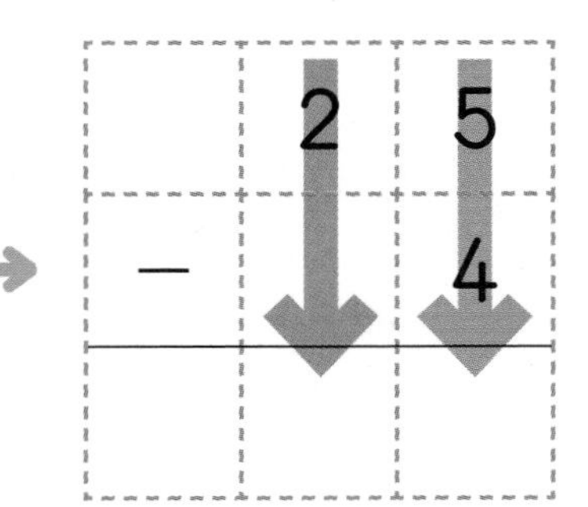

제한 시간 3분

기초 계산 연습

맞은 개수 / 11개

▶ 정답과 해설 15쪽

❹

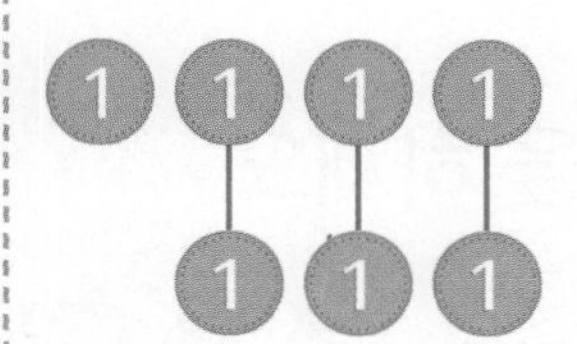

	3	4
−		3

❺

	4	6
−		3

❻

	1	2
−		2

❼

	1	5
−		4

❽

	2	6
−		3

❾

	3	3
−		1

❿

	3	9
−		3

⓫

	4	7
−		5

세로셈 알아보기

수 카드에 적힌 두 수의 뺄셈을 하세요.

1

	1	6
−		4

2

	2	2
−		1

3

	2	9
−		

4

	3	8
−		

5

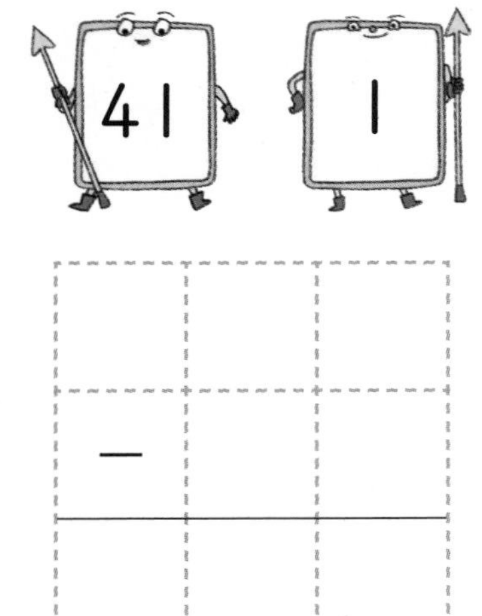

−		

6

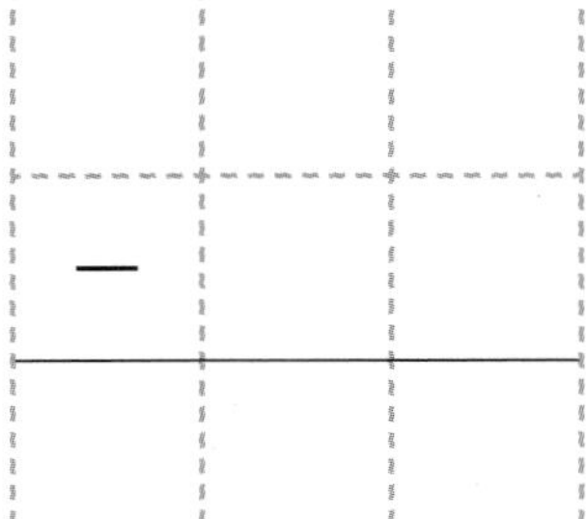

−		

▶ 정답과 해설 15쪽

생활 속 계산

바구니에 있는 과일의 수를 보고 뺄셈을 하세요.

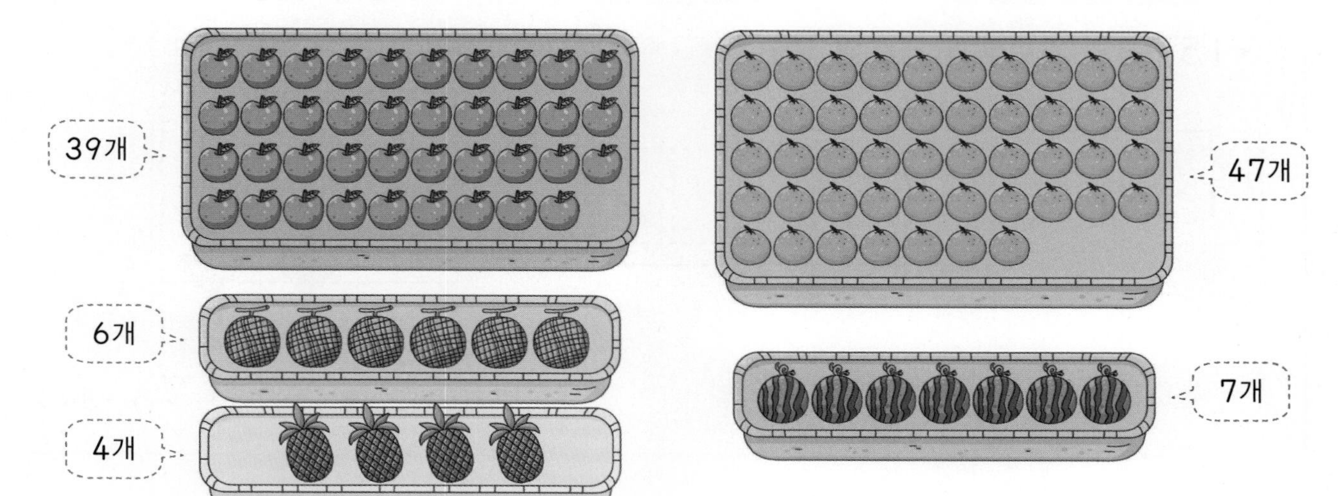

7 (귤) − (멜론)

	4	7
−		6

8 (사과) − (수박)

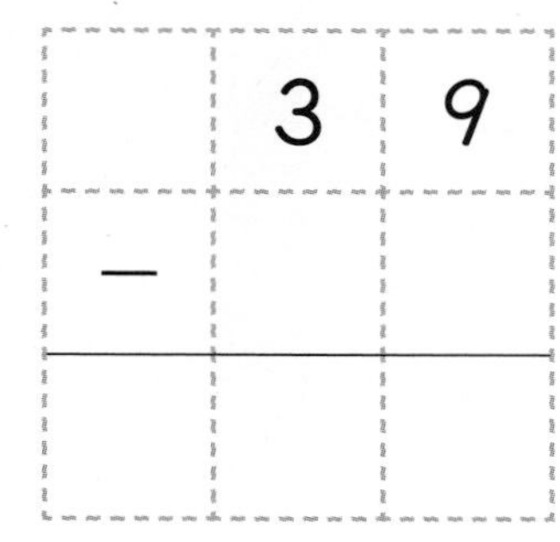

9 (귤) − (파인애플)

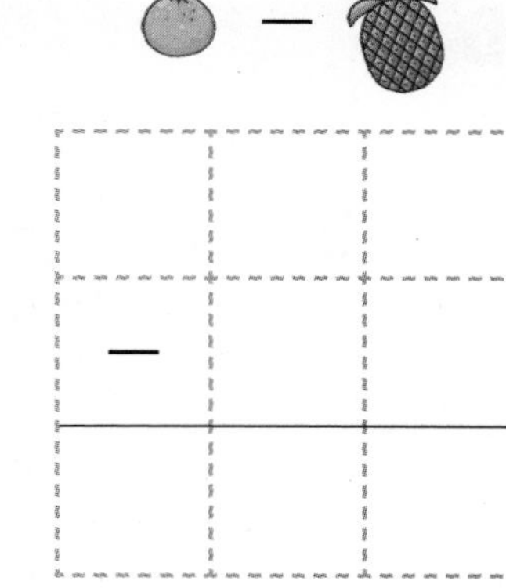

문장 읽고 계산식 세우기

10 19−5의 세로셈을 계산하세요.

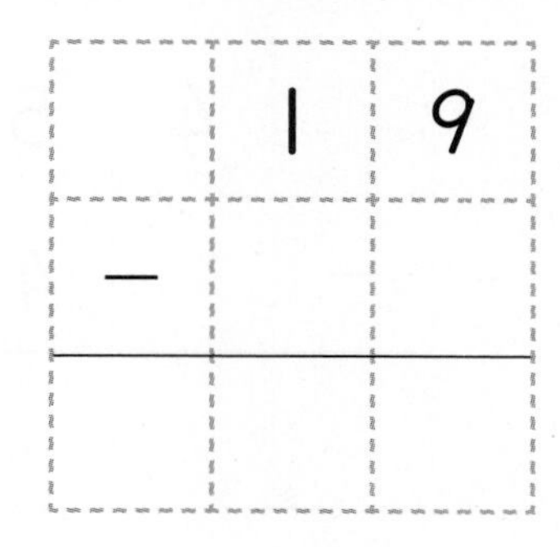

11 28−3의 세로셈을 계산하세요.

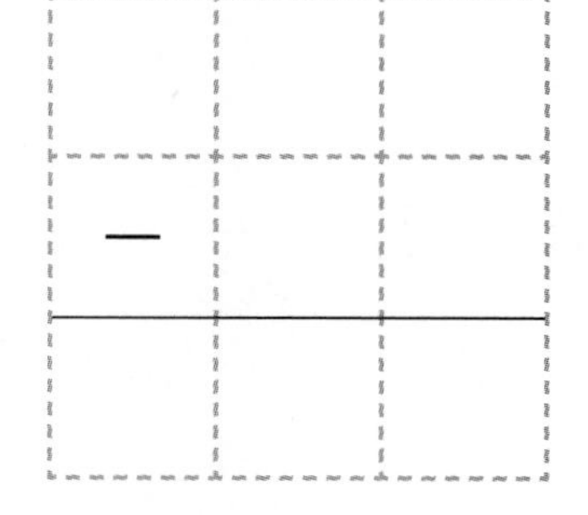

9 일차

가로셈, 세로셈 쓰기

이렇게 해결하자

• 15－3의 가로셈과 세로셈

그대로 써요.

1	5	－	3	＝	1	2

5－3＝2

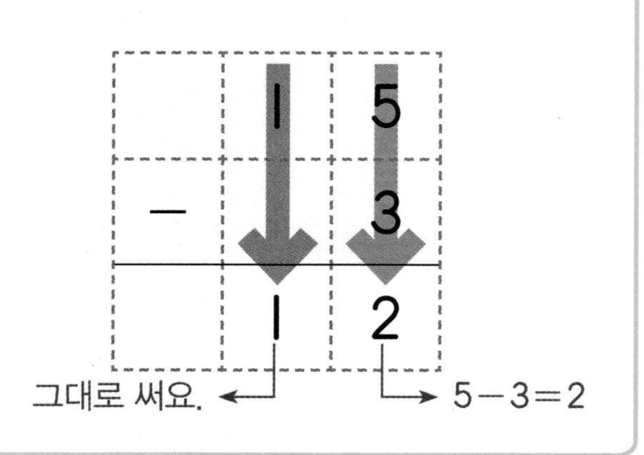

뺄셈을 하세요.

❶

2	3	－	2	＝		

	2	3
－		2

❷

3	7	－	3	＝		

	3	7
－		3

❸

4	5	－	4	＝		

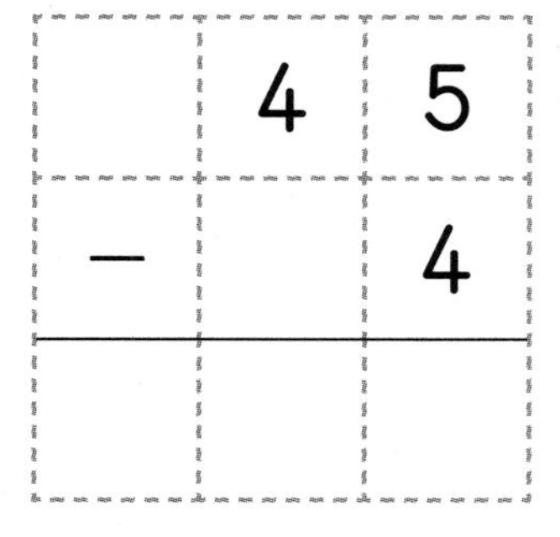

	4	5
－		4

기초 계산 연습

맞은 개수 / 9개

▶ 정답과 해설 15쪽

❹ $11-1=\square$

	1	1
−		1

❺ $16-2=\square$

	1	6
−		2

❻ $24-2=\square$

	2	4
−		2

❼ $27-6=\square$

	2	7
−		6

❽ $33-3=\square$

	3	3
−		3

❾ $43-2=\square$

	4	3
−		2

가로셈, 세로셈 쓰기

뺄셈을 하세요.

1 13−2=☐

2 25−1=☐

3 38−3=☐

4 34−4=☐

5 49−2=☐

6 47−6=☐

7

	1	4
−		3

8

	1	9
−		7

9

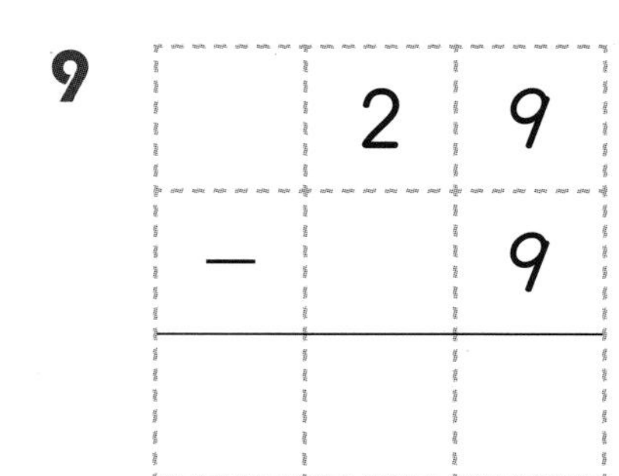

10

	3	6
−		1

11

	3	5
−		5

12

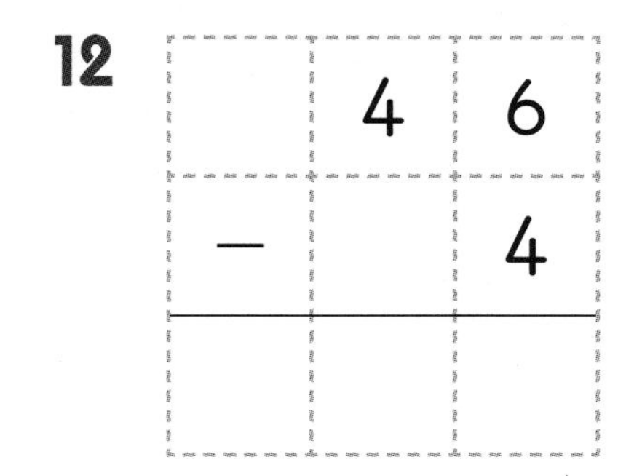

제한 시간 5분

플러스 계산 연습

맞은 개수 / 17개

▶ 정답과 해설 15쪽

생활 속 계산

인형의 수를 보고 뺄셈을 하세요.

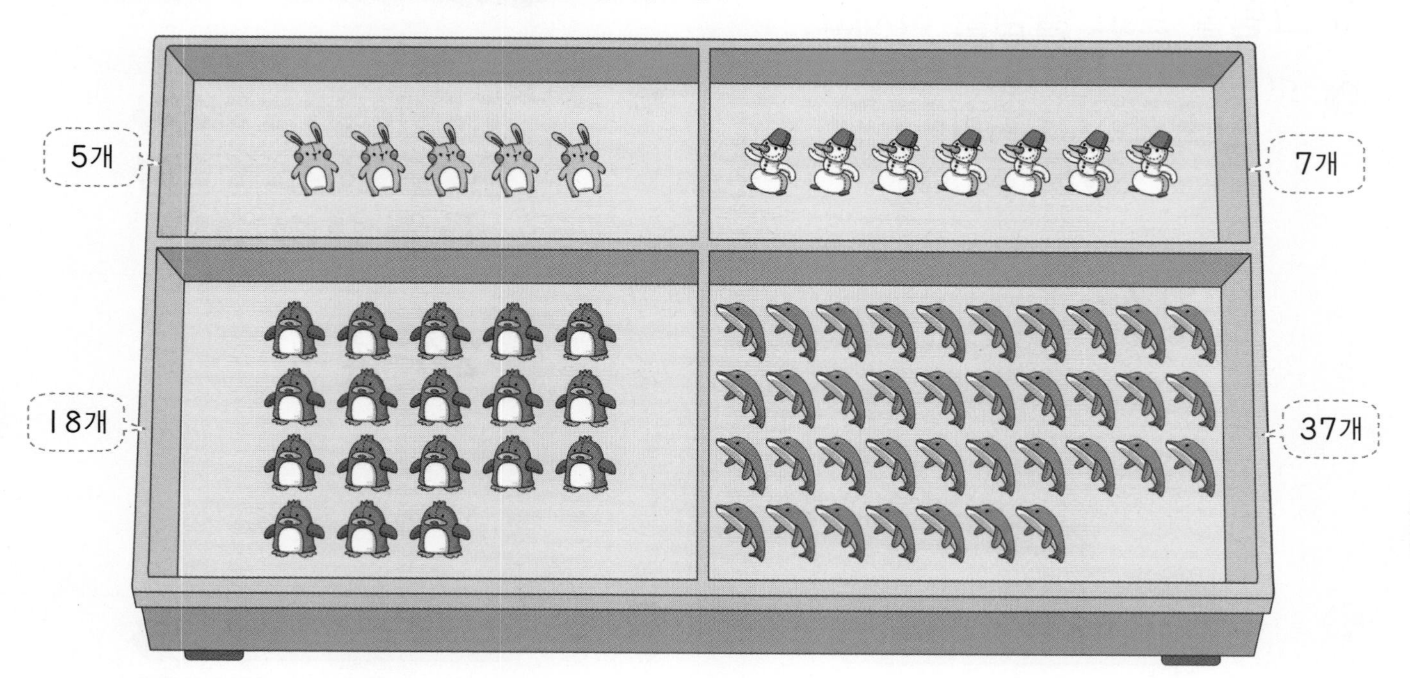

13

	1	8
−		5

14

	3	7
−		

15

−		

문장 읽고 계산식 세우기

16 떡 28개 중 2개를 먹었다면 남은 떡은 몇 개일까요?

식 28 − 2 = ☐ (개)

17 빵 44개 중 1개를 먹었다면 남은 빵은 몇 개일까요?

식 44 − 1 = ☐ (개)

평가 SPEED 연산력 TEST

그림을 보고 뺄셈을 하세요.

❶

$14-1=\square$

❷

$26-4=\square$

❸

$38-5=\square$

❹

$44-4=\square$

빨간색 수만큼 /으로 지우고 뺄셈을 하세요.

❺

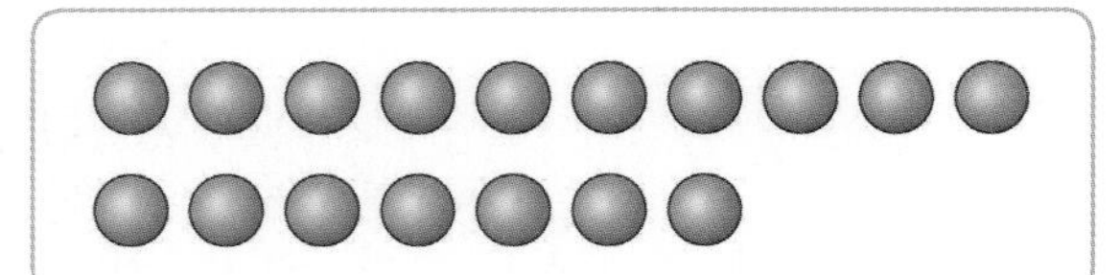

$17-6=\square$

❻

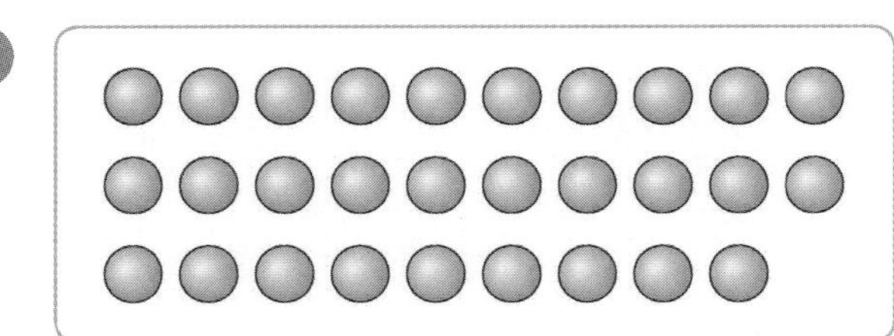

$29-3=\square$

빼셈을 하세요.

❼ $12-1=\square$

❽ $28-6=\square$

❾ $32-1=\square$

❿ $36-4=\square$

⓫ $44-1=\square$

⓬ $49-7=\square$

⓭

	1	6
−		5

⓮

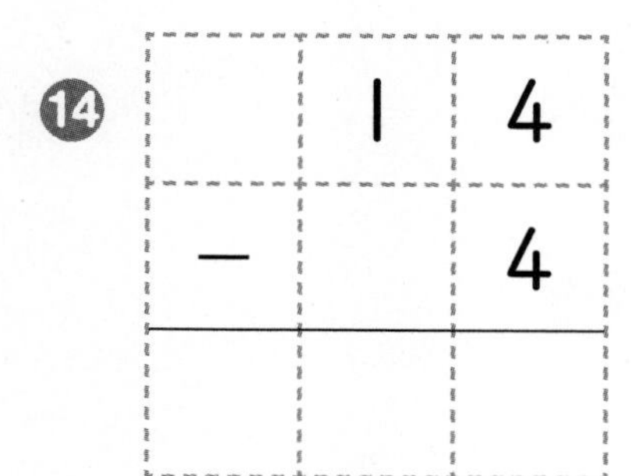

	1	4
−		4

⓯

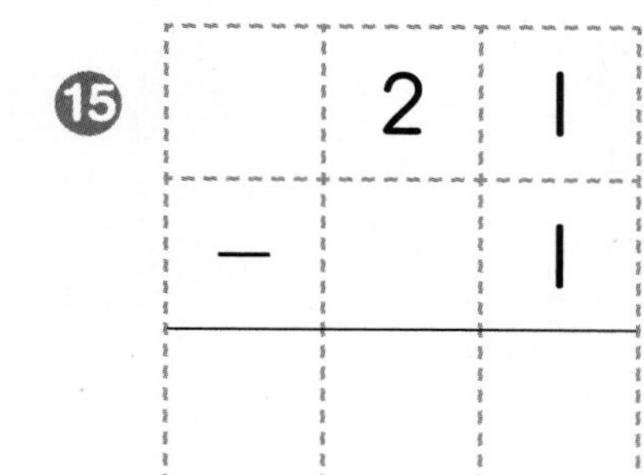

	2	1
−		1

⓰

	2	5
−		3

⓱

	3	7
−		2

⓲

	3	9
−		8

⓳

	4	8
−		6

⓴

	4	6
−		1

제한 시간 안에
정확하게 모두 풀었다면
여러분은 진정한 **계산왕!**

문장제 문제 도전하기

뺄셈을 하세요.

1 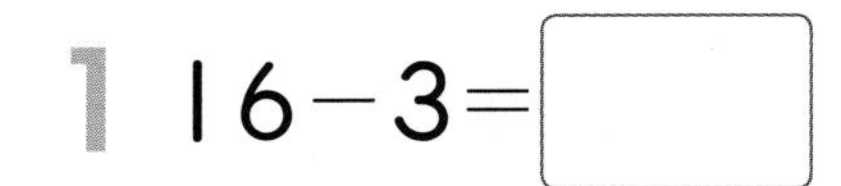

$16-3=\square$ ➜ 분홍색 크레파스는 연두색 크레파스보다 몇 자루 더 많을까요?

이 뺄셈식이 실생활에서 어떤 상황에 이용될까요?

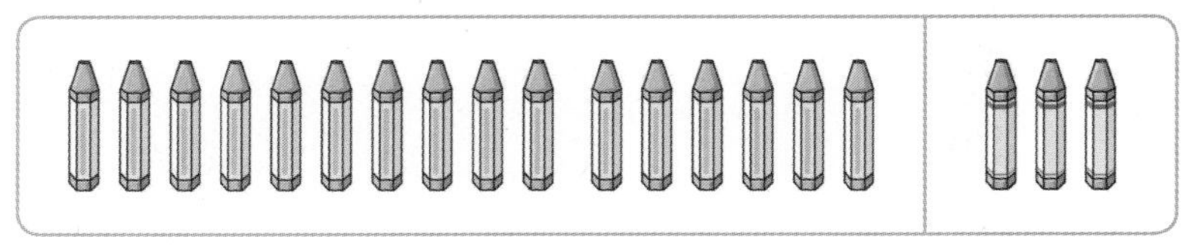

식 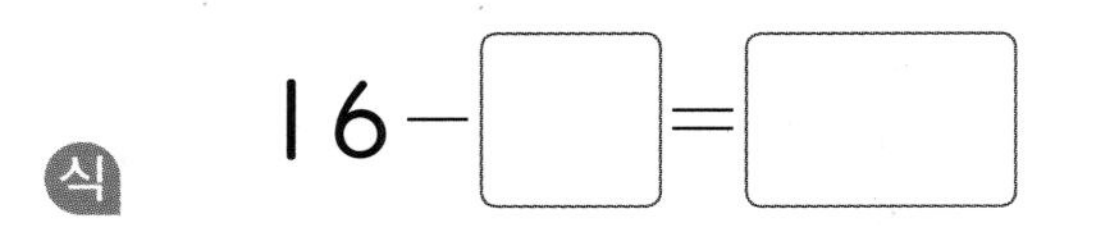 $16-\square=\square$

답 ______ 자루

2 $24-2=\square$ ➜ 우유 24개 중 2개를 마셨습니다. 남은 우유는 몇 개일까요?

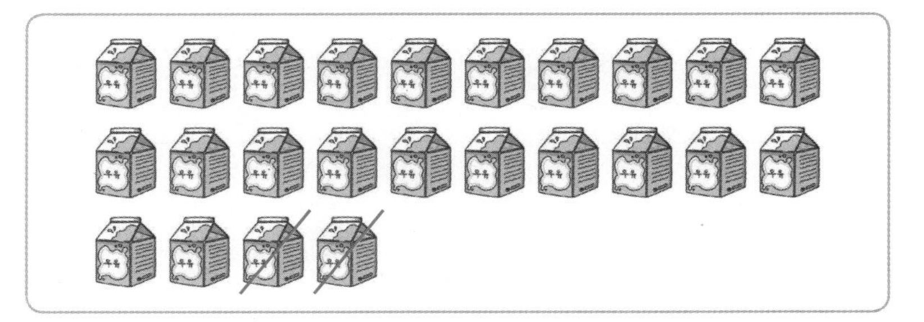

식 $\square-\square=\square$

답 ______ 개

▶정답과 해설 16쪽

문장을 읽고 알맞은 뺄셈식을 세워 답을 구해 보자!

3 옥수수가 45개, 호박이 5개 있습니다.
옥수수는 호박보다 몇 개 더 많을까요?

45 − ☐ = ☐ (개)

4 사탕 35개 중 2개를 먹었습니다.
남은 사탕은 몇 개일까요?

☐ − ☐ = ☐ (개)

5 필통에 있는 연필 19자루 중 4자루를 동생에게 주었습니다.
남은 연필은 몇 자루일까요?

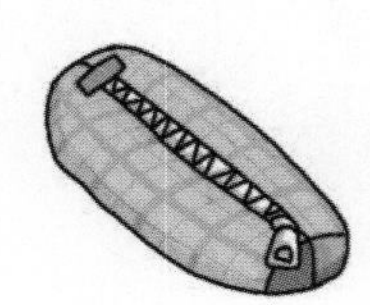 − 

☐ − ☐ = ☐ (자루)

창의·융합·코딩·도전하기

토끼가 좋아하는 먹이는?

빨셈을 하여 알맞은 답을 따라 길을 찾아 가세요.

▶정답과 해설 16쪽

연날리기

빨셈을 하여 알맞은 얼레를 찾아 선으로 이어 보세요.

└ 연줄을 풀었다 감았다 하는 도구

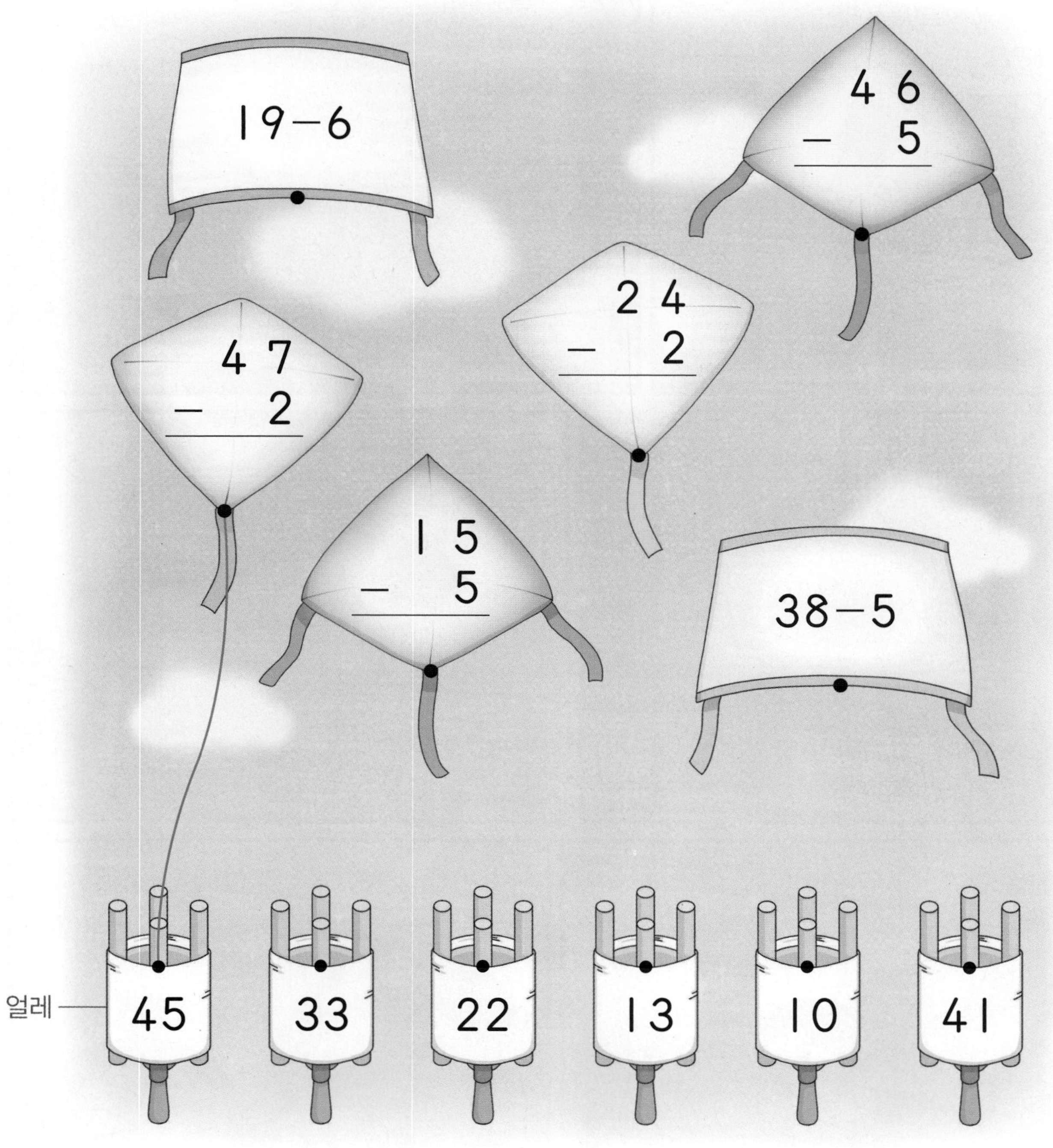

100까지의 수

실생활에서 알아보는 재미있는 수학 이야기

이번에 배울 내용을 알아볼까요?

1일차 몇십, 100 알아보기
2일차 몇십몇 알아보기
3일차 그림 보고 세어 보기
4일차 수의 순서
5일차 1만큼 더 큰 수
6일차 1만큼 더 작은 수
7일차 수의 크기 비교

몇십, 100 알아보기

이렇게 해결하자

• 60, 70, 80, 90, 100 알아보기

10개씩 묶음 6개

60	70	80	90	100
(육십, 예순)	(칠십, 일흔)	(팔십, 여든)	(구십, 아흔)	(백)

수를 세어 □ 안에 알맞은 수를 써넣으세요.

❶ 10개씩 묶음 7개 ➔ □

❷ 10개씩 묶음 8개 ➔ □

❸ 10개씩 묶음 9개 ➔ □

❹

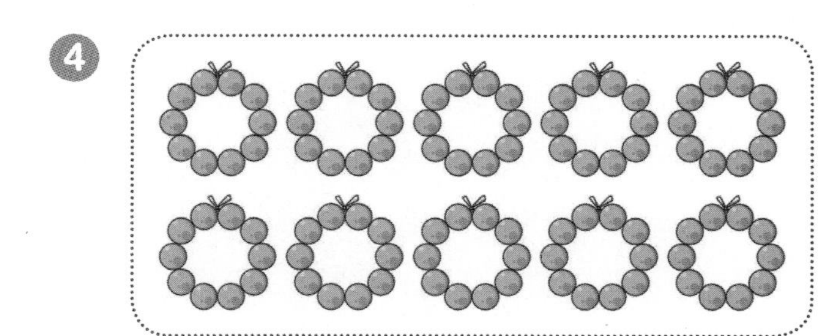

10개씩 묶음 10개 ➔ □

▶ 정답과 해설 17쪽

❺

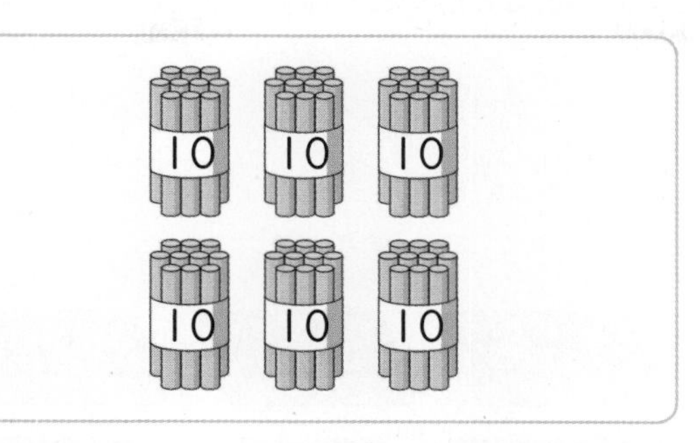

10개씩 묶음 6개 ➔ ☐

❻

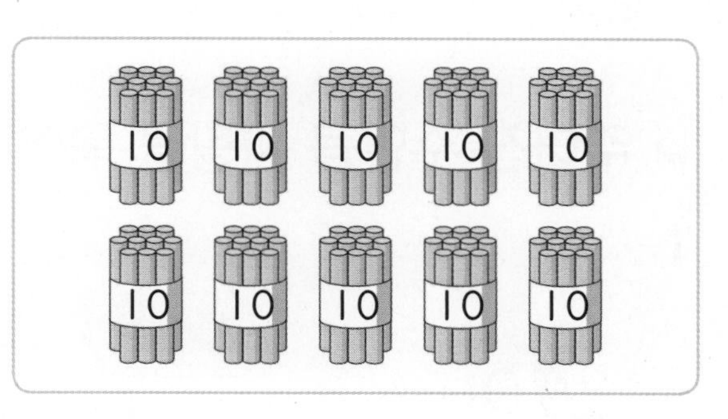

10개씩 묶음 10개 ➔ ☐

❼

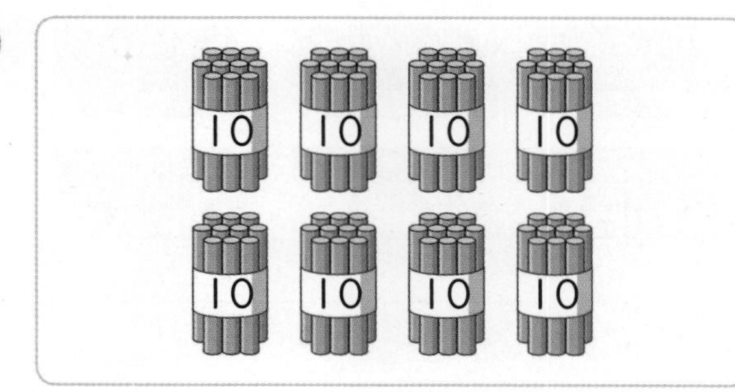

10개씩 묶음 ☐개 ➔ ☐

❽

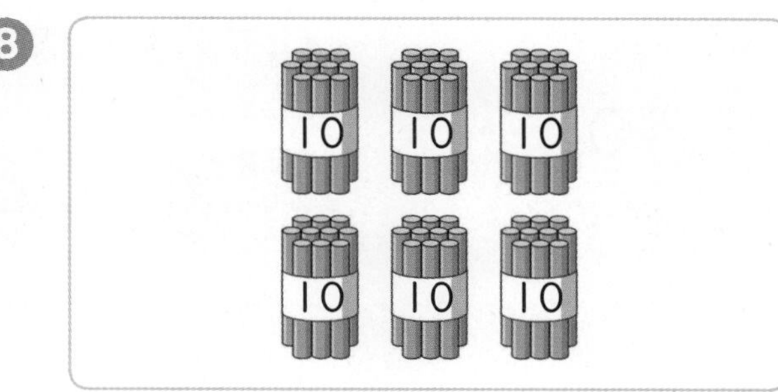

10개씩 묶음 ☐개 ➔ ☐

❾

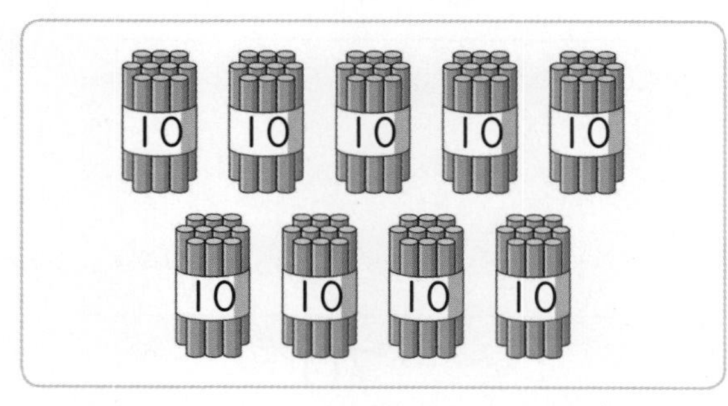

10개씩 묶음 

❿

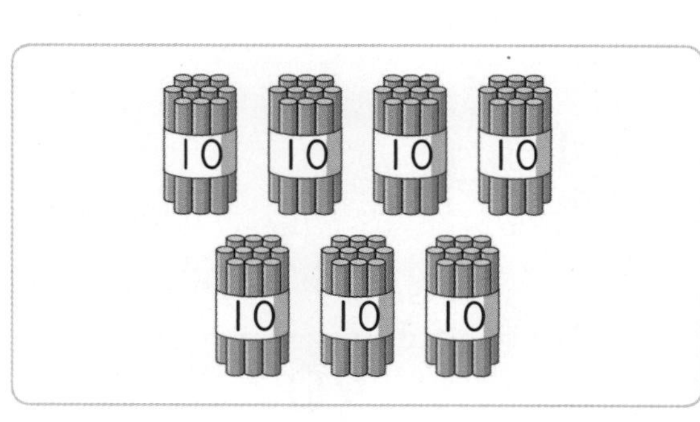

10개씩 묶음 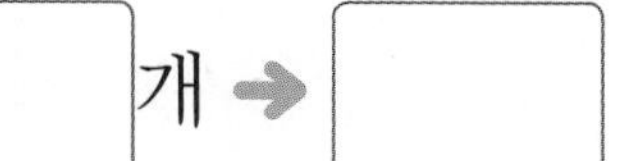

1 일차

몇십, 100 알아보기

주어진 수만큼 사탕을 묶어 보세요.

1

70

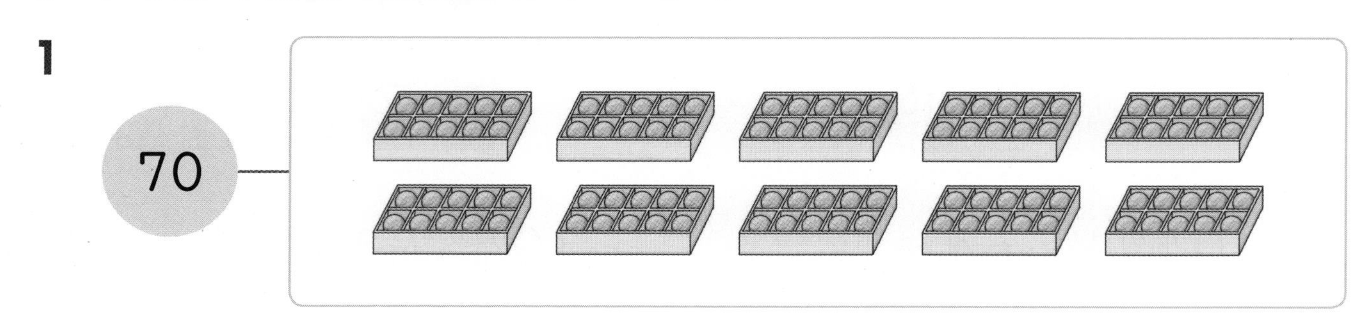

2

100

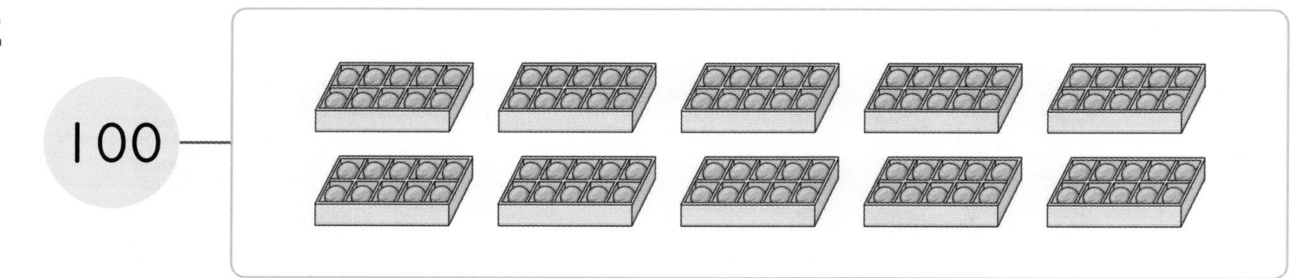

수를 바르게 읽은 것에 ○표 하세요.

3

60	
육십	일흔

4

80	
오십	여든

5

90	
구공	아흔

6

70	
칠십	십칠

제한 시간 5분

플러스 계산 연습

맞은 개수 / 14개

▶ 정답과 해설 17쪽

생활 속 문제

지갑에 들어 있는 돈은 모두 얼마인지 쓰세요.

7

□원

8

□원

9

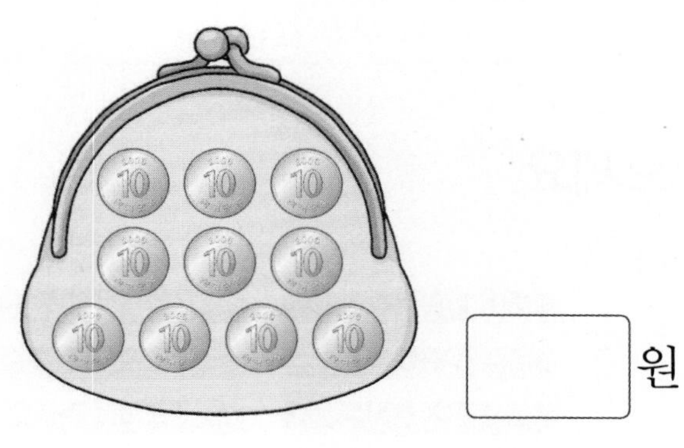

□원

10

□원

문장 읽고 문제 해결하기

11 10개씩 묶음이 8개인 수는 얼마일까요?

답 ____________

12 10개씩 묶음이 10개인 수는 얼마일까요?

답 ____________

13 70을 두 가지로 읽어 보세요.

읽기 ____________ , ____________

14 90을 두 가지로 읽어 보세요.

읽기 ____________ , ____________

2 일차 몇십몇 알아보기

이렇게 해결하자

• 64 알아보기

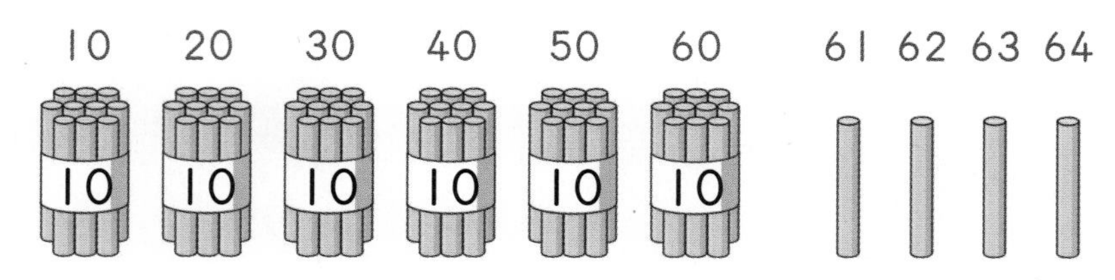

10개씩 묶음	낱개
6	4

➔ 64 (육십사, 예순넷)

수를 세어 빈칸에 알맞은 수를 써넣으세요.

❶

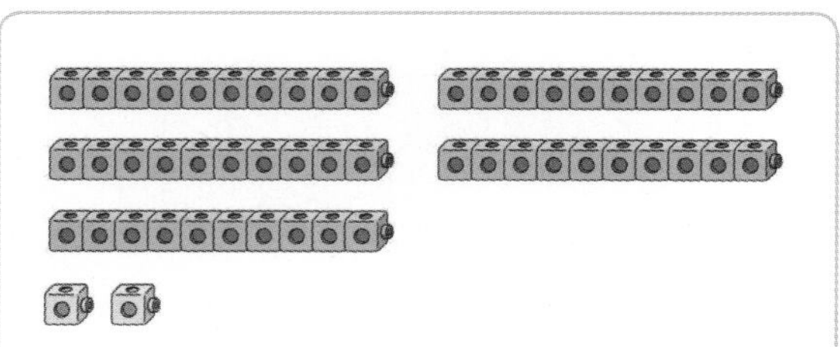

10개씩 묶음	낱개
5	2

➔ ☐

❷

10개씩 묶음	낱개
6	8

➔ ☐

❸

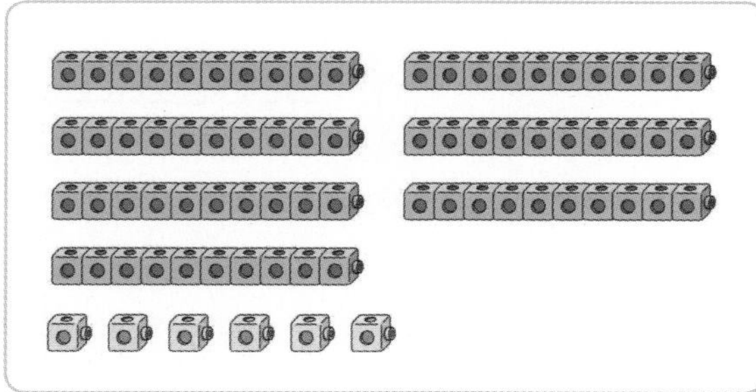

10개씩 묶음	낱개
7	6

➔ ☐

❹

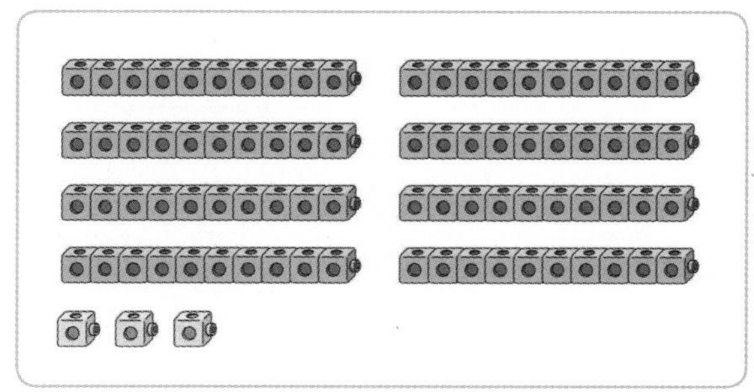

10개씩 묶음	낱개
8	3

➔ ☐

▶ 정답과 해설 17쪽

5

10개씩 묶음	낱개
	5

→

6

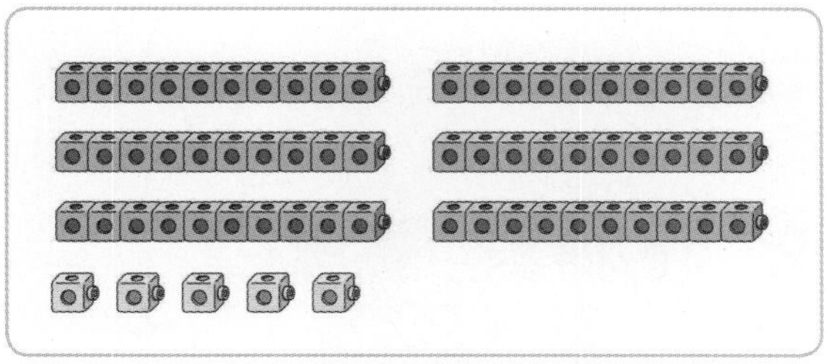

10개씩 묶음	낱개
	9

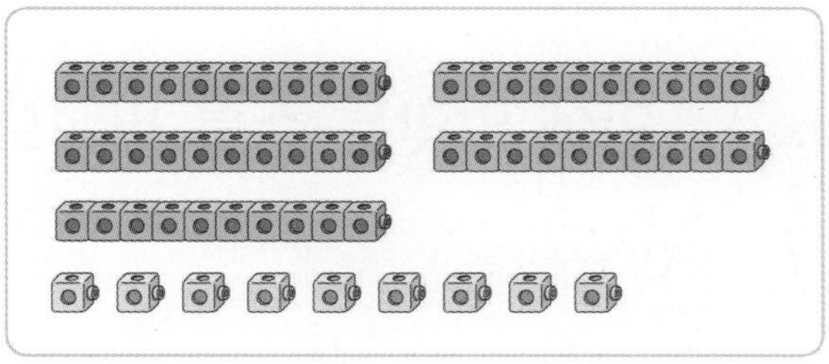

→

7

10개씩 묶음	낱개
	2

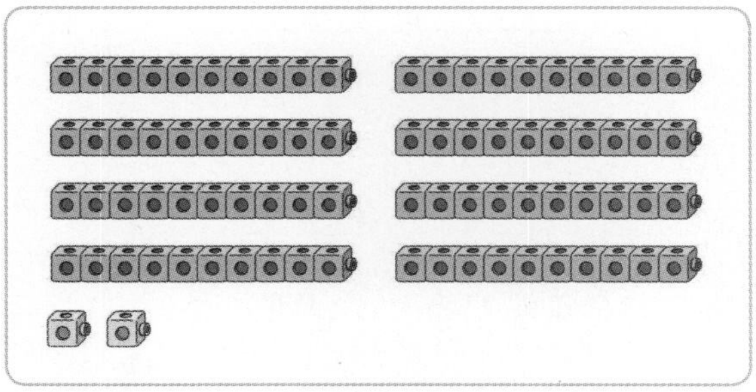

→

8

10개씩 묶음	낱개
7	

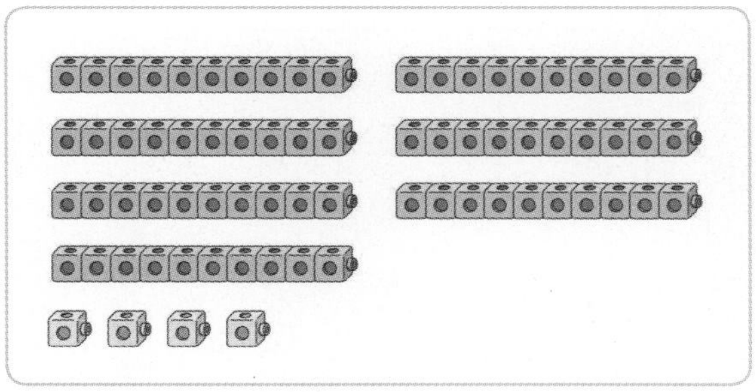

→

9

10개씩 묶음	낱개
9	

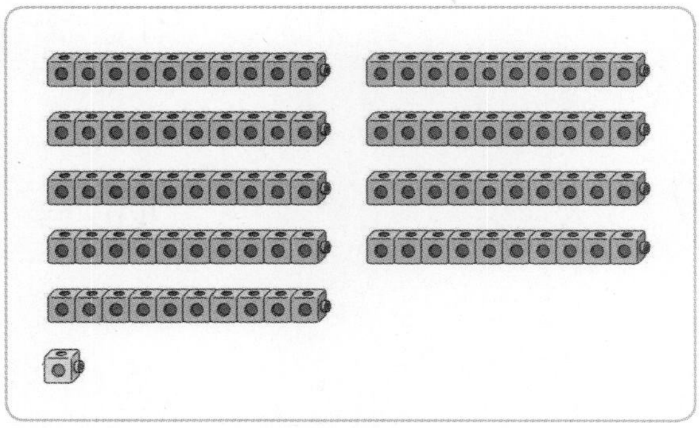

→

10

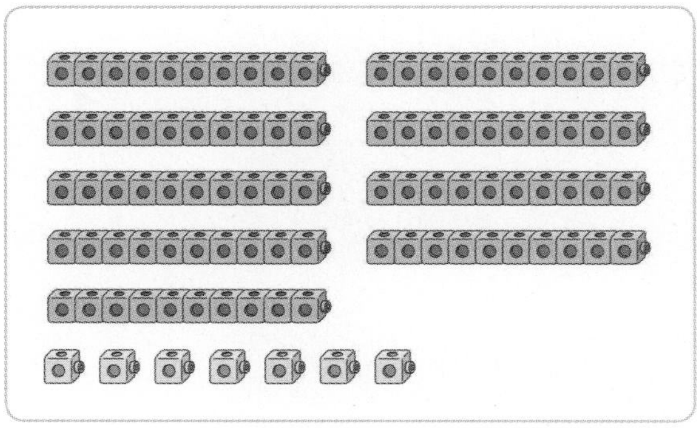

10개씩 묶음	낱개
9	

→

2 일차

몇십몇 알아보기

□ 안에 알맞은 수를 써넣으세요.

1

10개씩 묶음	낱개
7	3

→ □

2

10개씩 묶음	낱개
8	5

→ □

3

10개씩 묶음	낱개
5	7

→ □

4

10개씩 묶음	낱개
9	4

→ □

5

10개씩 묶음	낱개
8	8

→ □

6

10개씩 묶음	낱개
6	1

→ □

7 수가 같은 것끼리 선으로 이어 보세요.

칠십구 •	• 62 •	• 여든넷
팔십사 •	• 79 •	• 예순둘
육십이 •	• 84 •	• 아흔여섯
구십육 •	• 96 •	• 일흔아홉

플러스 계산 연습

맞은 개수 / 15개

▶ 정답과 해설 17쪽

생활 속 문제

지갑에 들어 있는 돈은 모두 얼마인지 쓰세요.

8

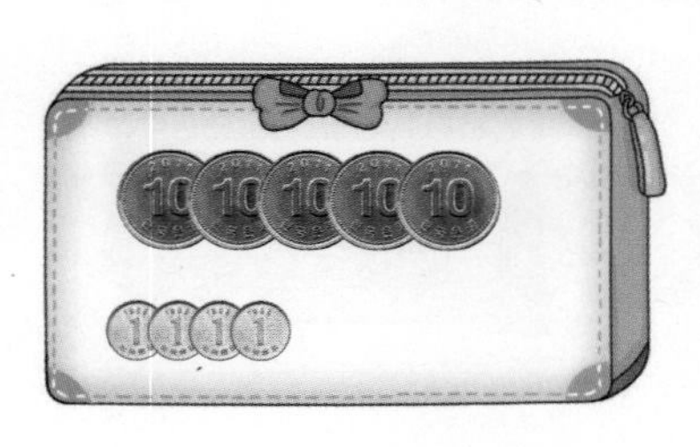

□원

9

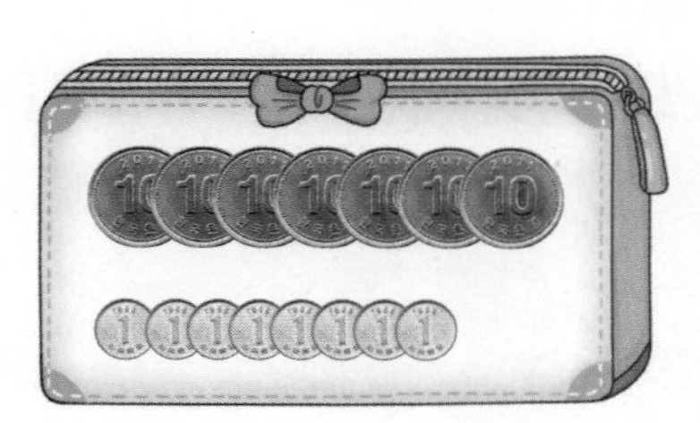

□원

10

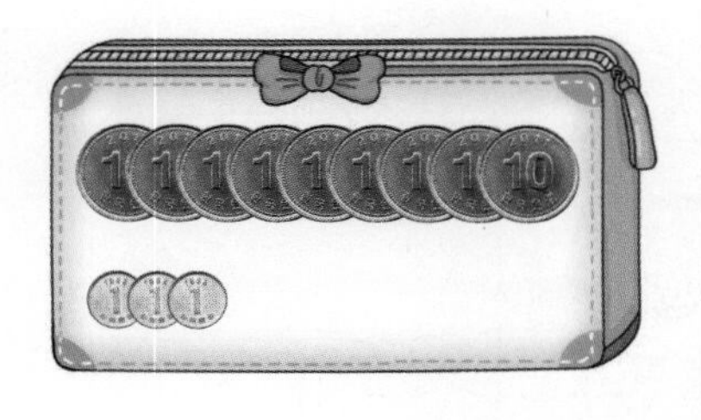

□원

11

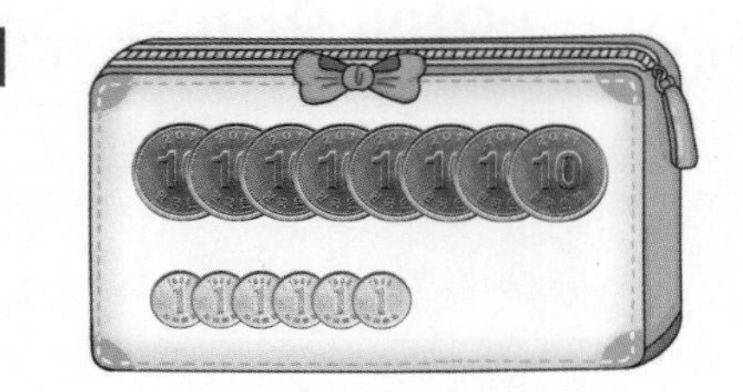

□원

문장 읽고 문제 해결하기

12

10개씩 묶음 6개와 낱개 7개인 수는 얼마일까요?

답 ____________

13

10개씩 묶음 7개와 낱개 2개인 수는 얼마일까요?

답 ____________

14

95를 두 가지로 읽어 보세요.

읽기 ____________, ____________

15

81을 두 가지로 읽어 보세요.

읽기 ____________, ____________

3 일차

그림 보고 세어 보기

이렇게 해결하자

• 달걀은 모두 몇 개인지 세어 보기

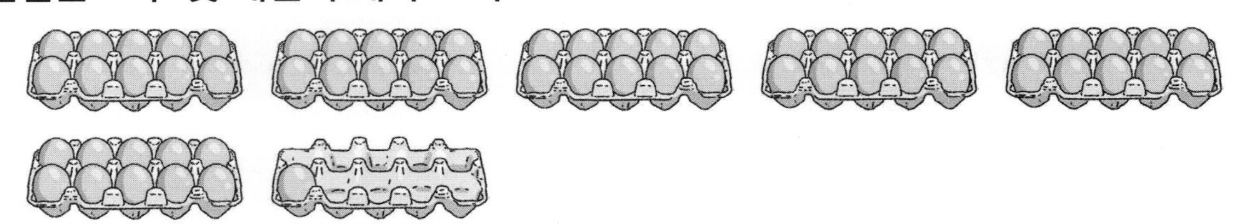

10개씩 묶음 6개와 낱개 1개 ➔ 61

수를 세어 □ 안에 알맞은 수를 써넣으세요.

1

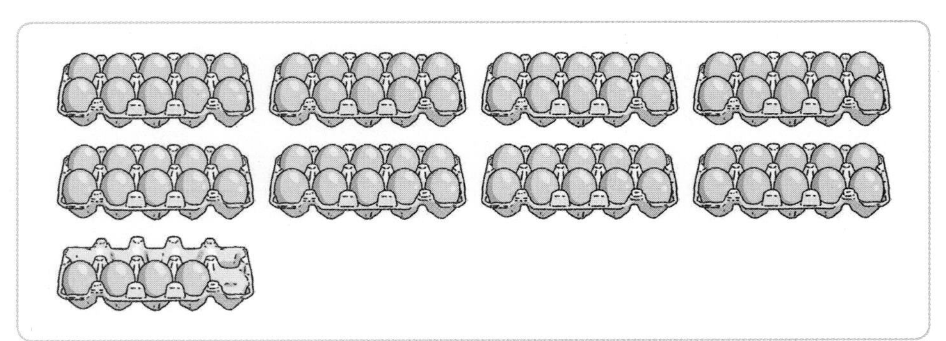

□

2

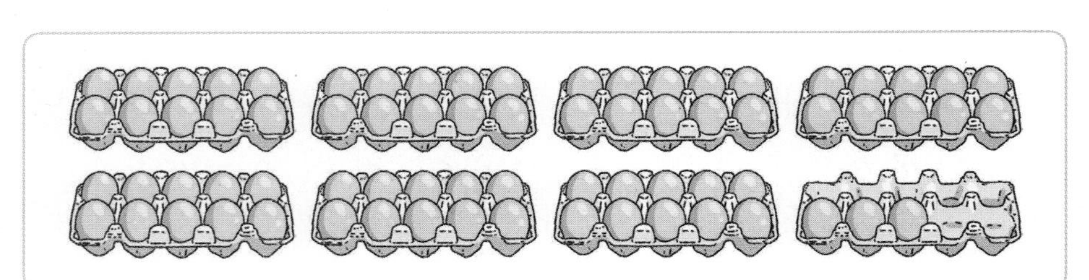

□

3

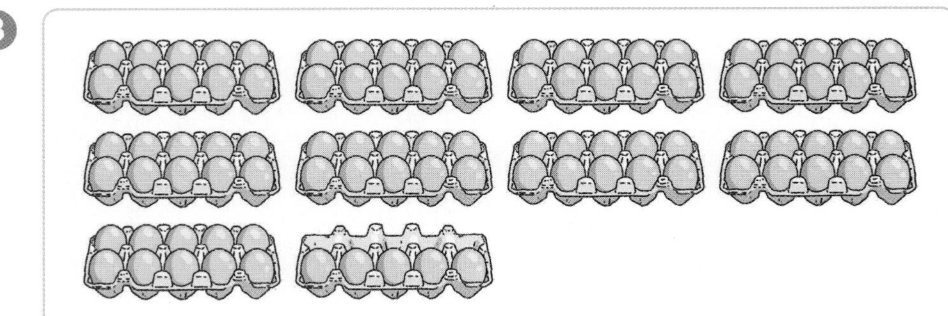

□

맞은 개수 / 8개

▶ 정답과 해설 17쪽

4

5

6

7

8

3 일차

그림 보고 세어 보기

| 0개씩 묶어 보고, 수를 세어 ☐ 안에 알맞은 수를 써넣으세요.

1

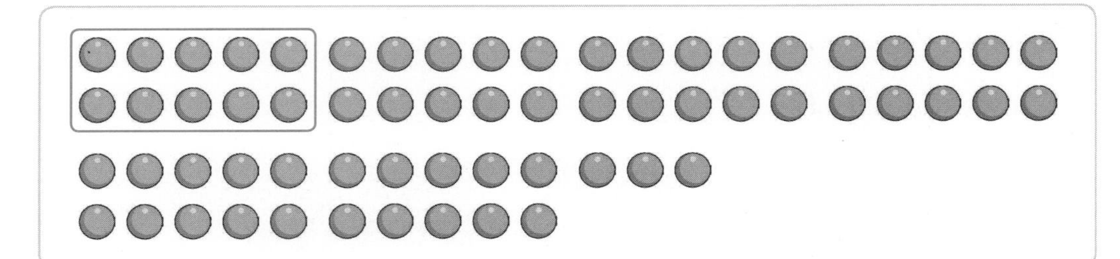

2

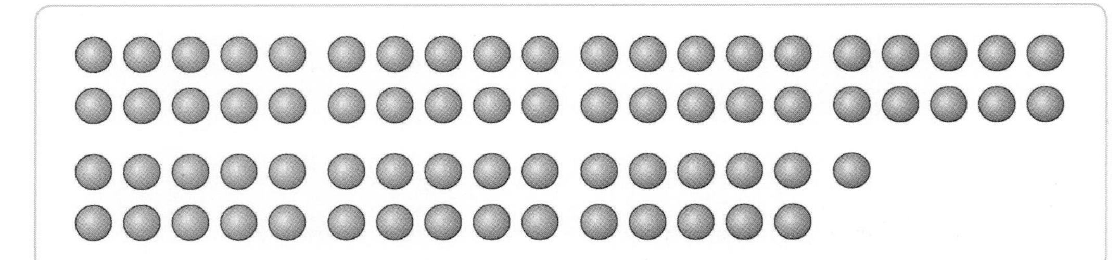

3

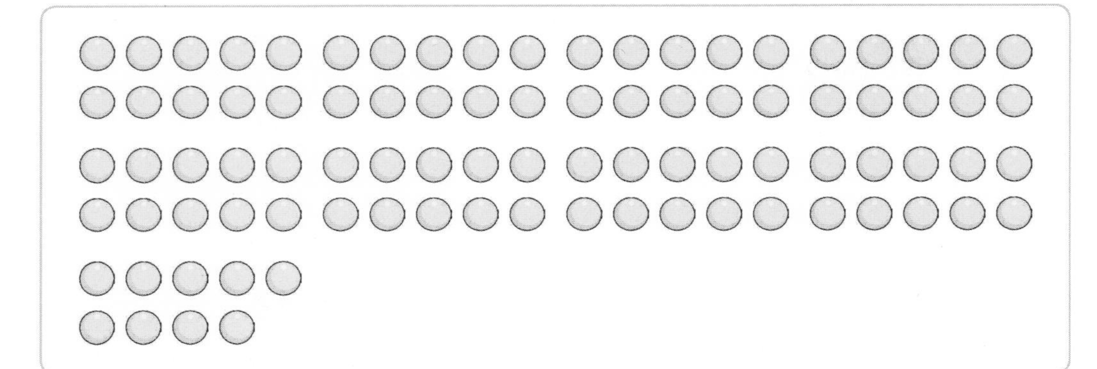

4

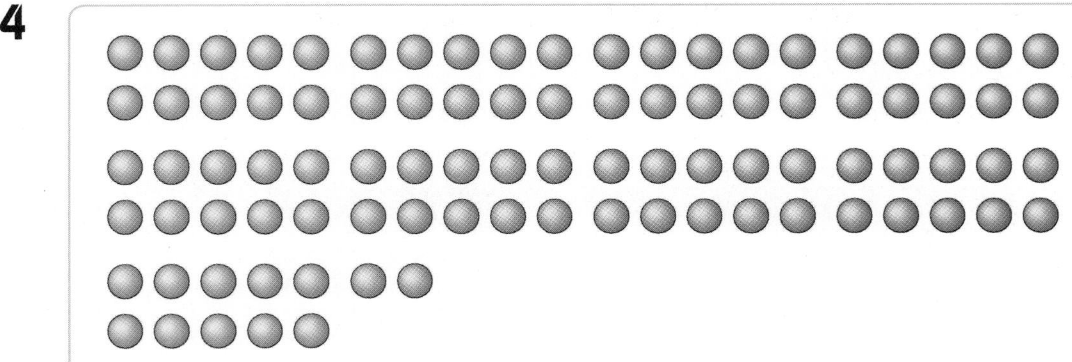

플러스 계산 연습

맞은 개수 / 10개

▶ 정답과 해설 18쪽

생활 속 문제

수를 세어 ☐ 안에 알맞은 수를 써넣으세요.

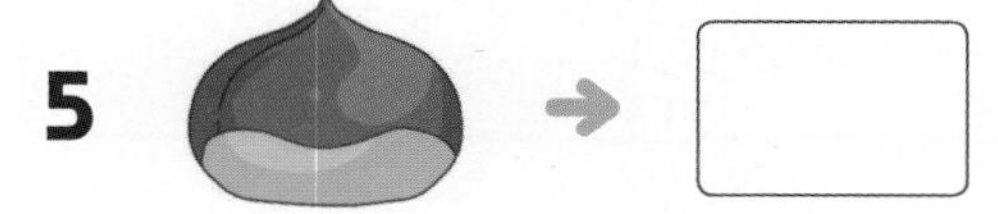

5 → ☐

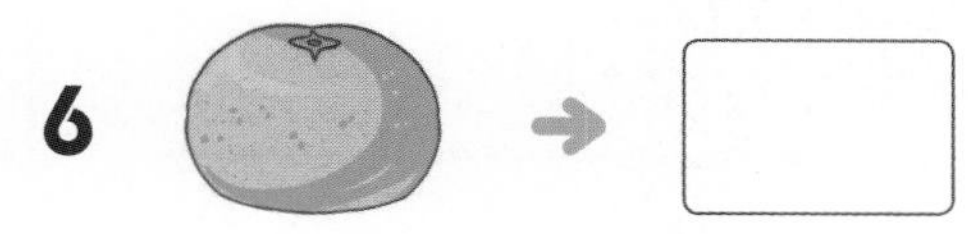

6 → ☐

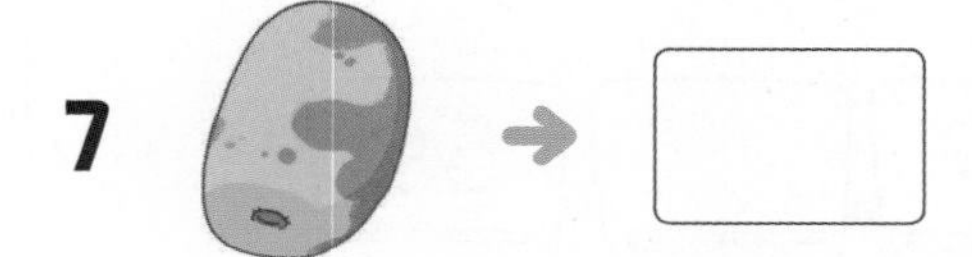

7 → ☐

8 → ☐

문장 읽고 문제 해결하기

9 흰색 바둑돌은 몇 개인지 세어 보세요.

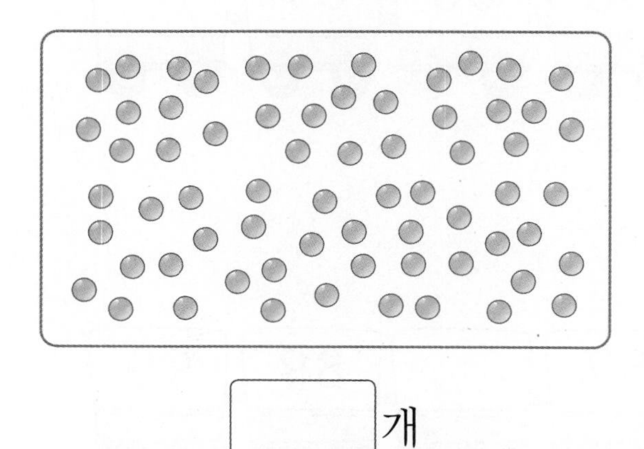

☐개

10 검은색 바둑돌은 몇 개인지 세어 보세요.

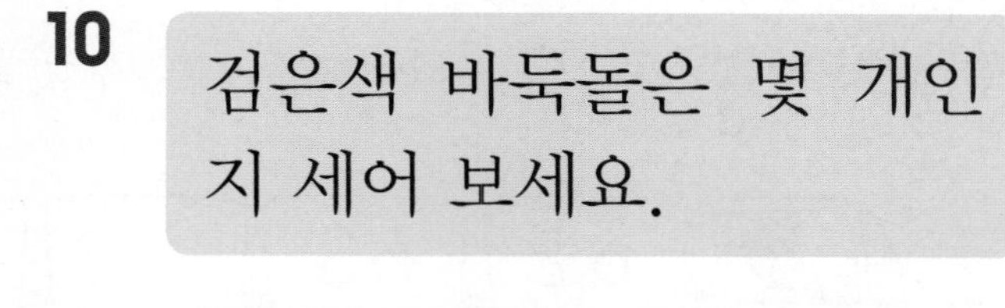

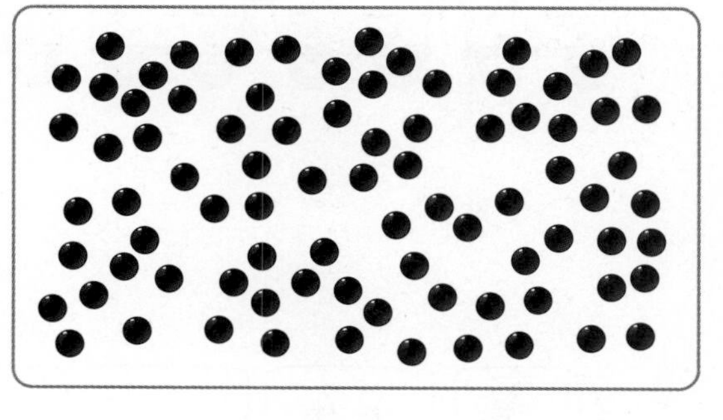

☐개

수의 순서

이렇게 해결하자

• 수의 순서

51	52	53	54	55	56	57	58	59	60
61	62	63	64	65	66	67	68	69	70
71	72	73	74	75	76	77	78	79	80
81	82	83	84	85	86	87	88	89	90
91	92	93	94	95	96	97	98	99	100

91 다음의 수는 92

100 바로 앞의 수는 99

수의 순서에 맞게 빈칸에 알맞은 수를 써넣으세요.

1

2
62 63 65 66 67

3

제한 시간 3분

기초 계산 연습

맞은 개수 / 11개

▶ 정답과 해설 18쪽

❹

❺

❻

❼

❽

54	55	

❾

77		79

❿ ⓫

수의 순서

수의 순서대로 선을 그어 보세요.

1 출발

53	54	57	70
51	55	60	52
66	56	63	61
50	57	58	59

도착

2 출발

70	71	72	81
79	69	73	92
68	77	74	75
83	65	78	76

도착

수를 거꾸로 세어 빈칸에 알맞은 수를 써넣으세요.

3

64

( )

4

87

85

5

( )

제한 시간 5분

플러스 계산 연습

맞은 개수 / 10개

▶ 정답과 해설 18쪽

생활 속 문제

6 수의 순서대로 사물함에 번호를 쓰세요.

문장 읽고 문제 해결하기

7 67 다음의 수는 얼마일까요?

답 ______

8 93 다음의 수는 얼마일까요?

답 ______

9 75 바로 앞의 수는 얼마일까요?

답 ______

10 87 바로 앞의 수는 얼마일까요?

답 ______

1만큼 더 큰 수

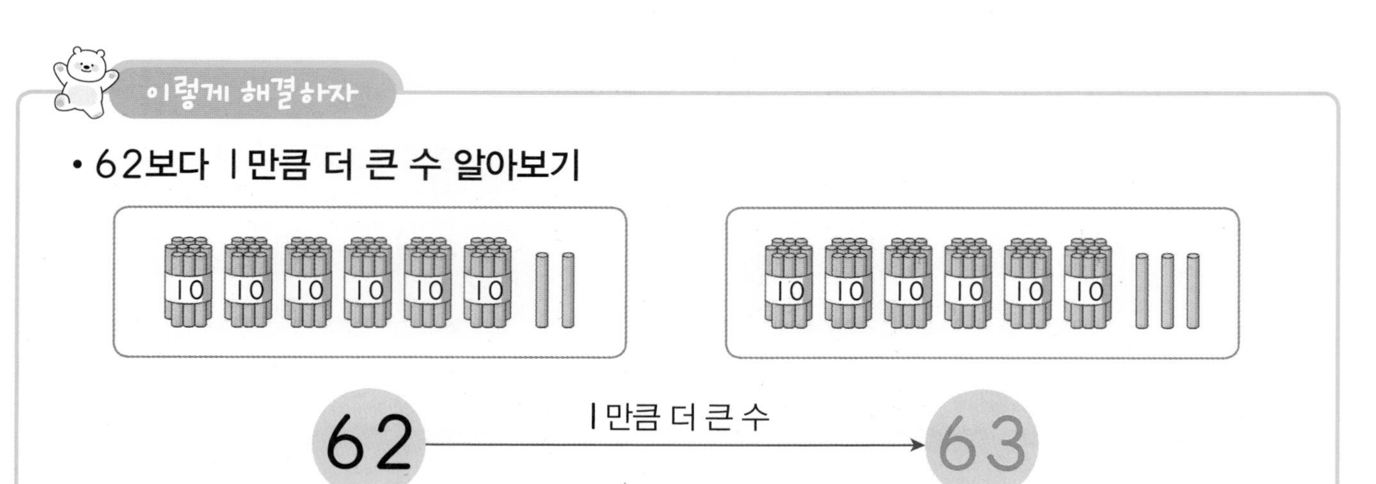

그림을 보고 □ 안에 알맞은 수를 써넣으세요.

❶

56 —1만큼 더 큰 수→ □

❷

74 —1만큼 더 큰 수→ □

❸

60 —1만큼 더 큰 수→ □

제한 시간 3분

기초 계산 연습

맞은 개수 / 11개

▶ 정답과 해설 18쪽

그림의 수보다 1만큼 더 큰 수를 쓰세요.

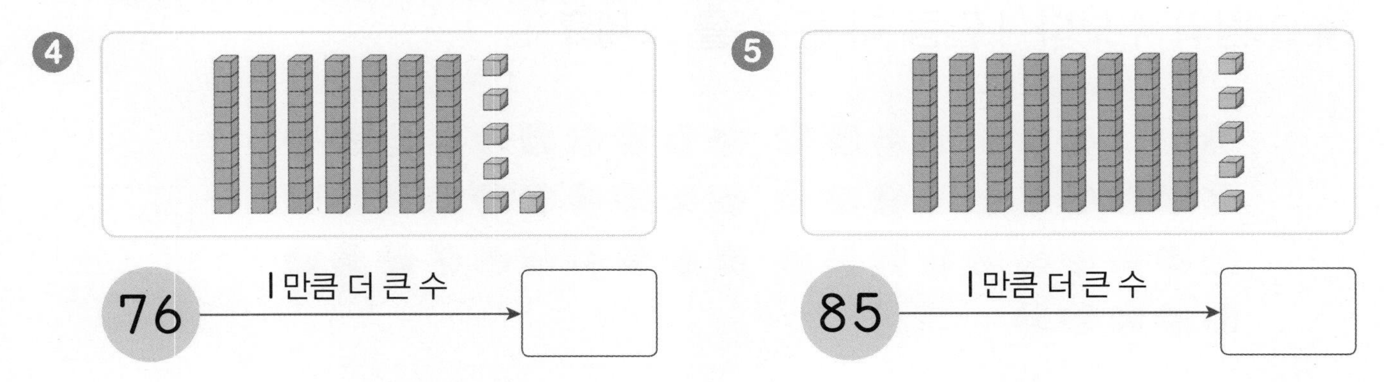

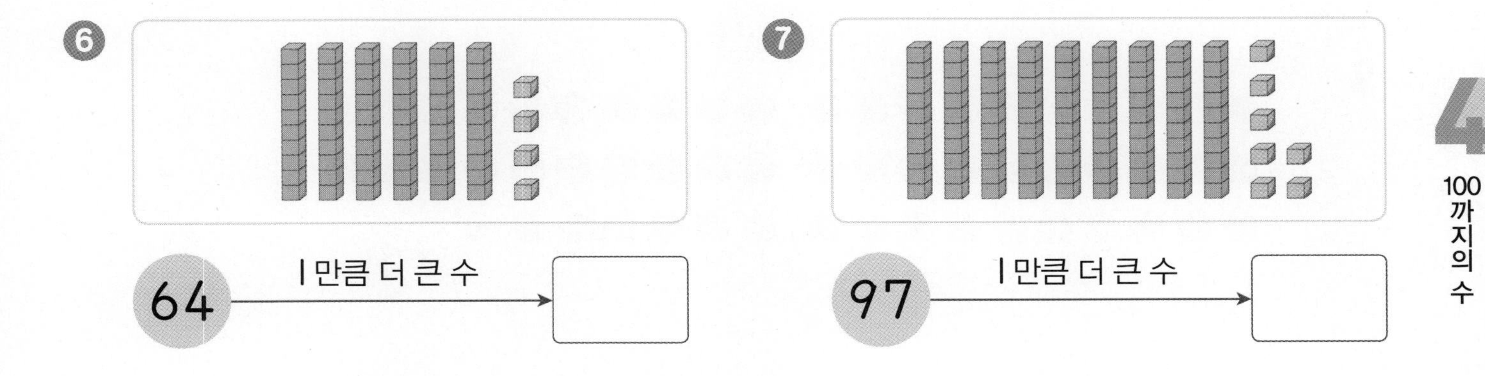

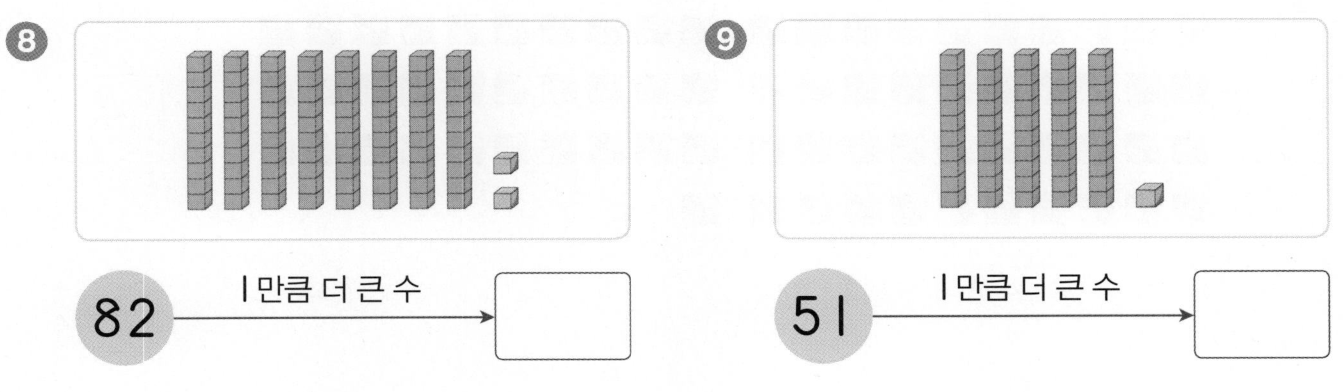

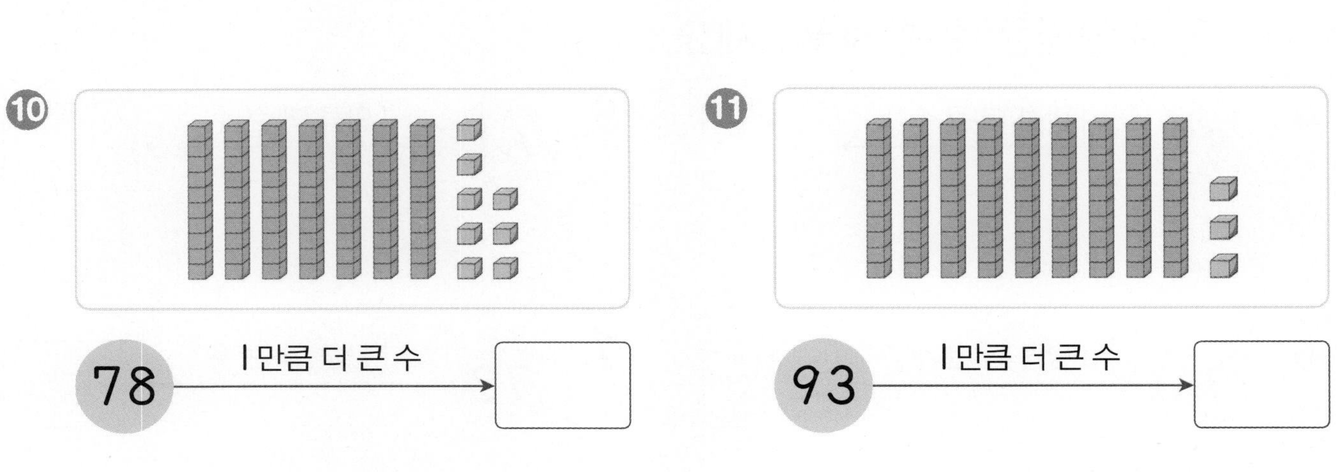

5 일차 1만큼 더 큰 수

그림의 수보다 1만큼 더 큰 수를 쓰세요.

1

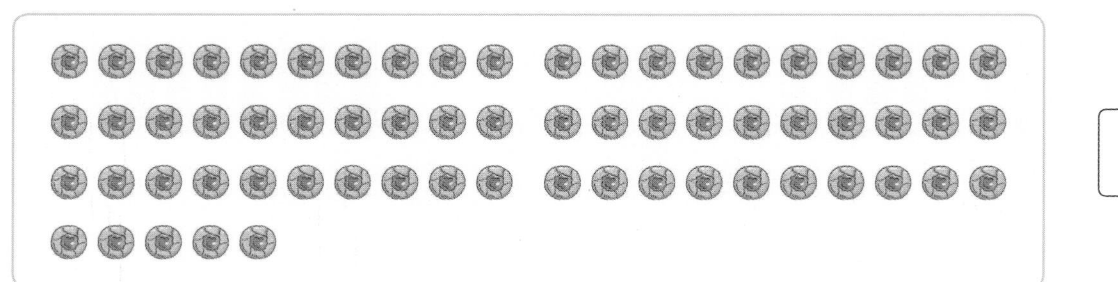

☐

2

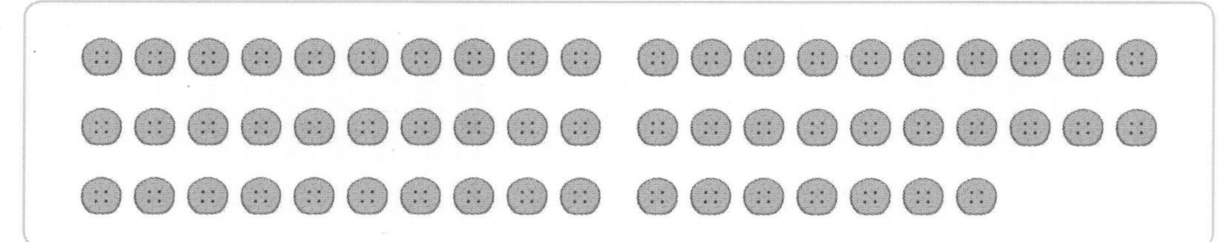

☐

3

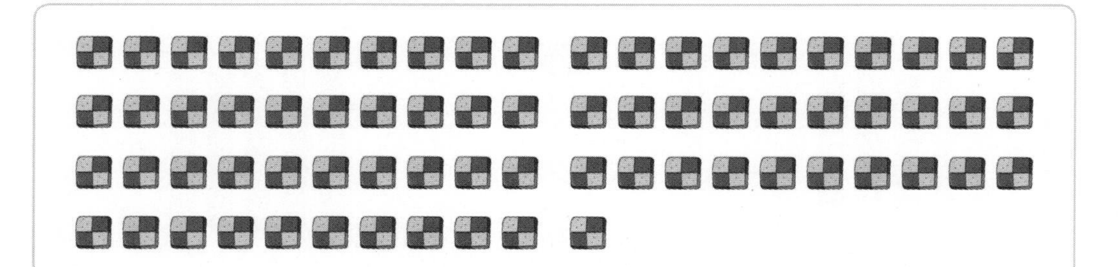

☐

☐ 안에 알맞은 수를 써넣으세요.

4 87 —1만큼 더 큰 수→ ☐

5

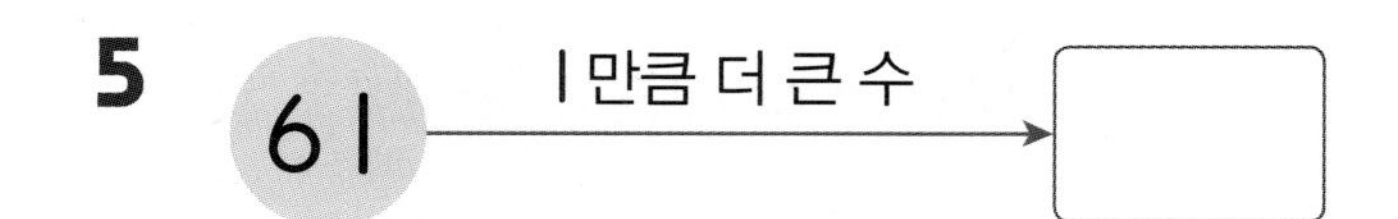

6 94 —1만큼 더 큰 수→ ☐

7 73 —1만큼 더 큰 수→ ☐

제한 시간 5분

플러스 계산 연습

맞은 개수 / 15개

▶ 정답과 해설 19쪽

생활 속 문제

다람쥐가 도토리를 하나 더 모았습니다. 도토리는 몇 개인지 구하세요.

8 68개

☐ 개

9 86개

☐ 개

10 99개

☐ 개

11 77개

☐ 개

문장 읽고 문제 해결하기

12 92보다 1만큼 더 큰 수는 얼마일까요?

답 ________

13 54보다 1만큼 더 큰 수는 얼마일까요?

답 ________

14 67보다 1만큼 더 큰 수는 얼마일까요?

답 ________

15 81보다 1만큼 더 큰 수는 얼마일까요?

답 ________

6 일차

1만큼 더 작은 수

이렇게 해결하자

• 55보다 1만큼 더 작은 수 알아보기

55 —1만큼 더 작은 수→ 54

그림을 보고 □ 안에 알맞은 수를 써넣으세요.

1

63 —1만큼 더 작은 수→ □

2

57 —1만큼 더 작은 수→ □

3

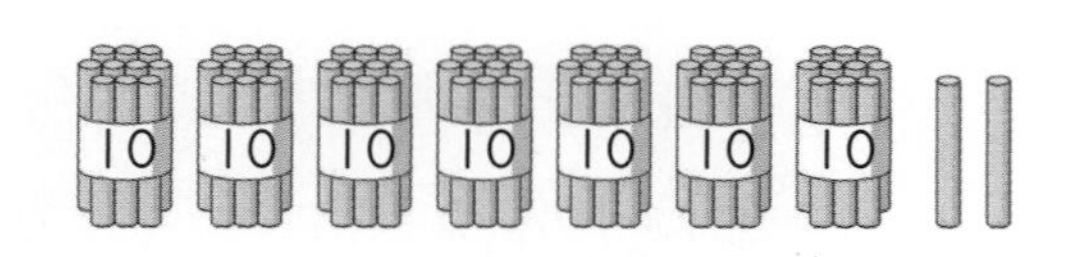
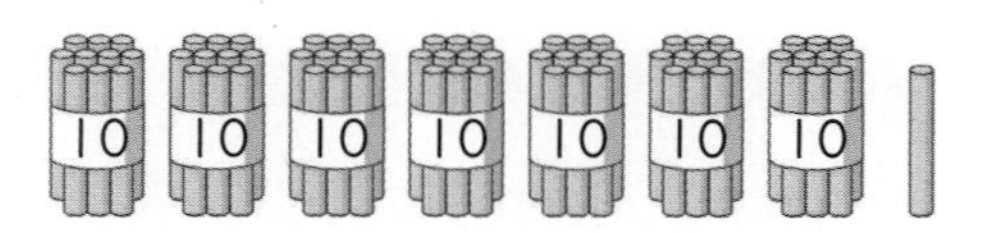

72 —1만큼 더 작은 수→ □

제한 시간 3분

기초 계산 연습

맞은 개수 / 11개

▶ 정답과 해설 19쪽

그림의 수보다 1만큼 더 작은 수를 쓰세요.

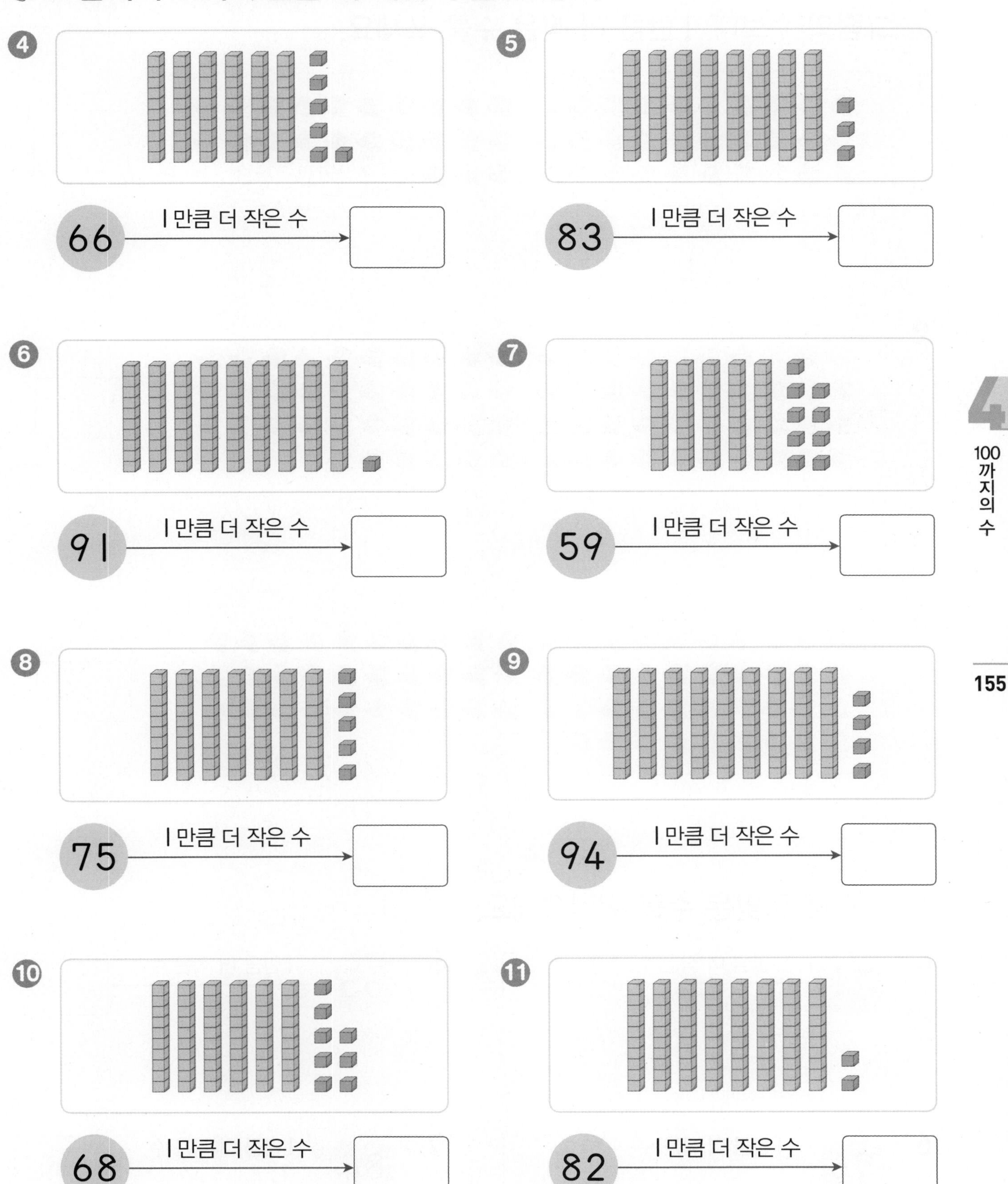

6 일차

1만큼 더 작은 수

그림의 수보다 1만큼 더 작은 수를 쓰세요.

1

2

3

☐ 안에 알맞은 수를 써넣으세요.

4 71 —1만큼 더 작은 수→ ☐

5 65 —1만큼 더 작은 수→ ☐

6 96 —1만큼 더 작은 수→ ☐

7 84 —1만큼 더 작은 수→ ☐

▶ 정답과 해설 19쪽

생활 속 문제

8 알맞은 번호가 적힌 버스를 찾아 선으로 이어 보세요.

98보다 1만큼 더 작은 수

89보다 1만큼 더 작은 수

79보다 1만큼 더 작은 수

문장 읽고 문제 해결하기

9 64보다 1만큼 더 작은 수는 얼마일까요?

답 ______

10 52보다 1만큼 더 작은 수는 얼마일까요?

답 ______

11 88보다 1만큼 더 작은 수는 얼마일까요?

 ______

12 95보다 1만큼 더 작은 수는 얼마일까요?

답 ______

수의 크기 비교

이렇게 해결하자

• 63과 57의 크기 비교 → 10개씩 묶음의 수가 다른 경우

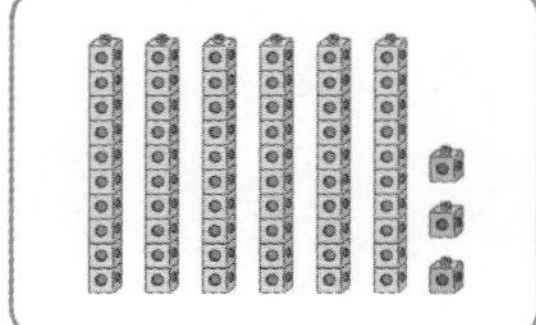
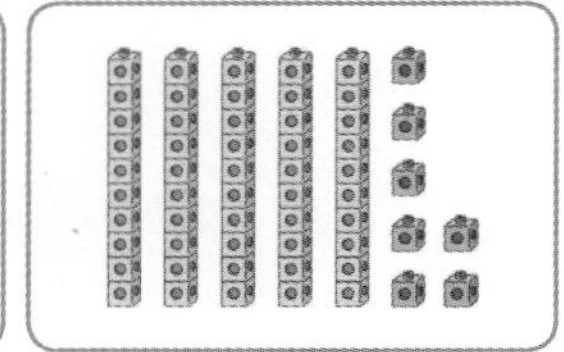

63 → 10개씩 묶음 6개

57 → 10개씩 묶음 5개

→ 63은 57보다 큽니다.
57은 63보다 작습니다.

• 52와 55의 크기 비교 → 10개씩 묶음의 수가 같은 경우

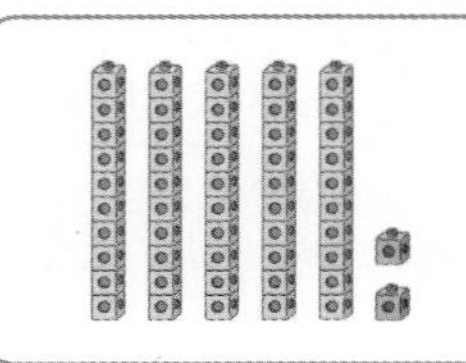
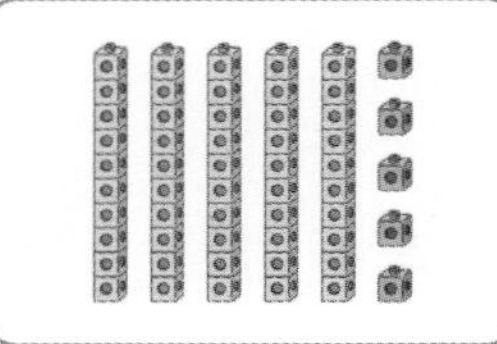

52 → 낱개 2개

55 → 낱개 5개

→ 52는 55보다 작습니다.
55는 52보다 큽니다.

그림을 보고 알맞은 말에 ○표 하세요.

❶

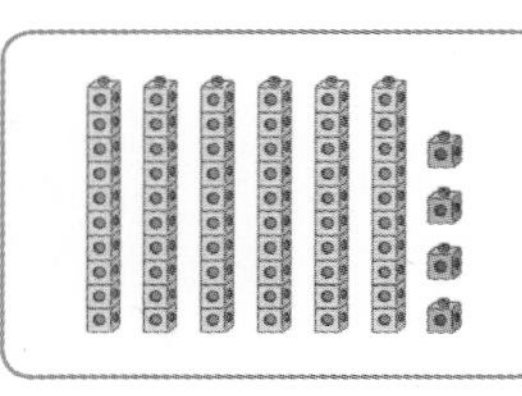

80 64

→ 80은 64보다
(큽니다 , 작습니다).

❷

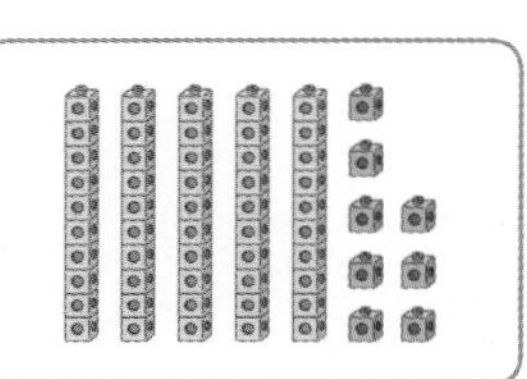

58 71

→ 58은 71보다
(큽니다 , 작습니다).

❸

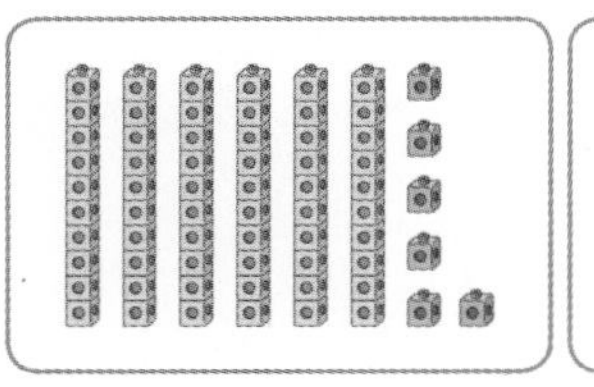

66 62

→ 66은 62보다
(큽니다 , 작습니다).

❹

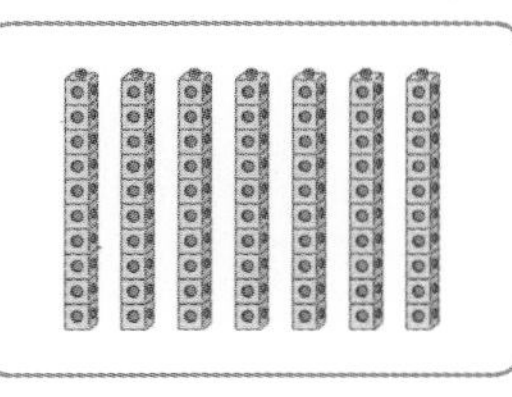

70 75

→ 70은 75보다
(큽니다 , 작습니다).

기초 계산 연습

맞은 개수 / 12개

▶ 정답과 해설 19쪽

그림을 보고 더 큰 수에 ○표 하세요.

❺

56	83

❻

61	90

❼

69	67

❽

76	72

그림을 보고 더 작은 수에 △표 하세요.

❾

74	68

❿

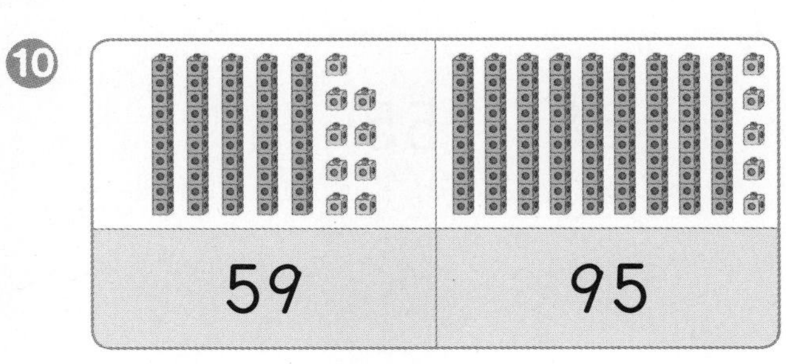

59	95

⓫

53	51

⓬

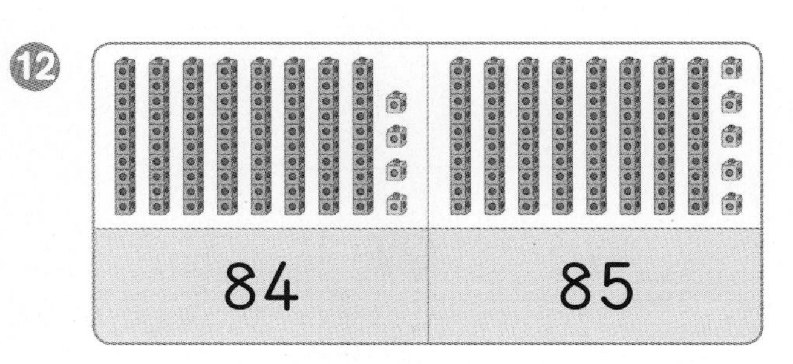

84	85

7 일차 수의 크기 비교

더 큰 수에 ○표 하세요.

1

52	60

2

97	89

3

57	50

4

78	73

5

77	54

6

92	96

더 작은 수에 △표 하세요.

7

88	55

8

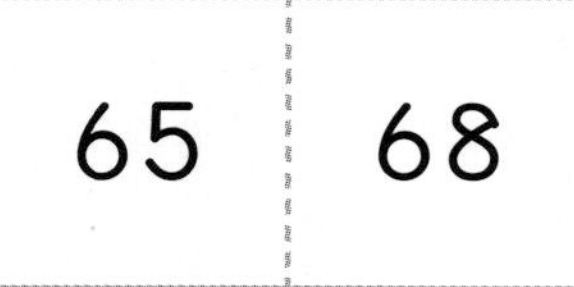

65	68

9

75	93

10

99	63

11

91	94

12

81	86

제한 시간 5분

플러스 계산 연습

맞은 개수 / 20개

▶ 정답과 해설 20쪽

생활 속 문제

학용품 수를 보고 □ 안에 알맞은 수를 써넣으세요.

13 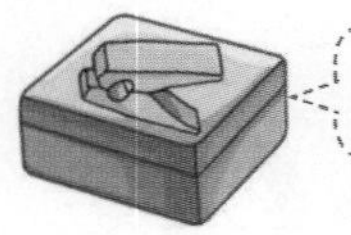 65개  58개

65는 □보다 큽니다.

14  92개  77개

□은 92보다 작습니다.

15  71개 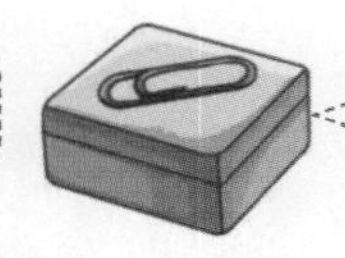 76개

□은 □보다 작습니다.

16  80개  83개

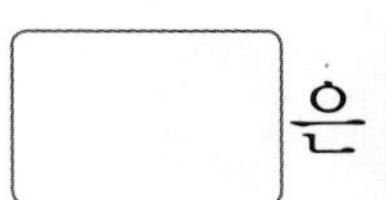

□은 □보다 큽니다.

문장 읽고 문제 해결하기

17 87과 64 중 더 큰 수를 쓰세요.

답 ____________

18 95와 98 중 더 큰 수를 쓰세요.

답 ____________

19 56과 72 중 더 작은 수를 쓰세요.

답 ____________

20 69와 63 중 더 작은 수를 쓰세요.

답 ____________

SPEED 연산력 TEST

수를 세어 ☐ 안에 알맞은 수를 써넣으세요.

❶
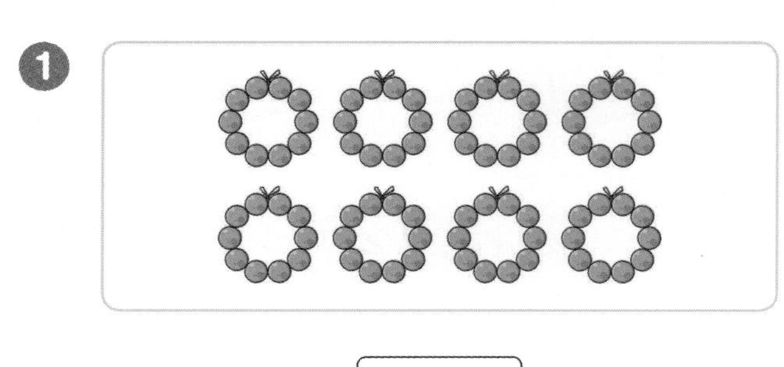

☐

❷
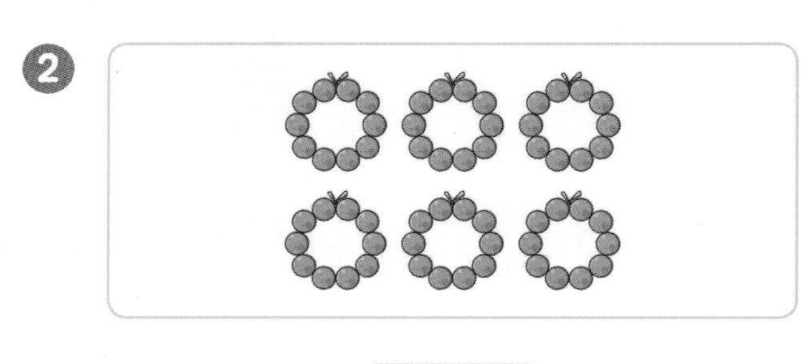

☐

❸
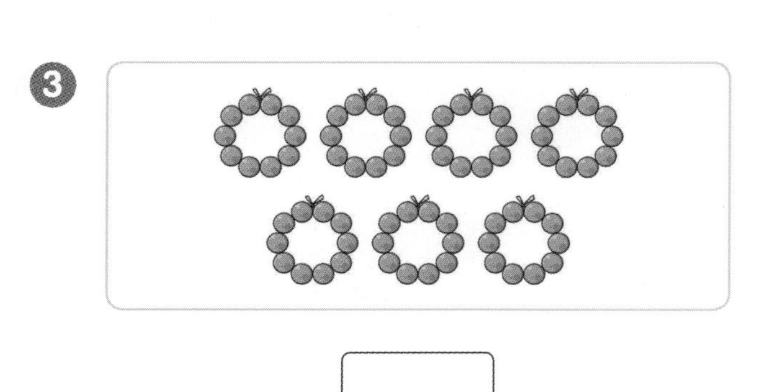

☐

❹
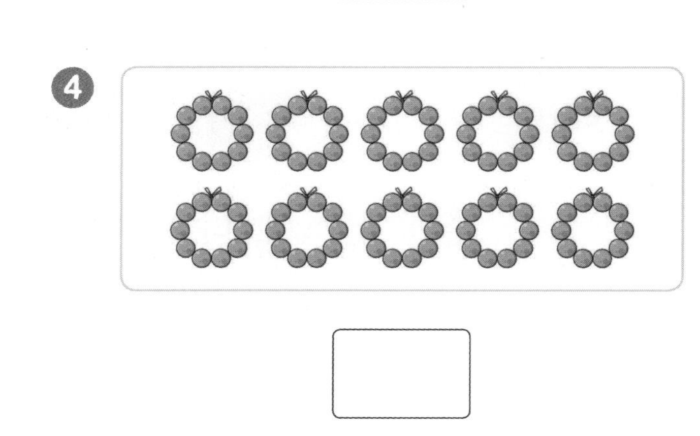

☐

❺
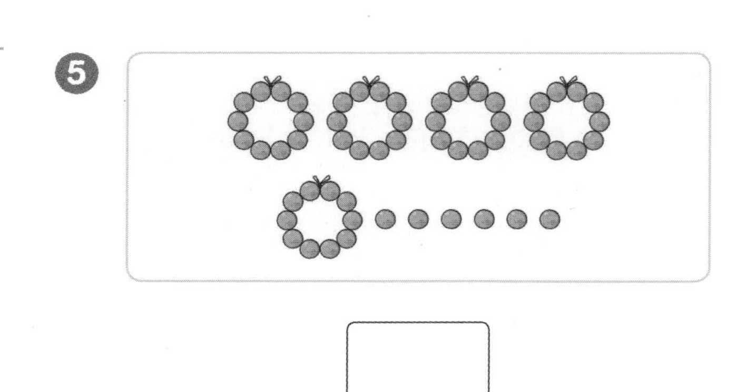

☐

❻
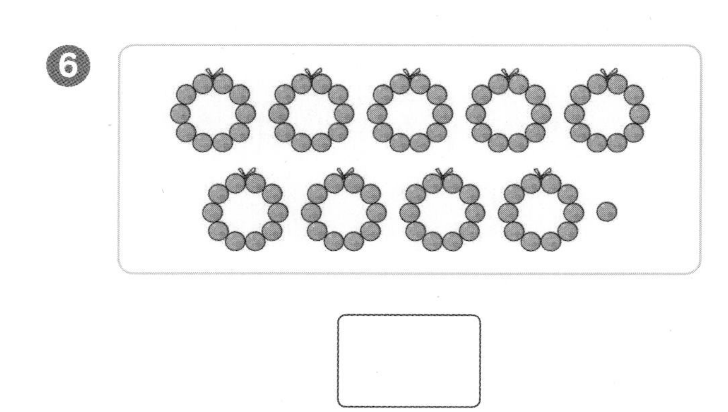

☐

❼
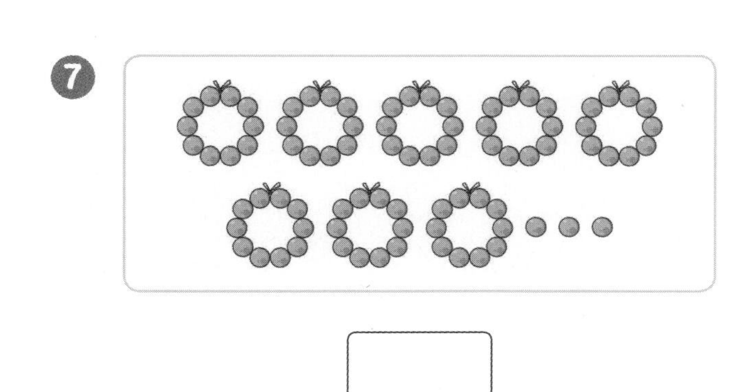

☐

❽
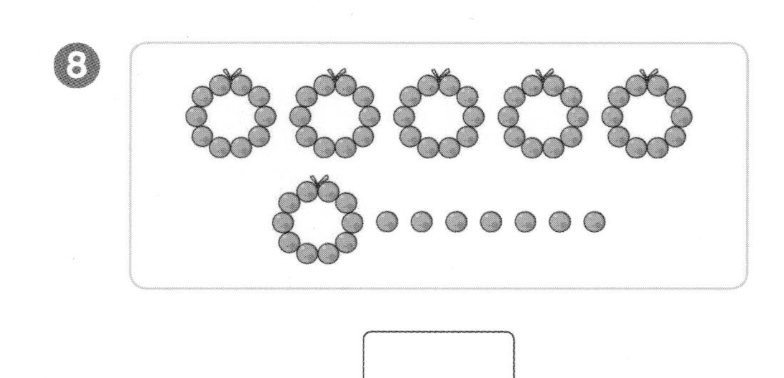

☐

수의 순서에 맞게 빈칸에 알맞은 수를 써넣으세요.

9

10
76 — 77 — 78 — ☐ — 80 — 81 — ☐ — ☐

빈칸에 알맞은 수를 써넣으세요.

11
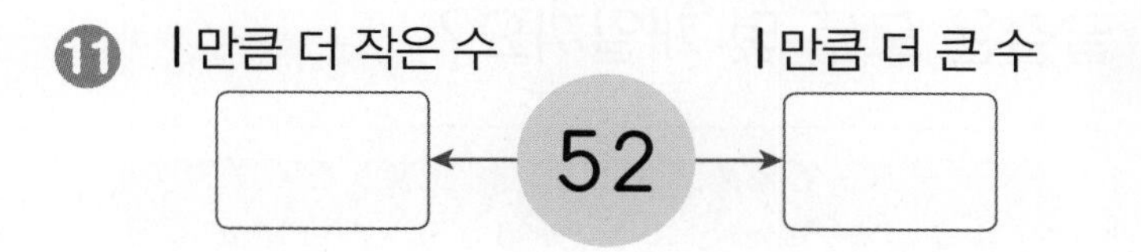

12
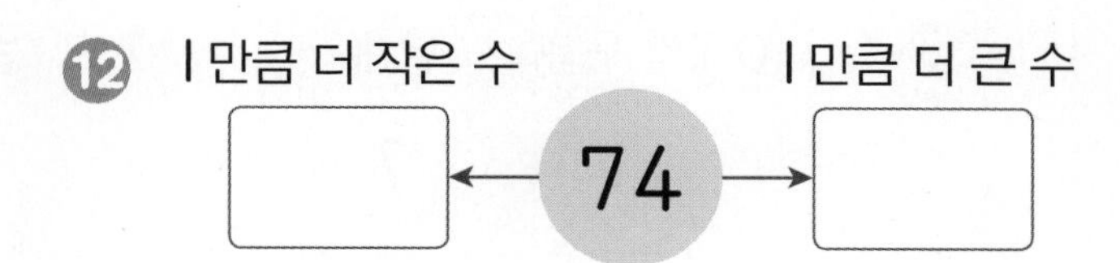

13
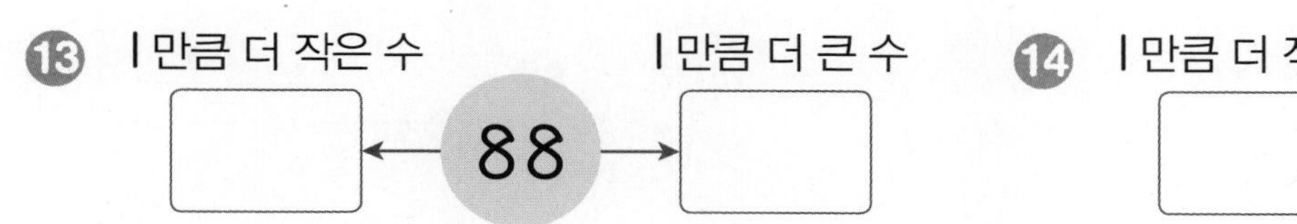

14
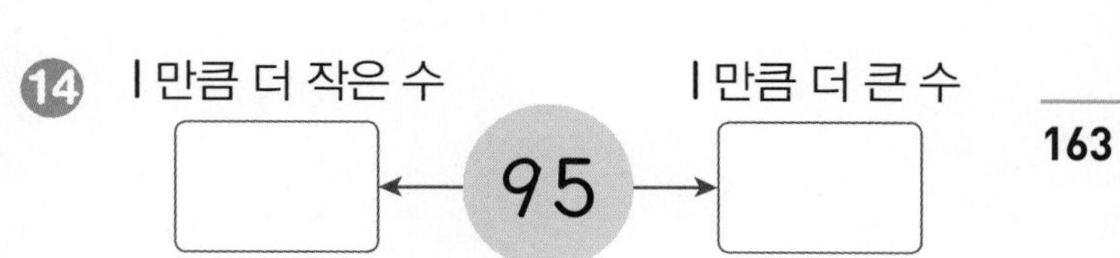

더 큰 수에 ○표 하세요.

15
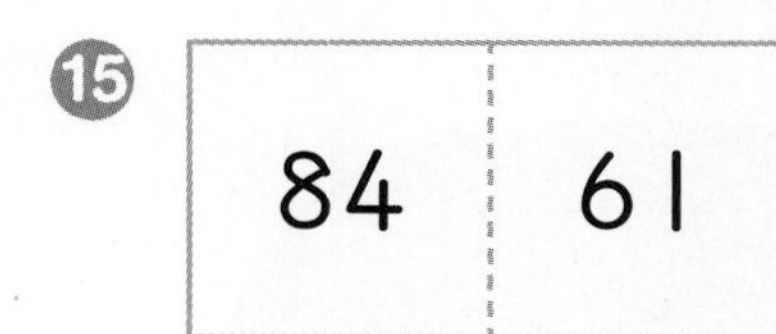

16

17
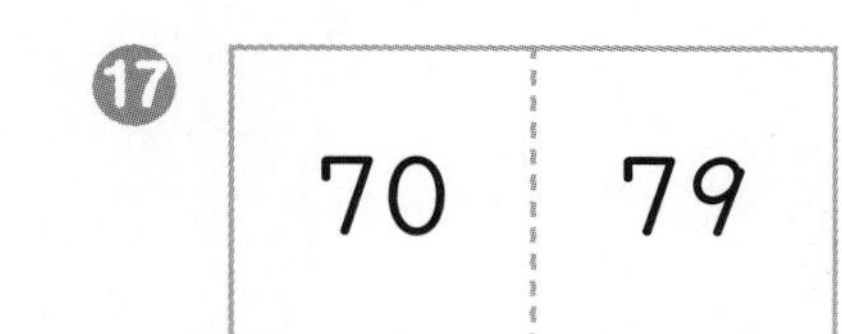

18
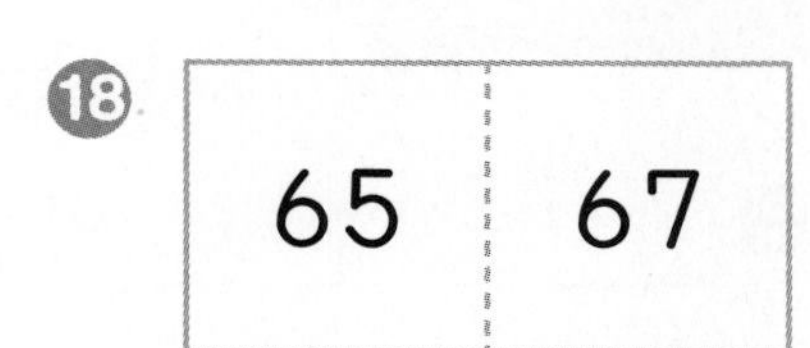

제한 시간 안에
정확하게 모두 풀었다면
여러분은 진정한 계산왕!

특강 문장제 문제 도전하기

알맞은 수를 구하세요.

1

10개씩 묶음	낱개
5	1

→ 수수깡은 모두 몇 개일까요?

답 ______ 개

실생활에서 100까지의 수를 세는 상황을 알아볼까요?

2

10개씩 묶음	낱개
6	7

→ 달걀은 모두 몇 개일까요?

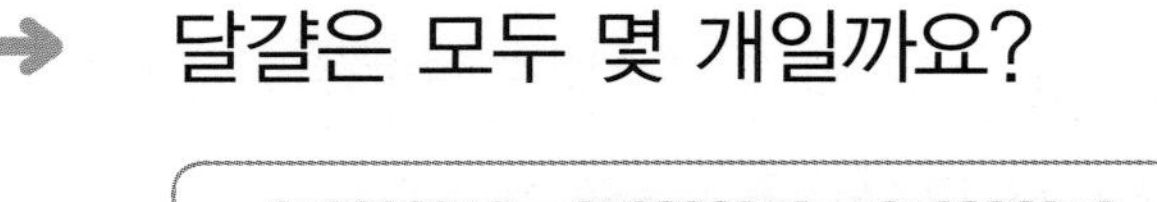

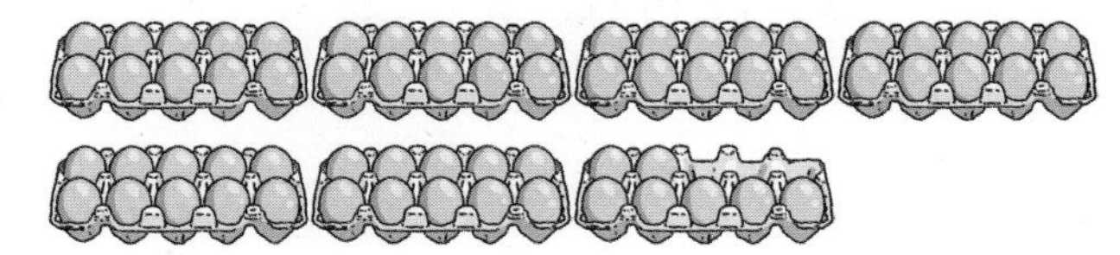

답 ______ 개

3

10개씩 묶음	낱개
8	4

→ 돼지 저금통에 들어 있는 돈은 모두 얼마일까요?

답 ______ 원

▶ 정답과 해설 20쪽

문장을 읽고 수의 크기를 비교하여 답을 구해 보자!

수의 크기를 비교해 보세요.

4 더 큰 수를 들고 있는 사람은 누구일까요?

→ ☐

5 초록색 풍선은 93개, 노란색 풍선은 96개 있습니다.
어느 색 풍선이 더 많을까요?

6 가와 나 중 어느 초콜릿이 더 많을까요?

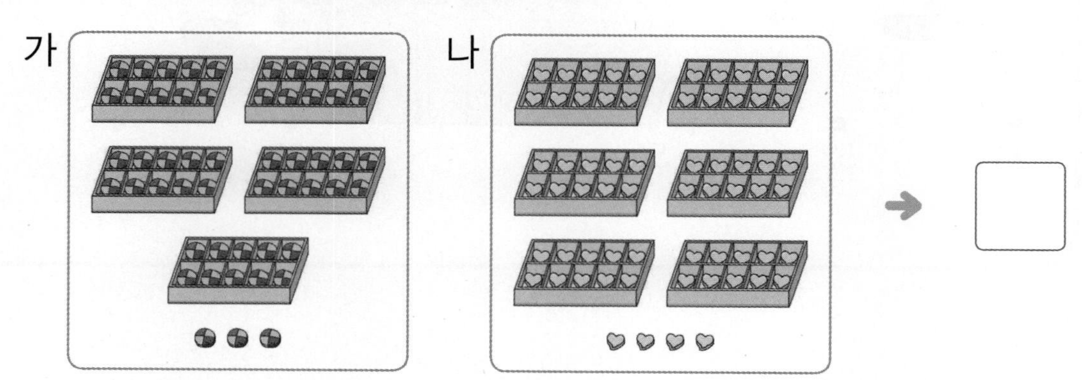

창의·융합·코딩·도전하기

순서대로 선 잇기

수를 순서대로 이어 보세요.

▶정답과 해설 20쪽

샌드위치 먹기!

창의 2 재호, 승아, 유현이가 샌드위치를 사러 갔어요.

누가 어떤 샌드위치를 먹었을까요?

재호	승아	유현
참치 샌드위치	☐ 샌드위치	☐ 샌드위치

MEMO

#차원이_다른_클라쓰 #강의전문교재 #초등교재

수학교재

●수학리더 시리즈

신간 수학리더 [연산]	예비초~6학년/A·B단계
– 수학리더 [개념]	1~6학년/학기별
– 수학리더 [기본]	1~6학년/학기별
신간 수학리더 [유형]	1~6학년/학기별
신간 수학리더 [기본+응용]	1~6학년/학기별
– 수학리더 [응용·심화]	1~6학년/학기별

●수학도 독해가 힘이다 *문제해결력 — 1~6학년/학기별

●수학의 힘 시리즈

– 수학의 힘 알파[실력]	3~6학년/학기별
– 수학의 힘 베타[유형]	1~6학년/학기별
– 수학의 힘 감마[최상위]	3~6학년/학기별

●Go! 매쓰 시리즈

– Go! 매쓰(Start) *교과서 개념	1~6학년/학기별
– Go! 매쓰(Run A/B/C) *교과서+사고력	1~6학년/학기별
– Go! 매쓰(Jump) *유형 사고력	1~6학년/학기별

●계산박사 — 1~12단계

전과목교재

●리더 시리즈

– 국어	1~6학년/학기별
– 사회	3~6학년/학기별
– 과학	3~6학년/학기별

시험 대비교재

●올백 전과목 단원평가	1~6학년/학기별 (1학기는 2~6학년)
●HME 수학 학력평가	1~6학년/상·하반기용
●HME 국어 학력평가	1~6학년

쉽고 빠른 드릴 연산서

해법 전략

수학리더 연산

예비초 B

- 혼자서도 이해할 수 있는 친절한 문제 풀이
- OX퀴즈로 계산 원리 다시 알아보기

천재교육

해법전략
포인트 3가지

▶ 혼자서도 이해할 수 있는 친절한 문제 풀이

▶ 참고, 주의 등 자세한 풀이 제시

▶ OX퀴즈로 계산 원리 다시 알아보기

정답과 해설

1 50까지의 수

개념 ○× 퀴즈

옳으면 ○에, 틀리면 ×에 ○표 하세요.

22를 두 가지로 읽으면 이십이, 스물둘 입니다.

정답은 5쪽에서 확인하세요.

1일차 기초 계산 연습 6~7쪽

❶ 21, 21, 21, 21	❷ 22, 22, 22, 22
❸ 23, 23, 23, 23	❹ 24, 24, 24, 24
❺ 25, 25	❻ 26, 26
❼ 27, 27	❽ 28, 28
❾ 29, 29	❿ 30, 30

1일차 플러스 계산 연습 8~9쪽

1 이십삼, 스물셋	**2** 이십사, 스물넷
3 이십팔, 스물여덟	**4** 삼십, 서른
5 26	**6** 25
7 21	**8** 29
9 27	**10** 25
11 23	**12** 28
13 24	**14** 21
15 23	**16** 28
17 스물둘	**18** 스물다섯
19 이십칠	**20** 이십구

1 23은 이십삼 또는 스물셋이라고 읽습니다.

2 24는 이십사 또는 스물넷이라고 읽습니다.

3 28은 이십팔 또는 스물여덟이라고 읽습니다.

4 30은 삼십 또는 서른이라고 읽습니다.

17 22 ➔ 이십이, 스물둘

18 25 ➔ 이십오, 스물다섯

19 27 ➔ 이십칠, 스물일곱

20 29 ➔ 이십구, 스물아홉

2일차 기초 계산 연습 10~11쪽

❶ 31, 31, 31, 31	❷ 32, 32, 32, 32
❸ 33, 33, 33, 33	❹ 34, 34, 34, 34
❺ 35, 35	❻ 34, 34
❼ 37, 37	❽ 32, 32
❾ 36, 36	❿ 38, 38
⓫ 39, 39	⓬ 40, 40

2일차 플러스 계산 연습 12~13쪽

1 삼십이, 서른둘	**2** 삼십오, 서른다섯
3 사십, 마흔	**4** 삼십구, 서른아홉
5 38	**6** 31
7 37	**8** 36
9 32	**10** 40
11 39	**12** 34
13 32	**14** 35
15 36	**16** 39
17 서른하나	**18** 서른셋
19 삼십칠	**20** 삼십팔

1 32는 삼십이 또는 서른둘이라고 읽습니다.

2 35는 삼십오 또는 서른다섯이라고 읽습니다.

3 40은 사십 또는 마흔이라고 읽습니다.

4 39는 삼십구 또는 서른아홉이라고 읽습니다.

17 31 ➔ 삼십일, 서른하나

18 33 ➔ 삼십삼, 서른셋

19 37 ➔ 삼십칠, 서른일곱

20 38 ➔ 삼십팔, 서른여덟

3일차 기초 계산 연습 14~15쪽

❶ 41, 41, 41	❷ 42, 42, 42
❸ 43, 43, 43	❹ 44, 44, 44
❺ 45, 45	❻ 46, 46
❼ 47, 47	❽ 48, 48
❾ 49, 49	❿ 50, 50

3일차 플러스 계산 연습 16~17쪽

1 사십사, 마흔넷	**2** 사십일, 마흔하나
3 사십칠, 마흔일곱	**4** 오십, 쉰
5 49	**6** 50
7 42	**8** 48
9 42	**10** 45
11 49	**12** 47
13 42	**14** 46
15 48	**16** 49
17 마흔하나	**18** 마흔셋
19 사십사	**20** 사십칠

17 41 ➔ 사십일, 마흔하나

18 43 ➔ 사십삼, 마흔셋

19 44 ➔ 사십사, 마흔넷

20 47 ➔ 사십칠, 마흔일곱

4일차 기초 계산 연습 18~19쪽

❶ 23에 ○표	❷ 25에 ○표
❸ 39에 ○표	❹ 47에 ○표
❺ 24	❻ 26
❼ 38	❽ 31
❾ 49	❿ 50

❶ 10개씩 묶음 2개와 낱개 3개이므로 23입니다.

❷ 10개씩 묶음 2개와 낱개 5개이므로 25입니다.

❸ 10개씩 묶음 3개와 낱개 9개이므로 39입니다.

❹ 10개씩 묶음 4개와 낱개 7개이므로 47입니다.

4일차 플러스 계산 연습 20~21쪽

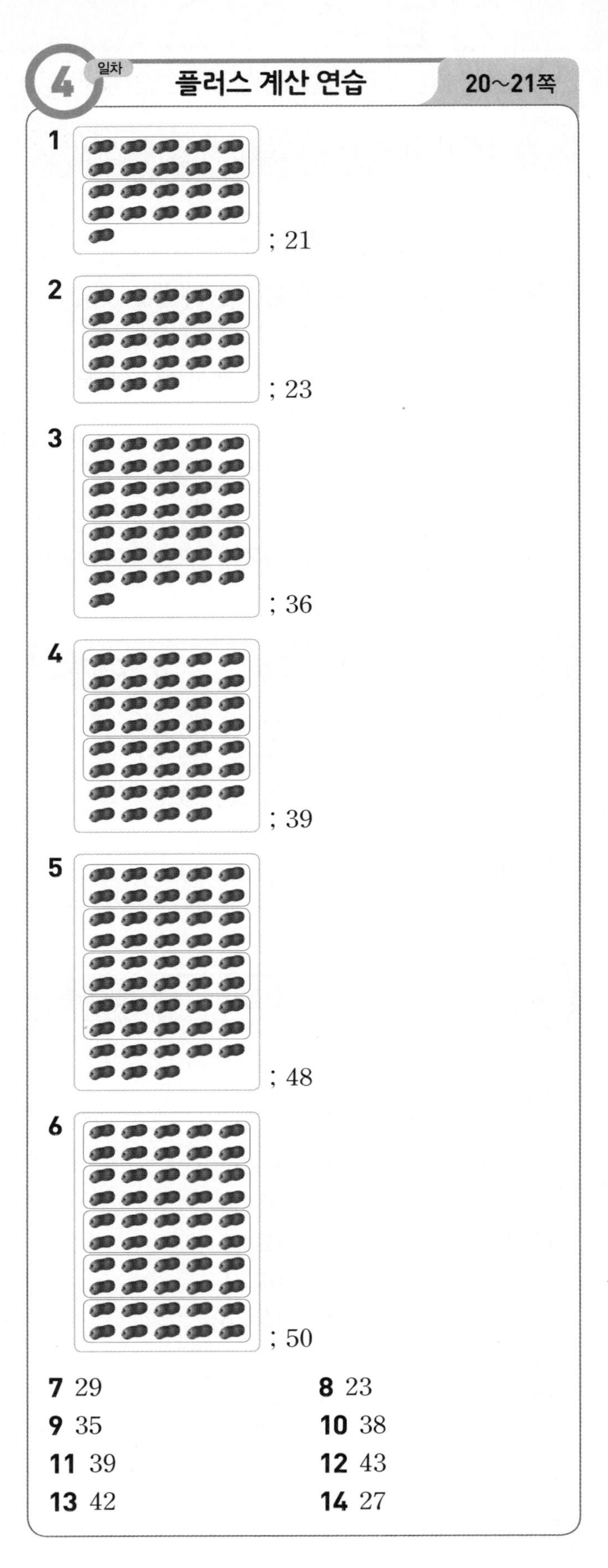

7 29	**8** 23
9 35	**10** 38
11 39	**12** 43
13 42	**14** 27

11 10개씩 묶음 3개와 낱개 9개는 39입니다.

12 10개씩 묶음 4개와 낱개 3개는 43입니다.

5일차 기초 계산 연습 22~23쪽

❶ 21, 24　❷ 25, 26
❸ 36, 39　❹ 48, 50
❺ 24, 25, 26　❻ 31, 33, 35
❼ 41, 42, 43, 44　❽ 29
❾ 32　❿ 48
⓫ 39　⓬ 22
⓭ 50

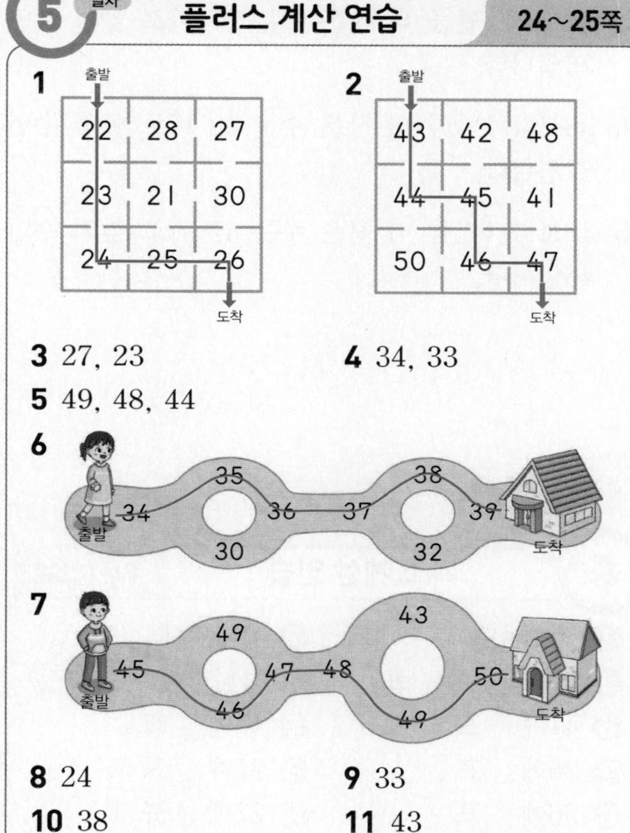

6일차 기초 계산 연습 26~27쪽

❶ (　)(○)　❷ (○)(　)
❸ (○)(　)　❹ (　)(○)
❺ (　)(○)　❻ (○)(　)
❼ 28　❽ 23
❾ 37　❿ 34
⓫ 42　⓬ 50

❼ 27보다 1만큼 더 큰 수는 27 다음의 수인 28입니다.

❽ 22보다 1만큼 더 큰 수는 22 다음의 수인 23입니다.

❾ 36보다 1만큼 더 큰 수는 36 다음의 수인 37입니다.

❿ 33보다 1만큼 더 큰 수는 33 다음의 수인 34입니다.

⓫ 41보다 1만큼 더 큰 수는 41 다음의 수인 42입니다.

⓬ 49보다 1만큼 더 큰 수는 49 다음의 수인 50입니다.

6일차 플러스 계산 연습 28~29쪽

1 24　**2** 37
3 48　**4** 27
5 33　**6** 39
7 41　**8** 27
9 29, 30　**10** 38, 39
11 35, 36　**12** 22
13 33　**14** 44
15 48

8 26보다 1만큼 더 큰 수는 26 다음의 수인 27입니다.

9 29보다 1만큼 더 큰 수는 29 다음의 수인 30입니다.

10 38보다 1만큼 더 큰 수는 38 다음의 수인 39입니다.

11 35보다 1만큼 더 큰 수는 35 다음의 수인 36입니다.

12 21보다 1만큼 더 큰 수는 21 다음의 수인 22입니다.

13 32보다 1만큼 더 큰 수는 32 다음의 수인 33입니다.

14 43보다 1만큼 더 큰 수는 43 다음의 수인 44입니다.

15 47보다 1만큼 더 큰 수는 47 다음의 수인 48입니다.

7일차 기초 계산 연습 30~31쪽

❶ (△)(　)	❷ (△)(　)
❸ (　)(△)	❹ (△)(　)
❺ (　)(△)	❻ (　)(△)
❼ 23	❽ 27
❾ 30	❿ 31
⓫ 47	⓬ 40

❼ 24보다 1만큼 더 작은 수는 24 바로 앞의 수인 23입니다.

❽ 28보다 1만큼 더 작은 수는 28 바로 앞의 수인 27입니다.

❾ 31보다 1만큼 더 작은 수는 31 바로 앞의 수인 30입니다.

❿ 32보다 1만큼 더 작은 수는 32 바로 앞의 수인 31입니다.

⓫ 48보다 1만큼 더 작은 수는 48 바로 앞의 수인 47입니다.

⓬ 41보다 1만큼 더 작은 수는 41 바로 앞의 수인 40입니다.

7일차 플러스 계산 연습 32~33쪽

1 20	2 33
3 48	4 22
5 38	6 45
7 49	8 23
9 (순서대로) 37, 36	10 (순서대로) 49, 48
11 (순서대로) 50, 49	12 24
13 26	14 37
15 46	

8 24보다 1만큼 더 작은 수는 24 바로 앞의 수인 23입니다.

9 37보다 1만큼 더 작은 수는 37 바로 앞의 수인 36입니다.

10 49보다 1만큼 더 작은 수는 49 바로 앞의 수인 48입니다.

11 50보다 1만큼 더 작은 수는 50 바로 앞의 수인 49입니다.

12 25보다 1만큼 더 작은 수는 25 바로 앞의 수인 24입니다.

13 27보다 1만큼 더 작은 수는 27 바로 앞의 수인 26입니다.

14 38보다 1만큼 더 작은 수는 38 바로 앞의 수인 37입니다.

15 47보다 1만큼 더 작은 수는 47 바로 앞의 수인 46입니다.

8일차 기초 계산 연습 34~35쪽

❶ 작습니다에 ○표	❷ 큽니다에 ○표
❸ 작습니다에 ○표	❹ 큽니다에 ○표
❺ 41에 ○표	❻ 44에 ○표
❼ 26에 ○표	❽ 37에 ○표
❾ 36에 △표	❿ 27에 △표
⓫ 45에 △표	⓬ 33에 △표

❾ 10개씩 묶음의 수가 36은 3, 42는 4로 36이 더 작습니다.

❿ 10개씩 묶음의 수가 50은 5, 27은 2로 27이 더 작습니다.

⓫ 10개씩 묶음의 수가 같으므로 낱개의 수를 비교하면 48은 8, 45는 5로 45가 더 작습니다.

⓬ 10개씩 묶음의 수가 같으므로 낱개의 수를 비교하면 39는 9, 33은 3으로 33이 더 작습니다.

8 일차 플러스 계산 연습 36~37쪽

1 31에 ○표　　2 42에 ○표
3 36에 ○표　　4 25에 ○표
5 33에 ○표　　6 48에 ○표
7 35에 △표　　8 49에 △표
9 28에 △표　　10 21에 △표
11 37에 △표　　12 44에 △표
13 (○)(　)　　14 (　)(○)
15 (　)(○)　　16 (○)(　)
17 40　　18 26
19 29　　20 34

18 10개씩 묶음의 수가 같으므로 낱개의 수를 비교하면 26은 6, 25는 5로 26이 더 큽니다.

19 10개씩 묶음의 수가 45는 4, 29는 2로 29가 더 작습니다.

20 10개씩 묶음의 수가 같으므로 낱개의 수를 비교하면 34는 4, 37은 7로 34가 더 작습니다.

평가 SPEED 연산력 TEST 38~39쪽

❶ 22　❷ 36　❸ 48
❹ 35　❺ 27　❻ 31
❼ 45　❽ 39　❾ 34, 35, 36
❿ 45, 48, 49　⓫ 38, 40
⓬ 25, 27　⓭ 31, 33
⓮ 42, 44　⓯ 42에 ○표
⓰ 37에 ○표　⓱ 35에 ○표
⓲ 46에 ○표

⓰ 10개씩 묶음의 수가 같으므로 낱개의 수를 비교하면 31은 1, 37은 7로 37이 더 큽니다.

⓱ 10개씩 묶음의 수가 28은 2, 35는 3으로 35가 더 큽니다.

⓲ 10개씩 묶음의 수가 같으므로 낱개의 수를 비교하면 46은 6, 43은 3으로 46이 더 큽니다.

특강 문장제 문제 도전하기 40~41쪽

1 24 ; 24　　2 37 ; 37
3 48 ; 48　　4 30
5 34　　6 44

1 23보다 1만큼 더 큰 수는 23 다음의 수인 24입니다.

2 36보다 1만큼 더 큰 수는 36 다음의 수인 37입니다.

3 49보다 1만큼 더 작은 수는 49 바로 앞의 수인 48입니다.

특강 창의·융합·코딩·도전하기 42~43쪽

창의1 세훈

창의2

창의1 10개씩 묶음의 수가 같으므로 낱개의 수를 비교하면 23초는 3, 24초는 4로 23이 더 작습니다.
⇨ 더 빠른 친구는 세훈입니다.

2 50까지 수의 덧셈

개념 ○✕ 퀴즈

옳으면 ○에, 틀리면 ✕에 ○표 하세요.

42+5=47

○ ✕

정답은 10쪽에서 확인하세요.

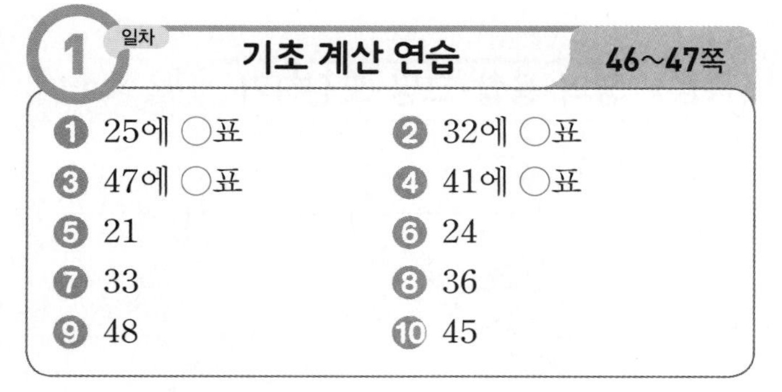

1일차 기초 계산 연습 46~47쪽

❶ 25에 ○표 ❷ 32에 ○표
❸ 47에 ○표 ❹ 41에 ○표
❺ 21 ❻ 24
❼ 33 ❽ 36
❾ 48 ❿ 45

1일차 플러스 계산 연습 48~49쪽

1 23 **2** 29
3 35 **4** 38
5 49 **6** 44
7 26 **8** 22
9 28 **10** 46
11 37

5 10개씩 묶음 4개와 낱개 9개이므로 49입니다.

6 10개씩 묶음 4개와 낱개 4개이므로 44입니다.

8 10개씩 묶음 2개와 낱개 2개이므로 22입니다.

9 10개씩 묶음 2개와 낱개 8개이므로 28입니다.

10 10개씩 묶음 4개와 낱개 6개이므로 46입니다.

11 10개씩 묶음 3개와 낱개 7개이므로 37입니다.

2일차 기초 계산 연습 50~51쪽

❶ 11 ❷ 23
❸ 39 ❹ 48
❺ 15 ❻ 26
❼ 35 ❽ 49
❾ 42

2일차 플러스 계산 연습 52~53쪽

1 17 **2** 24
3 31 **4** 38
5 48 **6** 46
7 6, 36 **8** 3, 13
9 40, 5, 45 **10** 30, 3, 33
11 28 **12** 4, 34

4 무당벌레 30마리에 8마리를 더하면 모두 38마리입니다.

6 잠자리 40마리에 6마리를 더하면 모두 46마리입니다.

11 축구공 20개에 8개를 더하면 모두 28개입니다.

12 농구공 30개에 4개를 더하면 모두 34개입니다.

3일차 기초 계산 연습 54~55쪽

❶ 16 ❷ 27
❸ 36 ❹ 49
❺ 19 ❻ 27
❼ 38 ❽ 35
❾ 48 ❿ 48

❶ 구슬 12개에 4개를 더하면 모두 16개입니다.

❷ 구슬 25개에 2개를 더하면 모두 27개입니다.

❸ 구슬 33개에 3개를 더하면 모두 36개입니다.

❹ 구슬 41개에 8개를 더하면 모두 49개입니다.

3일차 플러스 계산 연습 56~57쪽

1 17
2 29
3 36
4 38
5 47
6 49
7 19
8 26
9 37
10 46
11 26
12 2, 39

4일차 기초 계산 연습 58~59쪽

❶ ; 15
❷ ; 27
❸ ; 36
❹ ; 48
❺ ; 14
❻ ; 29
❼ ; 38
❽ ; 35
❾ ; 47
❿ ; 42

4일차 플러스 계산 연습 60~61쪽

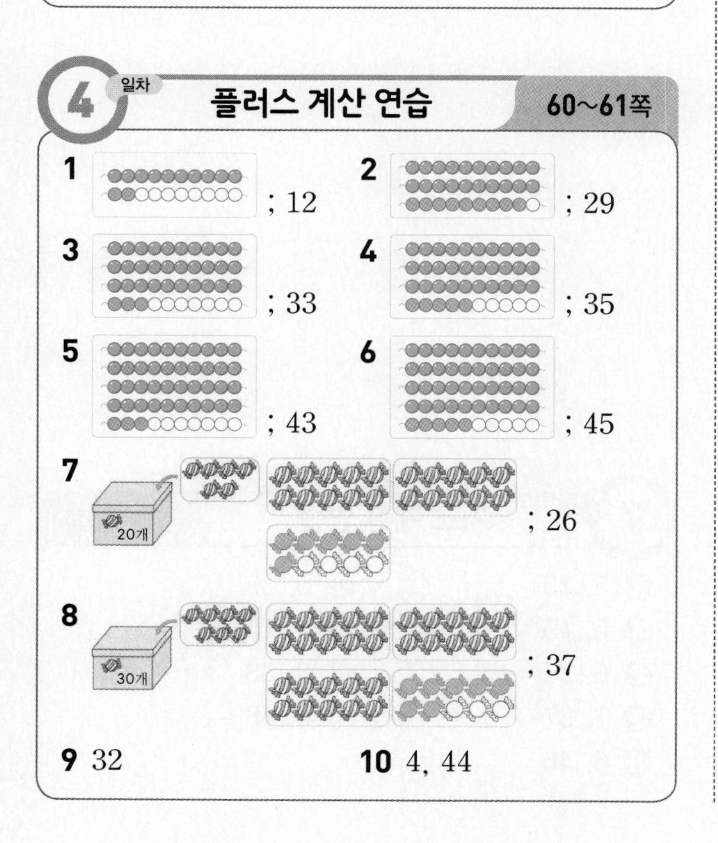

1 ; 12
2 ; 29
3 ; 33
4 ; 35
5 ; 43
6 ; 45
7 20개 ; 26
8 30개 ; 37
9 32
10 4, 44

5일차 기초 계산 연습 62~63쪽

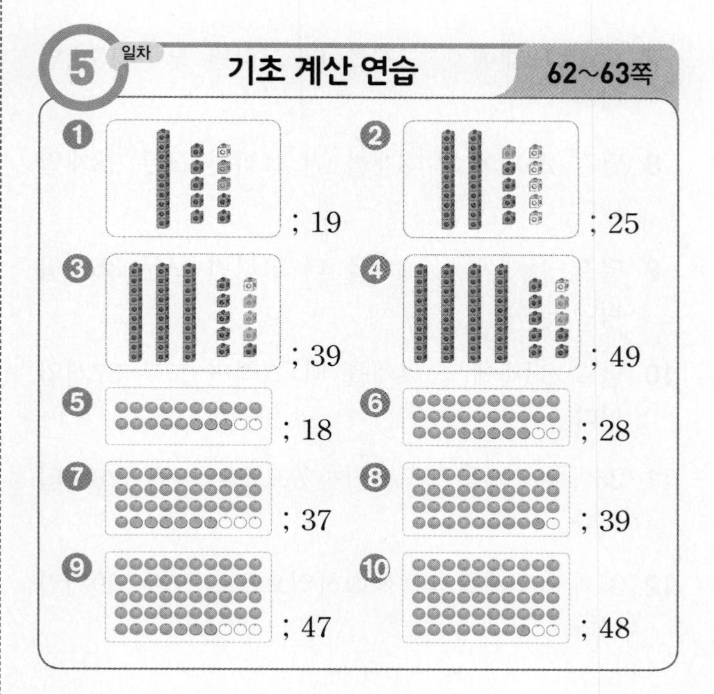

5일차 플러스 계산 연습 64~65쪽

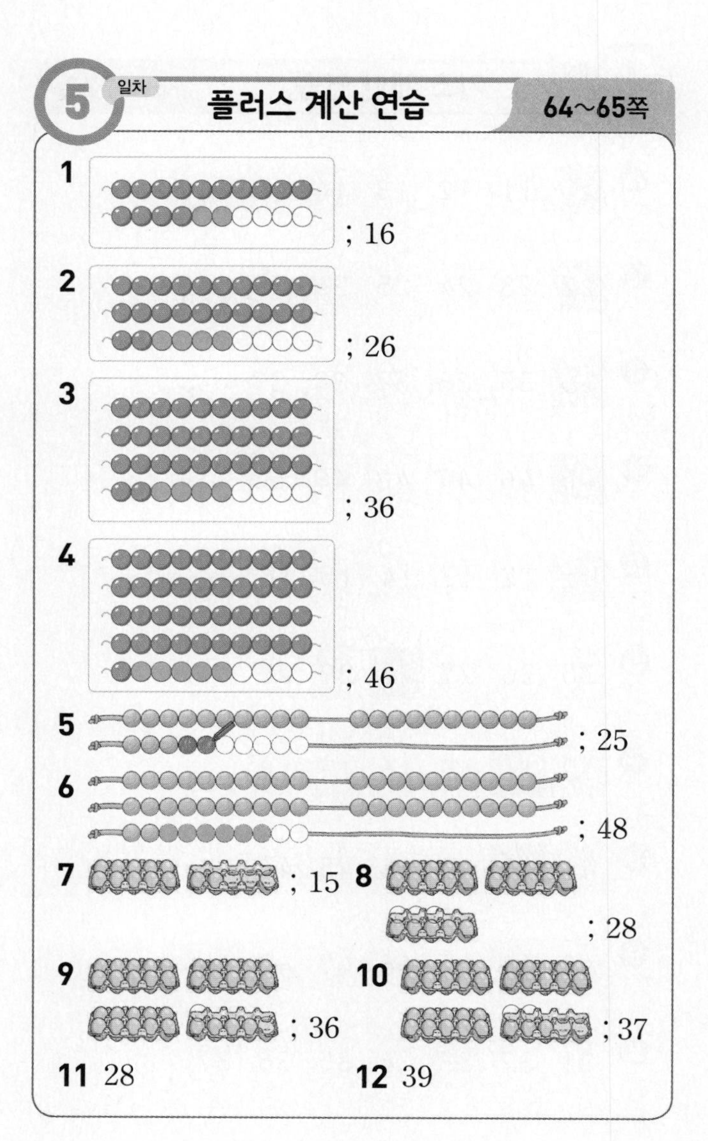

7 달걀 12개에 ○ 3개를 더 그리면 모두 15개입니다.

8 달걀 25개에 ○ 3개를 더 그리면 모두 28개입니다.

9 달걀 34개에 ○ 2개를 더 그리면 모두 36개입니다.

10 달걀 33개에 ○ 4개를 더 그리면 모두 37개입니다.

11 26개에 2개를 더 색칠하였으므로 모두 28개입니다.

12 31개에 8개를 더 색칠하였으므로 모두 39개입니다.

6 일차 기초 계산 연습 66~67쪽

❶ 10 11 12 13 14 15 ; 12

❷ 22 23 24 25 26 27 ; 25

❸ 34 35 36 37 38 39 ; 38

❹ 45 46 47 48 49 50 ; 49

❺ 11 12 13 14 15 16 ; 16

❻ 25 26 27 28 29 20 ; 29

❼ 13 14 15 16 17 18 ; 18

❽ 41 42 43 44 45 46 ; 46

❾ 43 44 45 46 47 48 49 ; 47

❿ 31 32 33 34 35 36 37 ; 36

6 일차 플러스 계산 연습 68~69쪽

1 19 **2** 28
3 39 **4** 37
5 45 **6** 49
7 24 ; 24 **8** 47 ; 47
9 17 **10** 28
11 39 **12** 49

7 21부터 22, 23, 24로 이어 세면 21+3=24입니다.

8 43부터 44, 45, 46, 47로 이어 세면 43+4=47입니다.

9 15부터 16, 17로 이어 세면 15+2=17입니다.

10 22부터 23, 24, 25, 26, 27, 28로 이어 세면 22+6=28입니다.

11 35부터 36, 37, 38, 39로 이어 세면 35+4=39입니다.

12 46부터 47, 48, 49로 이어 세면 46+3=49입니다.

7 일차 기초 계산 연습 70~71쪽

❶ 5, 25 ❷ 5, 35
❸ 5, 45 ❹ 5, 15
❺ 6, 26 ❻ 8, 38
❼ 7, 37 ❽ 8, 48
❾ 6, 46

7 일차 플러스 계산 연습 72~73쪽

1 6, 16　**2** 8, 18
3 6, 26　**4** 7, 27
5 9, 39　**6** 9, 39
7 9, 39　**8** 8, 48
9 6, 46　**10** 9, 49
11 28 ; 8　**12** 17 ; 9
13 46 ; 6　**14** 17
15 28　**16** 36
17 49

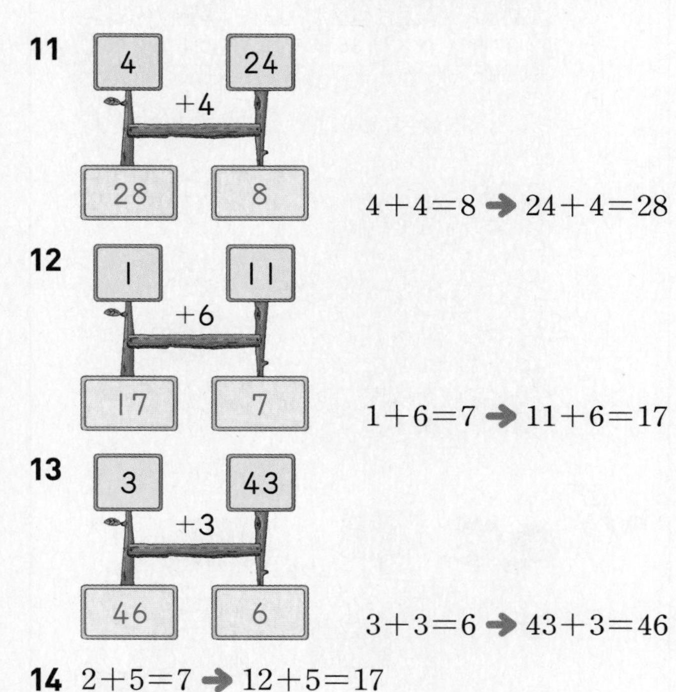

14 2+5=7 ➔ 12+5=17

15 5+3=8 ➔ 25+3=28

16 4+2=6 ➔ 34+2=36

17 1+8=9 ➔ 41+8=49

8 일차 기초 계산 연습 74~75쪽

❶ 15　❷ 27
❸ 38　❹ 46
❺ 46　❻ 16
❼ 27　❽ 38
❾ 38　❿ 49
⓫ 49

❶ 날개끼리 2+3=5를 계산한 다음 10개씩 묶음의 수 1을 그대로 내려 씁니다.

❷ 날개끼리 3+4=7을 계산한 다음 10개씩 묶음의 수 2를 그대로 내려 씁니다.

❸ 날개끼리 2+6=8을 계산한 다음 10개씩 묶음의 수 3을 그대로 내려 씁니다.

❹ 날개끼리 4+2=6을 계산한 다음 10개씩 묶음의 수 4를 그대로 내려 씁니다.

❺ 날개끼리 5+1=6을 계산한 다음 10개씩 묶음의 수 4를 그대로 내려 씁니다.

8 일차 플러스 계산 연습 76~77쪽

1

	1	3
+		1
	1	4

2

	2	2
+		4
	2	6

3

	3	6
+		1
	3	7

4

	3	1
+		5
	3	6

5

	4	2
+		5
	4	7

6

	4	1
+		8
	4	9

7

	1	6
+		3
	1	9

8

	3	3
+		6
	3	9

9

	3	5
+		3
	3	8

10

	4	7
+		1
	4	8

11

	2	5
+		3
	2	8

12

	4	1
+		5
	4	6

9 일차 기초 계산 연습 78~79쪽

❶ 18 ; 18	❷ 37 ; 37
❸ 49 ; 49	❹ 16 ; 16
❺ 27 ; 27	❻ 37 ; 37
❼ 35 ; 35	❽ 45 ; 45
❾ 49 ; 49	

9 일차 플러스 계산 연습 80~81쪽

1 18 **2** 29
3 34 **4** 36
5 46 **6** 48
7 18 **8** 27
9 39 **10** 38
11 47 **12** 28

13

	4	4
+		3
	4	7

14

	4	0
+		8
	4	8

15

	4	1
+		5
	4	6

16 37 **17** 48

평가 SPEED 연산력 TEST 82~83쪽

❶ 14	❷ 25
❸ 36	❹ 47
❺ 25 ; 25	❻ 38 ; 38
❼ 16	❽ 28
❾ 36	❿ 38
⓫ 49	⓬ 49
⓭ 16	⓮ 23
⓯ 38	⓰ 37
⓱ 48	⓲ 48
⓳ 17	⓴ 28

특강 문장제 문제 도전하기 84~85쪽

1 41 ; 1, 41 ; 41 **2** 39 ; 7, 39 ; 39
3 28 ; 7, 28 ; 28 **4** 3, 25
5 32, 5, 37 **6** 45, 4, 49

특강 창의·융합·코딩·도전하기 86~87쪽

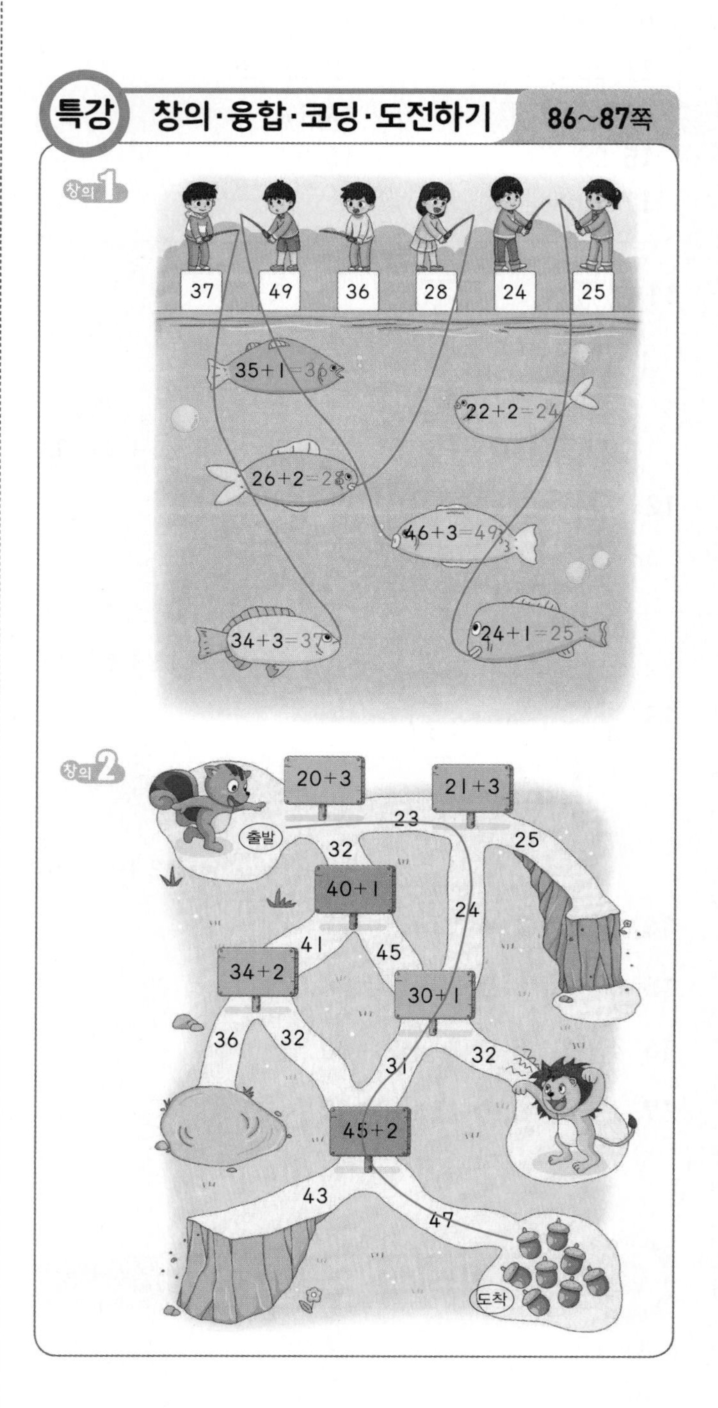

개념 OX 퀴즈 정답

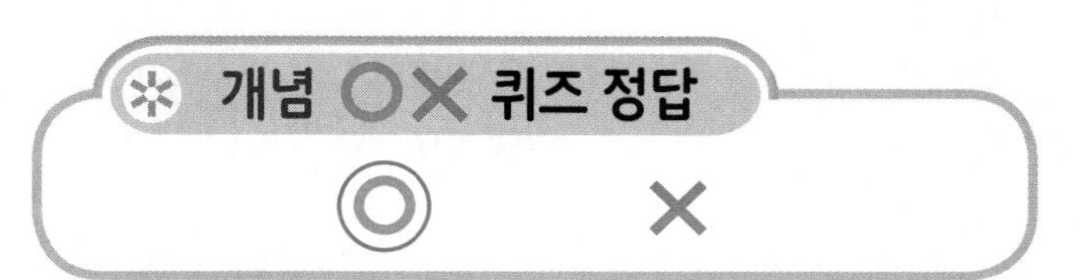

3 50까지 수의 뺄셈

개념 ○✕ 퀴즈

옳으면 ○에, 틀리면 ✕에 ○표 하세요.

27－6＝21

○ ✕

정답은 16쪽에서 확인하세요.

1일차 기초 계산 연습 90~91쪽

❶ 10 ❷ 14
❸ 11 ❹ 12
❺ 10 ❻ 15
❼ 21 ❽ 24
❾ 30 ❿ 34
⓫ 42 ⓬ 46

❶ 남은 콩을 세어 보면 열이므로 10입니다.

❺ 남은 구슬은 10개씩 묶음 1개이므로 10입니다.

1일차 플러스 계산 연습 92~93쪽

1 15 **2** 23
3 32 **4** 30
5 41 **6** 44
7 22 **8** 24
9 26 **10** 12
11 13

1 남은 과자를 세어 보면 열다섯이므로 15입니다.

7 남은 초콜릿은 10개씩 묶음 2개와 낱개 2개이므로 22입니다.

8 남은 초콜릿은 10개씩 묶음 2개와 낱개 4개이므로 24입니다.

2일차 기초 계산 연습 94~95쪽

❶ 10 ❷ 20
❸ 20
❹ 10 ❺ 10
❻ 20 ❼ 20
❽ 30 ❾ 30
❿ 40 ⓫ 40

❶ 사탕 15개에서 5개를 빼면 10개가 남습니다.

❹ 10개씩 묶음 1개가 남았으므로 10입니다.

2일차 플러스 계산 연습 96~97쪽

1 10 **2** 20
3 30 **4** 30
5 40 **6** 40
7 20 **8** 10
9 30 **10** 40
11 20 **12** 10

3일차 기초 계산 연습 98~99쪽

❶ 13 ❷ 23
❸ 25
❹ 13 ❺ 14
❻ 22 ❼ 25
❽ 33 ❾ 31
❿ 41 ⓫ 41

❶ 과자 14개에서 1개를 빼면 13개가 남습니다.

❹ 10개씩 묶음 1개와 낱개 3개가 남았으므로 13입니다.

3일차 플러스 계산 연습 100~101쪽

1 14 **2** 23
3 31 **4** 32
5 44 **6** 41
7 16 **8** 31
9 23 **10** 12
11 23

1 10개씩 묶음 1개와 낱개 4개가 남았으므로 14입니다.

9 남은 사과는 10개씩 묶음 2개와 낱개 3개이므로 23입니다.

4 일차 기초 계산 연습 102~103쪽

❶ 10

❷ ; 20

❸ ; 30

❹ 10

❺ ; 10

❻ ; 20

❼ ; 20

❽ ; 30

❾ ; 30

❿ ; 40

⓫ ; 40

❶ 3만큼 /으로 지우면 10개씩 묶음 1개가 남으므로 10입니다.

❹ 2만큼 /으로 지우면 10개씩 묶음 1개가 남으므로 10입니다.

4 일차 플러스 계산 연습 104~105쪽

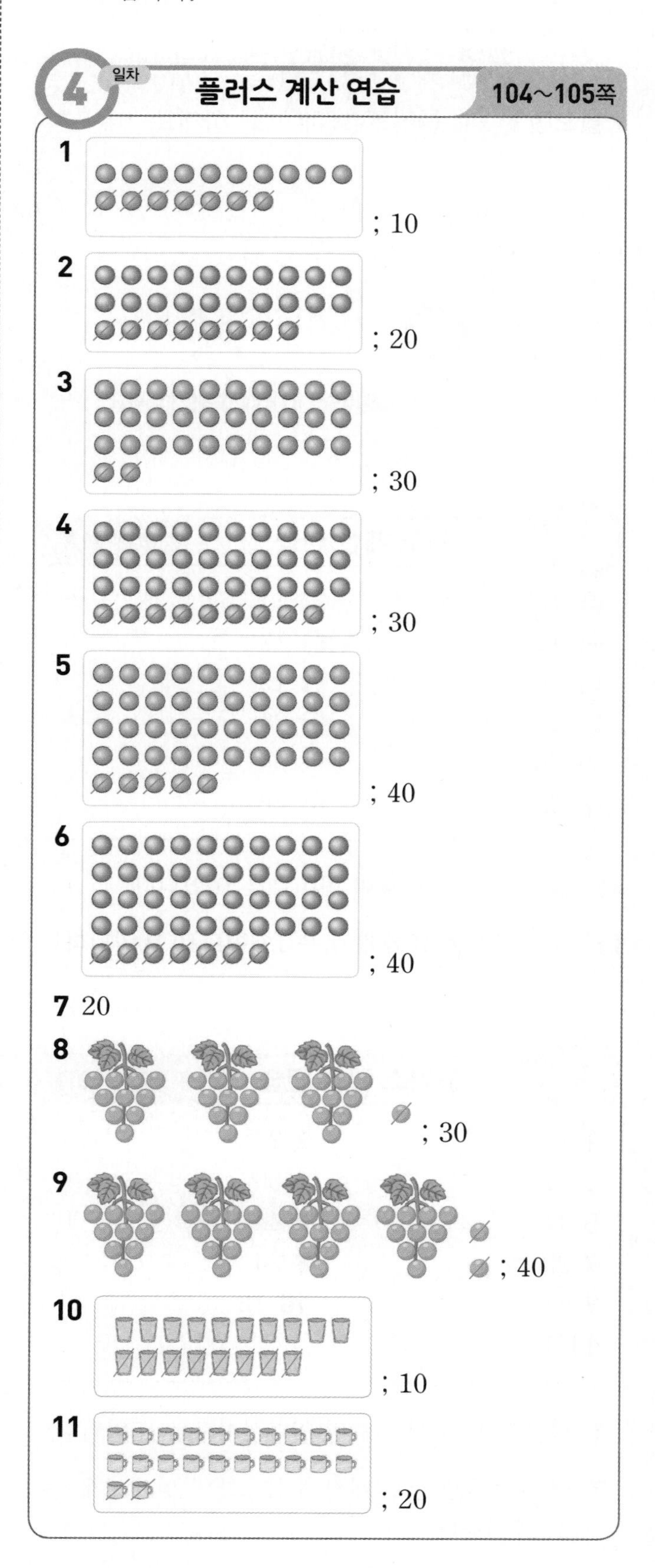

1 7만큼 /으로 지우면 10개씩 묶음 1개가 남으므로 10입니다.

7 남은 포도알은 10개씩 묶음 2개이므로 20입니다.

8 남은 포도알은 10개씩 묶음 3개이므로 30입니다.

9 남은 포도알은 10개씩 묶음 4개이므로 40입니다.

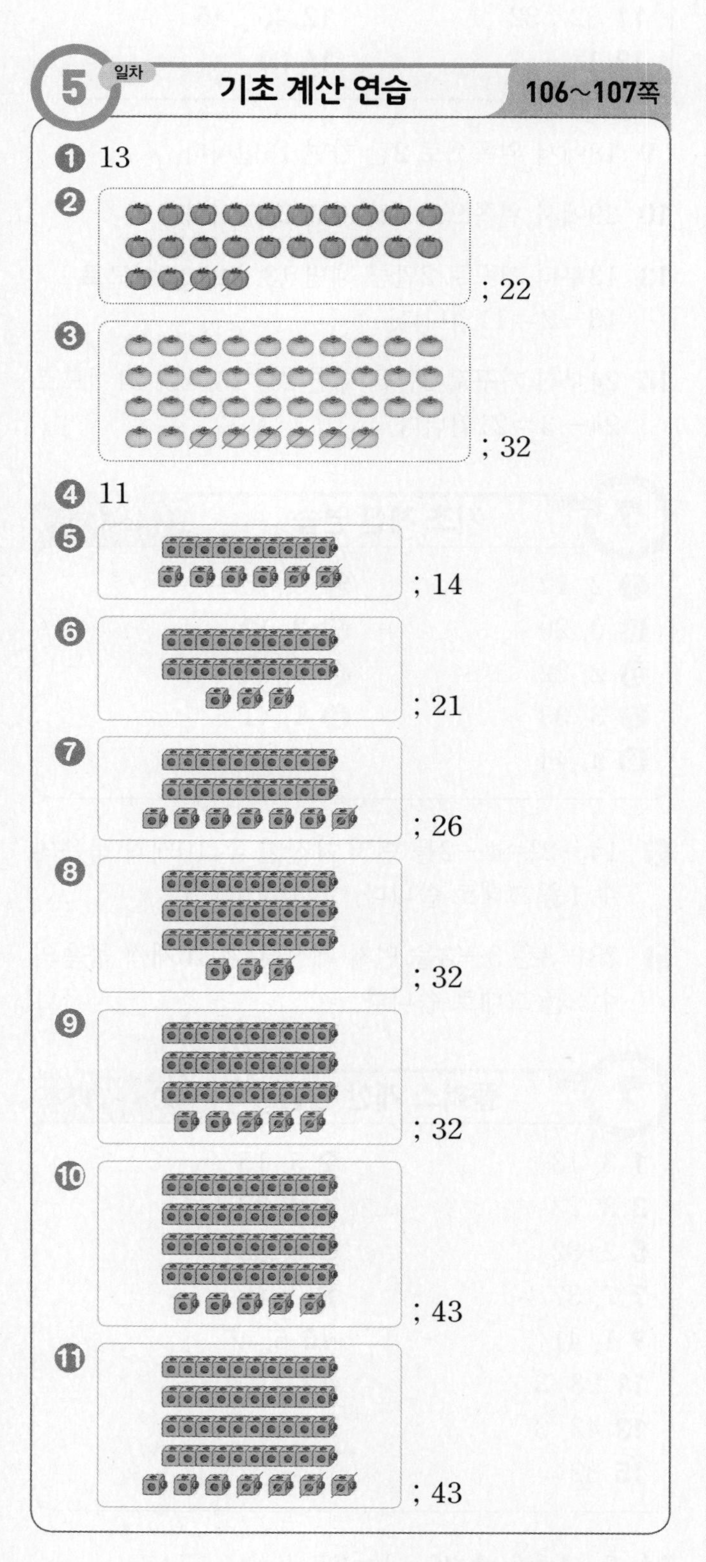

❶ 4만큼 /으로 지우면 10개씩 묶음 1개와 낱개 3개가 남으므로 13입니다.

❹ 1만큼 /으로 지우면 10개씩 묶음 1개와 낱개 1개가 남으므로 11입니다.

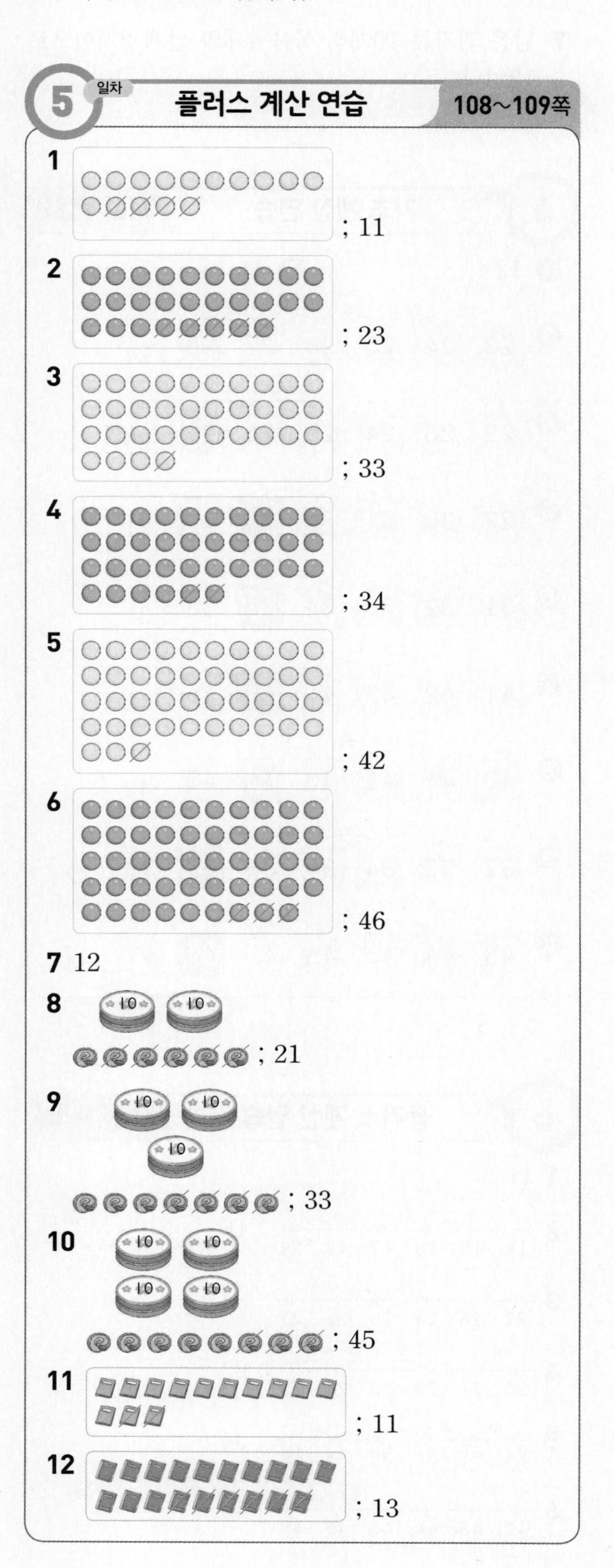

1 4만큼 /으로 지우면 10개씩 묶음 1개와 낱개 1개가 남으므로 11입니다.

7 남은 과자는 10개씩 묶음 1개와 낱개 2개이므로 12입니다.

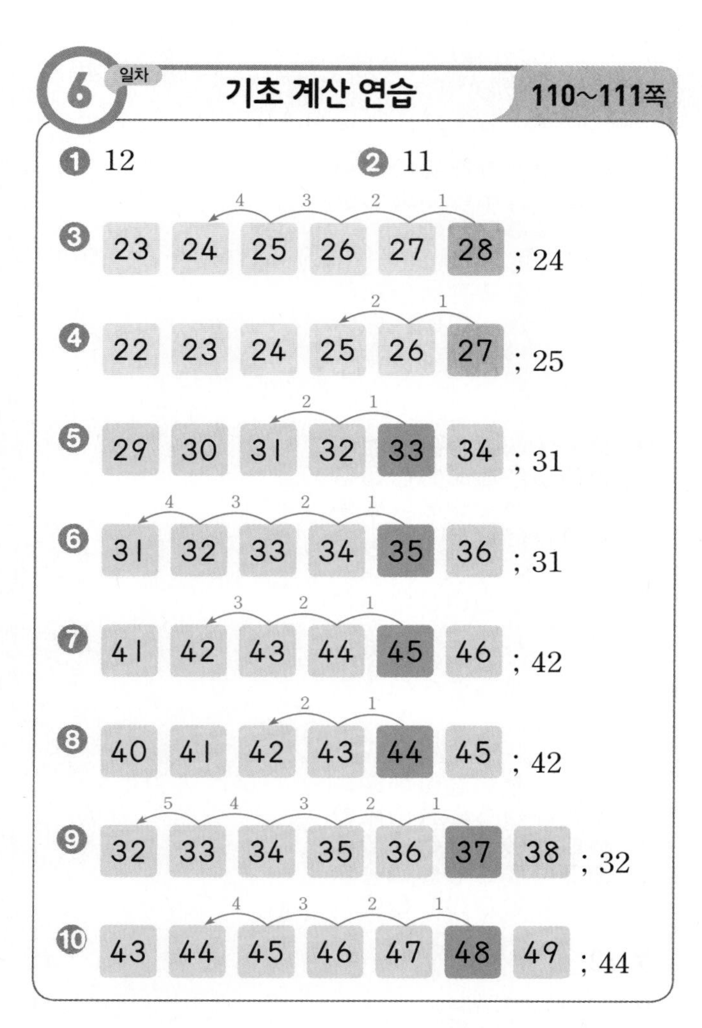

6 일차 기초 계산 연습 110~111쪽
❶ 12
❷ 11
❸ 23 24 25 26 27 28 ; 24
❹ 22 23 24 25 26 27 ; 25
❺ 29 30 31 32 33 34 ; 31
❻ 31 32 33 34 35 36 ; 31
❼ 41 42 43 44 45 46 ; 42
❽ 40 41 42 43 44 45 ; 42
❾ 32 33 34 35 36 37 38 ; 32
❿ 43 44 45 46 47 48 49 ; 44

6 일차 플러스 계산 연습 112~113쪽

1 11

2 14 15 16 17 18 19 ; 15

3 22 23 24 25 26 27 ; 24

4 20 21 22 23 24 25 ; 22

5 34 35 36 37 38 39 ; 34

6 42 43 44 45 46 47 ; 45

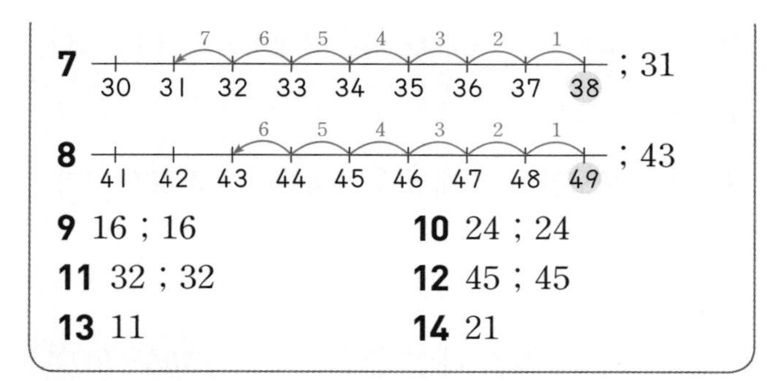

9 18에서 왼쪽으로 2칸 가면 16입니다.

10 29에서 왼쪽으로 5칸 가면 24입니다.

13 13부터 거꾸로 2만큼 세면 13, 12, 11이므로 $13-2=11$입니다.

14 24부터 거꾸로 3만큼 세면 24, 23, 22, 21이므로 $24-3=21$입니다.

7 일차 기초 계산 연습 114~115쪽

❶ 2, 12	❷ 5, 15
❸ 0, 20	❹ 2, 12
❺ 2, 22	❻ 6, 36
❼ 3, 33	❽ 1, 41
❾ 4, 44	

❶ $14-2$는 $4-2$를 먼저 계산한 후 10개씩 묶음의 수 1을 그대로 씁니다.

❸ $23-3$은 $3-3$을 먼저 계산한 후 10개씩 묶음의 수 2를 그대로 씁니다.

7 일차 플러스 계산 연습 116~117쪽

1 3, 13	**2** 5, 15
3 3, 23	**4** 2, 22
5 2, 32	**6** 3, 33
7 7, 37	**8** 0, 40
9 1, 41	**10** 5, 45
11 23, 3	**12** 31, 1
13 43, 3	**14** 25
15 32	

14 $6-1=5$ ➜ $26-1=25$

15 $5-3=2$ ➜ $35-3=32$

8일차 기초 계산 연습 118~119쪽

❶ 13 ❷ 12
❸ 21 ❹ 31
❺ 43 ❻ 10
❼ 11 ❽ 23
❾ 32 ❿ 36
⓫ 42

❶ 낱개끼리 7－4＝3을 계산한 다음 10개씩 묶음의 수 1을 그대로 내려 씁니다.

❷ 낱개끼리 8－6＝2를 계산한 다음 10개씩 묶음의 수 1을 그대로 내려 씁니다.

❸ 낱개끼리 5－4＝1을 계산한 다음 10개씩 묶음의 수 2를 그대로 내려 씁니다.

❹ 낱개끼리 4－3＝1을 계산한 다음 10개씩 묶음의 수 3을 그대로 내려 씁니다.

❺ 낱개끼리 6－3＝3을 계산한 다음 10개씩 묶음의 수 4를 그대로 내려 씁니다.

8일차 플러스 계산 연습 120~121쪽

1 12 **2** 21

3

	2	9
－		2
	2	7

4

	3	8
－		4
	3	4

5

	4	1
－		1
	4	0

6

	4	5
－		2
	4	3

7 41

8

	3	9
－		7
	3	2

9

	4	7
－		4
	4	3

10

	1	9
－		5
	1	4

11

	2	8
－		3
	2	5

7 귤은 47개, 멜론은 6개이므로 47－6＝41입니다.

8 사과는 39개, 수박은 7개이므로 39－7＝32입니다.

9 귤은 47개, 파인애플은 4개이므로 47－4＝43입니다.

10 19는 위에, 5는 아래에 쓴 후 낱개끼리 9－5＝4를 계산한 다음 10개씩 묶음의 수 1을 그대로 내려 씁니다.

11 28은 위에, 3은 아래에 쓴 후 낱개끼리 8－3＝5를 계산한 다음 10개씩 묶음의 수 2를 그대로 내려 씁니다.

9일차 기초 계산 연습 122~123쪽

❶ 21 ; 21 ❷ 34 ; 34
❸ 41 ; 41
❹ 10 ; 10 ❺ 14 ; 14
❻ 22 ; 22 ❼ 21 ; 21
❽ 30 ; 30 ❾ 41 ; 41

❶ 낱개끼리 3－2＝1을 계산한 다음 10개씩 묶음의 수 2를 그대로 씁니다.

❹ 낱개끼리 1－1＝0을 계산한 다음 10개씩 묶음의 수 1을 그대로 씁니다.

9일차 플러스 계산 연습 124~125쪽

1 11 **2** 24
3 35 **4** 30
5 47 **6** 41
7 11 **8** 12
9 20 **10** 35
11 30 **12** 42
13 13

14

	3	7
－		7
	3	0

15

	3	7
－		5
	3	2

16 26 **17** 43

13 펭귄 인형은 18개, 토끼 인형은 5개이므로 18－5＝13입니다.

14 돌고래 인형은 37개, 눈사람 인형은 7개이므로 37－7＝30입니다.

15 돌고래 인형은 37개, 토끼 인형은 5개이므로 37－5＝32입니다.

평가 SPEED 연산력 TEST 126~127쪽

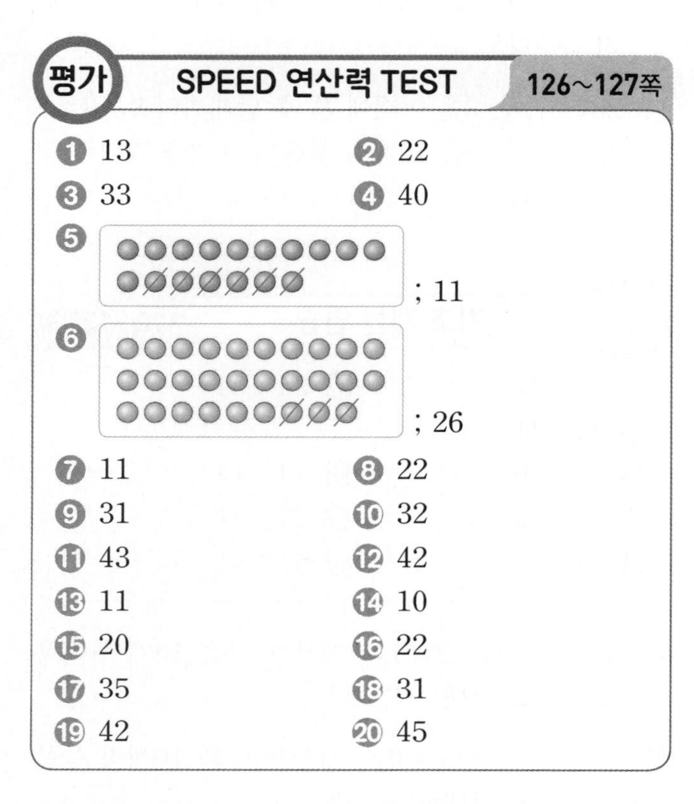

❶ 13 ❷ 22
❸ 33 ❹ 40
❺ ; 11
❻ ; 26
❼ 11 ❽ 22
❾ 31 ❿ 32
⓫ 43 ⓬ 42
⓭ 11 ⓮ 10
⓯ 20 ⓰ 22
⓱ 35 ⓲ 31
⓳ 42 ⓴ 45

❶ 10개씩 묶음 1개와 낱개 3개가 남았으므로 13입니다.

❷ 10개씩 묶음 2개와 낱개 2개가 남았으므로 22입니다.

❺ 6만큼 /으로 지우면 10개씩 묶음 1개와 낱개 1개가 남으므로 11입니다.

❻ 3만큼 /으로 지우면 10개씩 묶음 2개와 낱개 6개가 남으므로 26입니다.

특강 문장제 문제 도전하기 128~129쪽

1 13 ; 3, 13 ; 13 **2** 22 ; 24, 2, 22 ; 22
3 5, 40 **4** 35, 2, 33
5 19, 4, 15

3 (옥수수 수)－(호박 수)＝45－5＝40(개)

4 (남은 사탕 수)＝(전체 사탕 수)－(먹은 사탕 수)
＝35－2＝33(개)

5 (남은 연필 수)
＝(필통에 있는 연필 수)－(동생에게 준 연필 수)
＝19－4＝15(자루)

특강 창의·융합·코딩·도전하기 130~131쪽

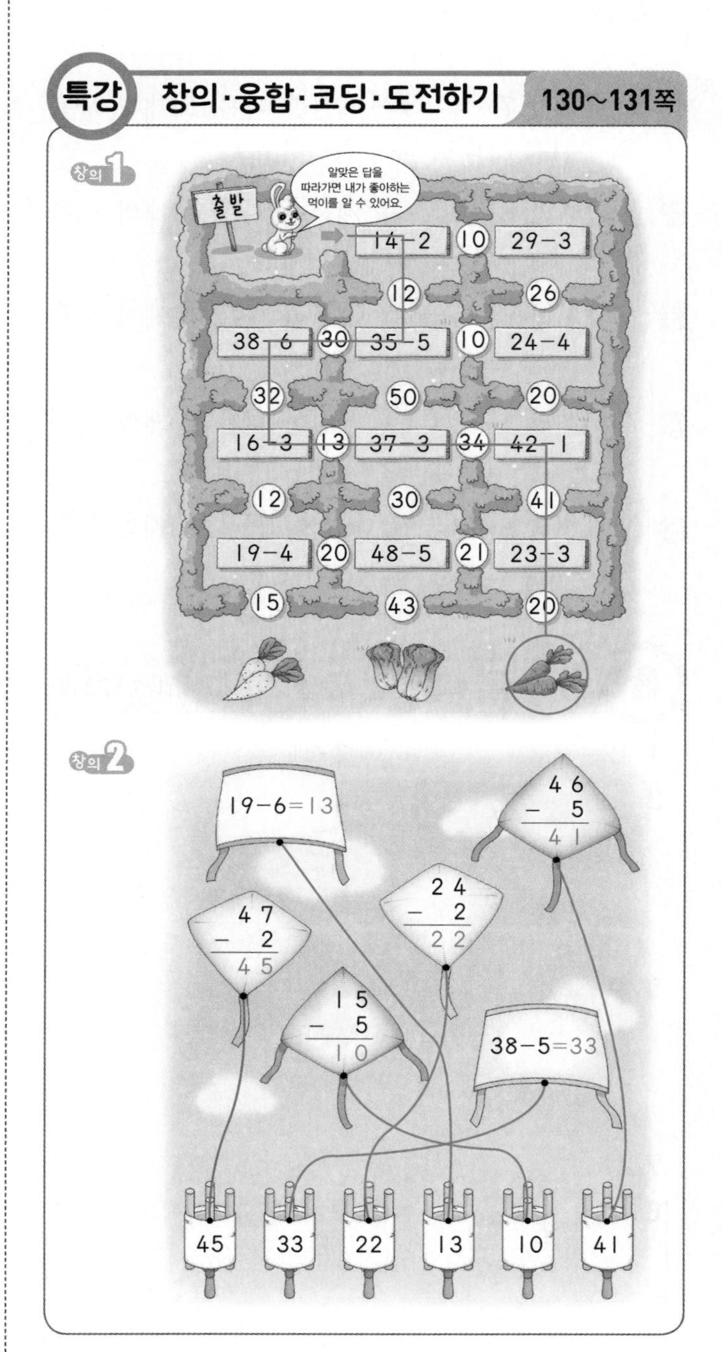

개념 ○× 퀴즈 정답

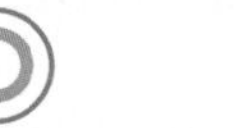 ×

4 100까지의 수

개념 OX 퀴즈

옳으면 ○에, 틀리면 ×에 ○표 하세요.

10개씩 묶음 9개인 수를 19라고 합니다.

○ ×

정답은 20쪽에서 확인하세요.

1일차 기초 계산 연습 134~135쪽

❶ 70 ❷ 80
❸ 90 ❹ 100
❺ 60 ❻ 100
❼ 8, 80 ❽ 6, 60
❾ 9, 90 ❿ 7, 70

1일차 플러스 계산 연습 136~137쪽

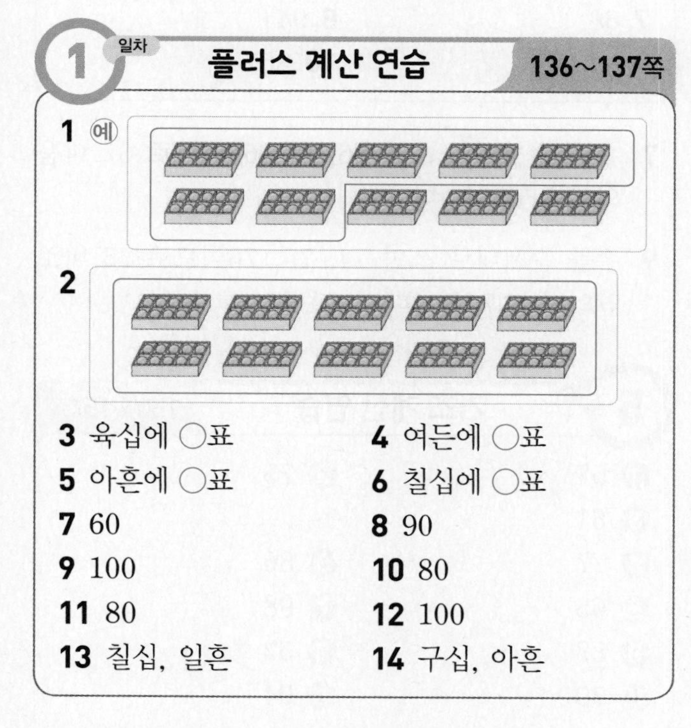

1 예

2

3 육십에 ○표 4 여든에 ○표
5 아흔에 ○표 6 칠십에 ○표
7 60 8 90
9 100 10 80
11 80 12 100
13 칠십, 일흔 14 구십, 아흔

3 60은 육십 또는 예순이라고 읽습니다.

4 80은 팔십 또는 여든이라고 읽습니다.

5 90은 구십 또는 아흔이라고 읽습니다.

6 70은 칠십 또는 일흔이라고 읽습니다.

2일차 기초 계산 연습 138~139쪽

❶ 52 ❷ 68
❸ 76 ❹ 83
❺ 6, 65 ❻ 5, 59
❼ 8, 82 ❽ 4, 74
❾ 1, 91 ❿ 7, 97

2일차 플러스 계산 연습 140~141쪽

1 73 2 85
3 57 4 94
5 88 6 61
7
8 54 9 78
10 93 11 86
12 67 13 72
14 구십오, 아흔다섯 15 팔십일, 여든하나

8 10원짜리 동전 5개와 1원짜리 동전 4개이므로 54원입니다.

9 10원짜리 동전 7개와 1원짜리 동전 8개이므로 78원입니다.

12 10개씩 묶음 6개와 낱개 7개는 67입니다.

13 10개씩 묶음 7개와 낱개 2개는 72입니다.

3일차 기초 계산 연습 142~143쪽

❶ 84 ❷ 73
❸ 95 ❹ 58
❺ 75 ❻ 96
❼ 69 ❽ 87

❶ 10개씩 묶음 8개와 낱개 4개이므로 84입니다.

❷ 10개씩 묶음 7개와 낱개 3개이므로 73입니다.

❸ 10개씩 묶음 9개와 낱개 5개이므로 95입니다.

3일차 플러스 계산 연습 144~145쪽

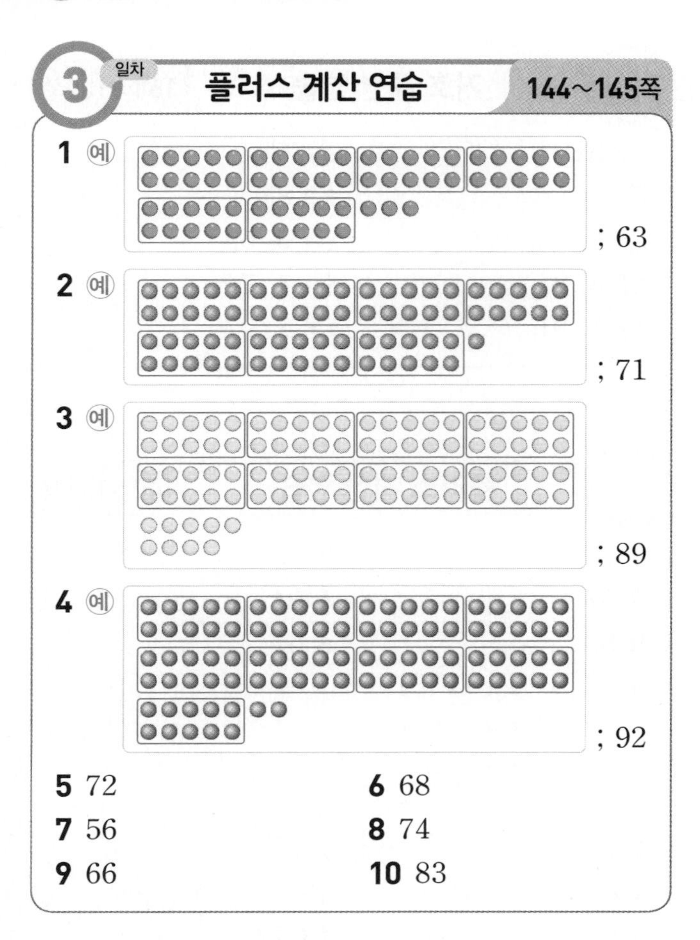

5 72　　6 68
7 56　　8 74
9 66　　10 83

5 10개씩 묶음 7개와 낱개 2개이므로 72입니다.

6 10개씩 묶음 6개와 낱개 8개이므로 68입니다.

7 10개씩 묶음 5개와 낱개 6개이므로 56입니다.

8 10개씩 묶음 7개와 낱개 4개이므로 74입니다.

9 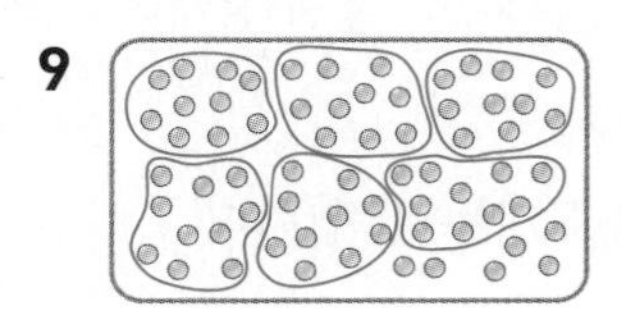 10개씩 묶어 보면 10개씩 묶음 6개와 낱개 6개이므로 66개입니다.

10 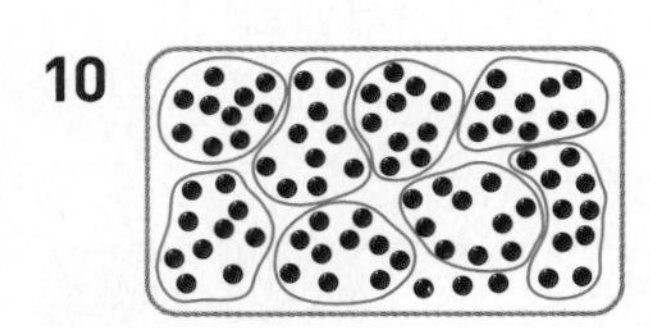 10개씩 묶어 보면 10개씩 묶음 8개와 낱개 3개이므로 83개입니다.

4일차 기초 계산 연습 146~147쪽

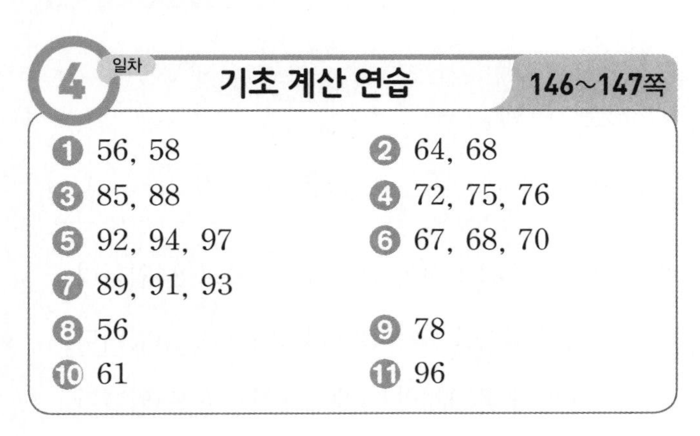

❶ 56, 58　　❷ 64, 68
❸ 85, 88　　❹ 72, 75, 76
❺ 92, 94, 97　　❻ 67, 68, 70
❼ 89, 91, 93
❽ 56　　❾ 78
❿ 61　　⓫ 96

❿ 60 다음의 수는 61입니다.

⓫ 97 바로 앞의 수는 96입니다.

4일차 플러스 계산 연습 148~149쪽

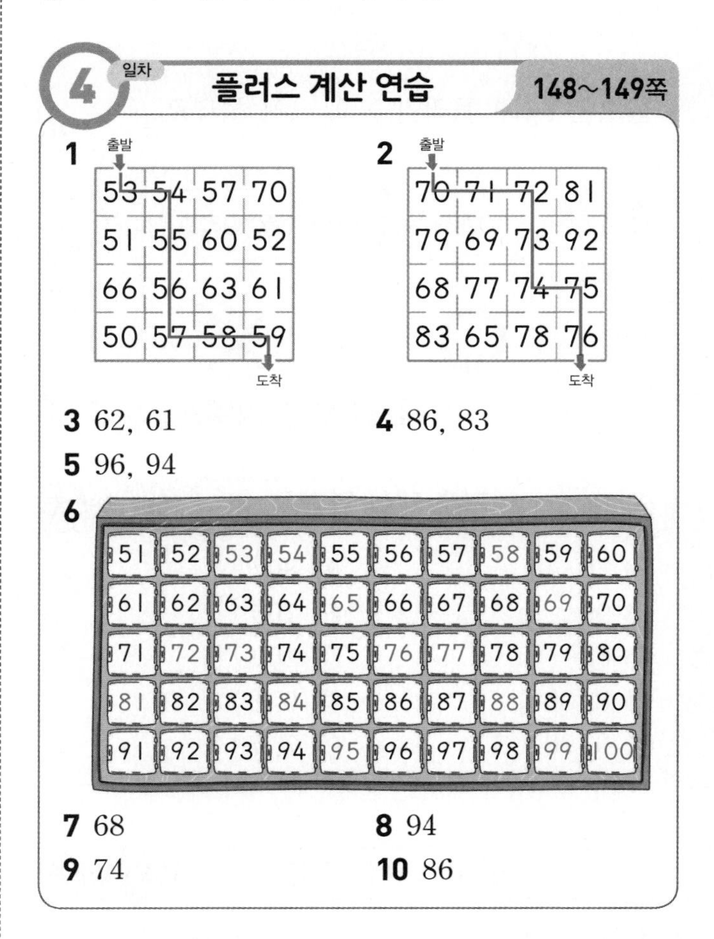

3 62, 61　　4 86, 83
5 96, 94

6

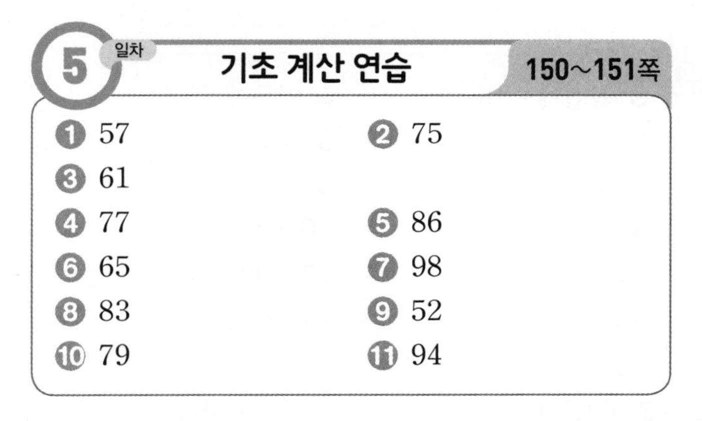

7 68　　8 94
9 74　　10 86

7 수를 순서대로 쓰면 66, 67, 68이므로 67 다음의 수는 68입니다.

9 수를 순서대로 쓰면 74, 75, 76이므로 75 바로 앞의 수는 74입니다.

5일차 기초 계산 연습 150~151쪽

❶ 57　　❷ 75
❸ 61
❹ 77　　❺ 86
❻ 65　　❼ 98
❽ 83　　❾ 52
❿ 79　　⓫ 94

❶ 56보다 1만큼 더 큰 수는 56 다음의 수인 57입니다.

❷ 74보다 1만큼 더 큰 수는 74 다음의 수인 75입니다.

5일차 플러스 계산 연습 152~153쪽

1 66　2 58
3 72
4 88　5 62
6 95　7 74
8 69　9 87
10 100　11 78
12 93　13 55
14 68　15 82

1 과자를 세어 보면 65개입니다. 65보다 1만큼 더 큰 수는 66입니다.

2 과자를 세어 보면 57개입니다. 57보다 1만큼 더 큰 수는 58입니다.

3 과자를 세어 보면 71개입니다. 71보다 1만큼 더 큰 수는 72입니다.

8 68보다 1만큼 더 큰 수는 69이므로 도토리는 69개입니다.

12 92보다 1만큼 더 큰 수는 92 다음의 수인 93입니다.

13 54보다 1만큼 더 큰 수는 54 다음의 수인 55입니다.

6일차 기초 계산 연습 154~155쪽

❶ 62　❷ 56
❸ 71
❹ 65　❺ 82
❻ 90　❼ 58
❽ 74　❾ 93
❿ 67　⓫ 81

❶ 63보다 1만큼 더 작은 수는 63 바로 앞의 수인 62입니다.

❷ 57보다 1만큼 더 작은 수는 57 바로 앞의 수인 56입니다.

❸ 72보다 1만큼 더 작은 수는 72 바로 앞의 수인 71입니다.

6일차 플러스 계산 연습 156~157쪽

1 52　2 75
3 68
4 70　5 64
6 95　7 83
8
9 63　10 51
11 87　12 94

1 모자를 세어 보면 53개입니다.
53보다 1만큼 더 작은 수는 52입니다.

2 모자를 세어 보면 76개입니다.
76보다 1만큼 더 작은 수는 75입니다.

3 모자를 세어 보면 69개입니다.
69보다 1만큼 더 작은 수는 68입니다.

9 64보다 1만큼 더 작은 수는 64 바로 앞의 수인 63입니다.

10 52보다 1만큼 더 작은 수는 52 바로 앞의 수인 51입니다.

7일차 기초 계산 연습 158~159쪽

❶ 큽니다에 ○표　❷ 작습니다에 ○표
❸ 큽니다에 ○표　❹ 작습니다에 ○표
❺ 83에 ○표　❻ 90에 ○표
❼ 69에 ○표　❽ 76에 ○표
❾ 68에 △표　❿ 59에 △표
⓫ 51에 △표　⓬ 84에 △표

❶ 10개씩 묶음의 수를 비교하면 80은 64보다 큽니다.

❸ 10개씩 묶음의 수가 같으므로 낱개의 수를 비교하면 66은 62보다 큽니다.

❺ 10개씩 묶음의 수를 비교하면 83이 56보다 큽니다.

❿ 10개씩 묶음의 수를 비교하면 59가 95보다 작습니다.

⓫ 10개씩 묶음의 수가 같으므로 낱개의 수를 비교하면 51이 53보다 작습니다.

7일차 플러스 계산 연습 160~161쪽

1 60에 ○표	**2** 97에 ○표
3 57에 ○표	**4** 78에 ○표
5 77에 ○표	**6** 96에 ○표
7 55에 △표	**8** 65에 △표
9 75에 △표	**10** 63에 △표
11 91에 △표	**12** 81에 △표
13 58	**14** 77
15 71, 76	**16** 83, 80
17 87	**18** 98
19 56	**20** 63

14 10개씩 묶음의 수를 비교하면 77이 92보다 작습니다.

16 10개씩 묶음의 수가 같으므로 낱개의 수를 비교하면 83이 80보다 큽니다.

17 10개씩 묶음의 수를 비교하면 87이 64보다 큽니다.

18 10개씩 묶음의 수가 같으므로 낱개의 수를 비교하면 98이 95보다 큽니다.

19 10개씩 묶음의 수를 비교하면 56이 72보다 작습니다.

20 10개씩 묶음의 수가 같으므로 낱개의 수를 비교하면 63이 69보다 작습니다.

평가 SPEED 연산력 TEST 162~163쪽

❶ 80	❷ 60
❸ 70	❹ 100
❺ 56	❻ 91
❼ 83	❽ 67
❾ 66, 67, 68	❿ 79, 82, 83
⓫ 51, 53	⓬ 73, 75
⓭ 87, 89	⓮ 94, 96
⓯ 84에 ○표	⓰ 93에 ○표
⓱ 79에 ○표	⓲ 67에 ○표

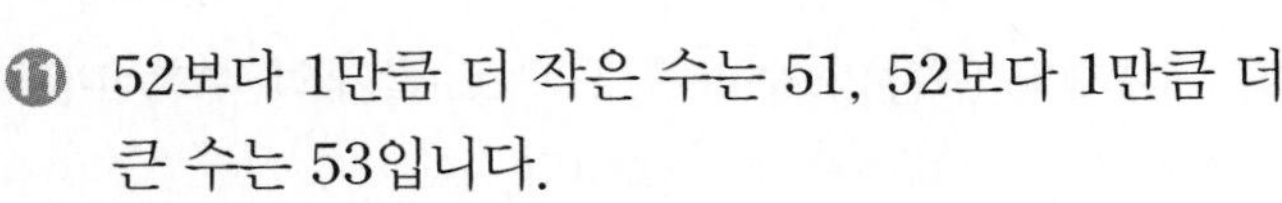
⓫ 52보다 1만큼 더 작은 수는 51, 52보다 1만큼 더 큰 수는 53입니다.

특강 문장제 문제 도전하기 164~165쪽

1 51 ; 51	**2** 67 ; 67
3 84 ; 84	**4** 주호
5 노란	**6** 나

5 10개씩 묶음의 수가 같으므로 낱개의 수를 비교하면 96이 93보다 큽니다.
따라서 노란색 풍선이 더 많습니다.

6 가 초콜릿은 53개, 나 초콜릿은 64개입니다.
10개씩 묶음의 수를 비교하면 64가 53보다 큽니다.
따라서 나 초콜릿이 더 많습니다.

특강 창의·융합·코딩·도전하기 166~167쪽

창의 1

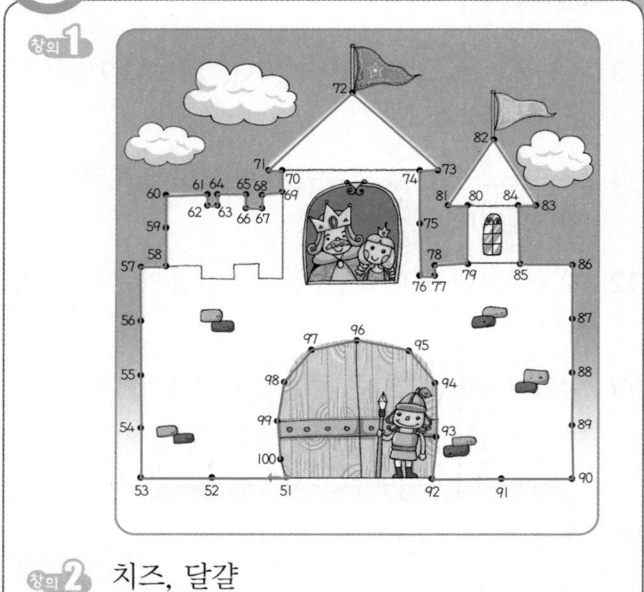

창의 2 치즈, 달걀

창의 2
- 재호: 참치 샌드위치를 먹었습니다.
- 승아: 참치 샌드위치는 63개입니다.
  63보다 1만큼 더 큰 수는 64이므로 치즈 샌드위치를 먹었습니다.
- 유현: 참치 샌드위치는 63개입니다.
  63보다 1만큼 더 작은 수는 62이므로 달걀 샌드위치를 먹었습니다.

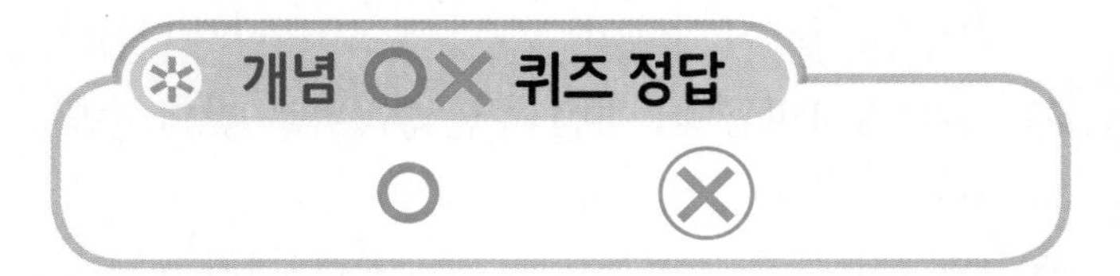

10개씩 묶음 9개인 수는 90입니다.

정답은
이안에
있어!

논술·한자교재

●**YES 논술**	1~6학년/총 24권
●**천재 NEW 한자능력검정시험 자격증 한번에 따기**	8~5급(총 7권) / 4급~3급(총 2권)

영어교재

●**READ ME**	
– Yellow 1~3	2~4학년(총 3권)
– Red 1~3	4~6학년(총 3권)
●**Listening Pop**	Level 1~3
●**Grammar, ZAP!**	
– 입문	1, 2단계
– 기본	1~4단계
– 심화	1~4단계
●**Grammar Tab**	총 2권
●**Let's Go to the English World!**	
– Conversation	1~5단계, 단계별 3권
– Phonics	총 4권

예비중 대비교재

●**천재 신입생 시리즈**	수학 / 영어
●**천재 반편성 배치고사 기출 & 모의고사**	

월간교재

●**NEW 해법수학**	1~6학년
●**해법수학 단원평가 마스터**	1~6학년 / 학기별
●**월간 우등생평가**	1~6학년

천재교육 초등 수학 마스터

하

기초 연산서

수학리더[연산]

계산박사

개념서

수학리더[개념]

수학리더[기본]

유형서

수학리더[유형]

수학의 힘[알파]

수학리더[기본+응용]

수학도 독해가 힘이다

최상위

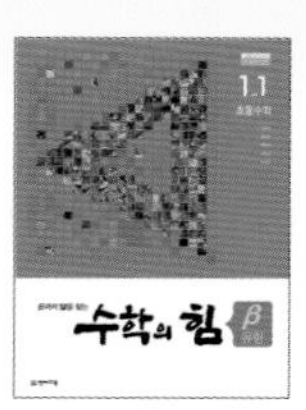

수학의 힘[베타]

수학리더[응용·심화]

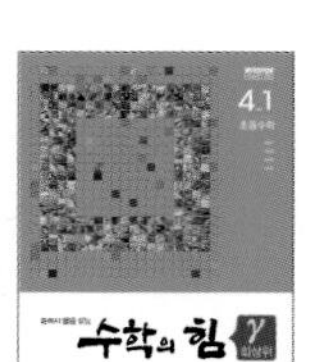

수학의 힘[감마]

상

난이도

특화 교재

월간호

NEW 해법수학

GO! 매쓰 Start/Run/Jump

단원평가

단원평가 마스터

배치고사

예비 중학 신입생 수학

HME 평가

HME 수학 학력평가